De vrouw op de foto

D0785512

Leif Davidsen

De vrouw op de foto

Uit het Deens vertaald door Edith Koenders

UITGEVERIJ DE GEUS

Tweede druk

Oorspronkelijke titel *Lime's billede*, verschenen bij
Lindhardt og Ringhof
Oorspronkelijke tekst © Leif Davidsen, 1998
Nederlandse vertaling © Edith Koenders en
Uitgeverij De Geus bv, Breda 2000
Deze uitgave © Uitgeverij De Geus bv, Breda 2002
Omslagontwerp Ron van Roon
Foto auteur © Cato Lein
Lithografie TwinType, Breda
Druk Koninklijke Wöhrmann bv, Zutphen
ISBN 90 445 0285 9
NUR 313, 332

Niets uit deze uitgave mag verveelvoudigd en/of
openbaar gemaakt worden door middel van druk,
fotokopie, microfilm of op welke wijze dan ook,
zonder voorafgaande schriftelijke toestemming van
Uitgeverij De Geus bv, Postbus 1878, 4801 BW Breda,
Nederland. Telefoon: 076 522 8151.
Internet: www.degeus.nl

Verspreiding in België via Libridis nv,
Industriepark-Noord 5a, 9100 Sint-Niklaas

Voor Ulla, voor je liefde en al het andere

Deel I

Paparazzo

De benaming 'paparazzo' is bedacht door de Italiaanse regisseur Federico Fellini, die het woord gebruikte voor een roddelpersfotograaf in de film *La dolce vita* uit 1959. Een paparazzo is een fotograaf die als een soort huurmoordenaar op de loer ligt om rijke en beroemde mensen te vangen in de lens van zijn camera. Voor een geslaagd shot van een beroemdheid gebruiken paparazzi het Engelse woord 'hit', dezelfde term waarmee een huurmoordenaar zijn contract aanduidt. Een goede hit kan de competente fotograaf die geluk heeft een paar honderdduizend dollar opleveren. In sommige gevallen zelfs een paar miljoen.

1

Je weet nooit wanneer je leven ineens zal instorten en alles compleet zal veranderen. Het ene moment lijkt je leven nog veilig en vertrouwd om het volgende moment in een nachtmerrie te veranderen waar je in slowmotion op dezelfde plek lijkt te lopen, terwijl je probeert te ontwaken om naar de werkelijkheid terug te keren. Maar die droom is de werkelijkheid.

Ik voelde me zeker, was over de helft van mijn leven, gelukkig met het gewone, dankbaar voor de liefde die ik, ook al had die lang op zich laten wachten, uiteindelijk had gevonden. Voor het kind dat ik toch nog op de wereld had gezet om het geslacht voort te zetten. Het mag ouderwets klinken, maar aangezien ik tegen de vijftig liep en dichter bij het graf stond dan bij de wieg, was het belangrijk voor me om het leven door te geven.

Het begon toen mijn mobiele telefoon overging. Ik had hem niet moeten opnemen, maar ik kon niet anders. Je weet nooit wat je aan de andere kant van de lijn wacht. Geluk, ongeluk, zaken, rekeningen, iemand die verkeerd verbonden is, de dood, een keerpunt misschien. Je weet niet wat je anders zou mislopen en al was ik inmiddels een dagje ouder, ik was heus niet te oud om de opdrachten en kansen die zich aandienden te grijpen. Al voelde ik de laatste jaren wel een lichte afschuw en wroeging. Ik typ de Deense woorden en zie ze voor me op het witte scherm van mijn laptop, en ik verbaas me erover hoe makkelijk ze tevoorschijn komen hoewel ik nu al jarenlang Engels en Spaans spreek en vooral schrijf. Maar nu ik probeer om meer dan een artikeltje, fototekst, memo of een liefdesbrief te schrijven, kan ik beter mijn eigen taal gebruiken.

Ik lag op mijn buik en voelde de zon op mijn rug branden. Ik lag ongemakkelijk op de verweerde rotsen. Alle hoekjes en gaatjes waren opgevuld met zwarte zandkorreltjes die vanaf het strand omhoog waren gewaaid en daar beschutting hadden gevonden. Ik lag daar als een scherpschutter in Bosnië en ademde rustig en langzaam terwijl ik de zon door mijn dunne, lichte T-shirt en mijn blauwe jeans heen voelde en ook in mijn nek onder de rand van mijn witte zonnehoed. Achter mij verrezen bruine, verschroeide bergen. Als je verder landinwaarts zou trekken, zou je ontdekken hoe enorm, hoog en ontoegankelijk ze zijn, maar vanaf de kust leken ze vriendelijker, al waren ze ook geteisterd door de zon en getekend door de wind die in de winter, kouder en krachtiger dan je zou verwachten, vanaf de Middellandse Zee waait.

Beneden, voor mij, was de kleine baai uitgestorven. Zo'n baai, door de eeuwen heen uitgesleten door de zee, waarvan de Costa Brava er zoveel heeft. Een paar kilometer naar het noorden was de Frans-Spaanse grens en een eindje naar het zuiden begon de toeristenhel. De hebberige mens is erin geslaagd om in een paar decennia de kust kapot te maken die generaties lang bewoond is geweest zonder dat er sprake was van vernielingen of veranderingen. De Spaanse Middellandse-Zeekust is in een paar jaar tijd ingrijpender veranderd dan in de afgelopen tweeduizend jaar. Maar dicht bij de grens bezat het landschap nog steeds een aantal van de oorspronkelijke eigenschappen. De zee was azuurblauw en schitterend, als een geretoucheerde door de computer geproduceerde ansichtkaart, onder de heldere, gouden zon. Ik zag een paar zeilers laveren in de wind en twee dure speedboten die een witte streep door het water trokken, maar de baai onder mij was stil en het was alsof er nog nooit een mens geweest was. Alsof ik deze baai als ontdekkingsreiziger voor het eerst zag. Het was zo'n baai die je alleen over het water kunt bereiken. De rotsige kust was steil. Een ervaren bergbeklimmer zou de

uitstekende punt van de rotswand misschien kunnen bedwingen, maar een gewone toerist begon daar niet eens
aan. De baai was wat de toeristenbrochures beloofden: een
mooi, onbedorven privé-strandje in de kolkende maalstroom
van toeristen.

Ik lag er een beetje schuin boven zodat ik goed zicht had
op de zee en ook op de vloedlijn van de baai, terwijl een uitstekende grillige rots nieuwsgierige ogen het zicht ontnam.
Als je het niet wist, zou je er nooit achterkomen dat daar
aan de voet van die rotswand een mooie kleine baai lag. Twee
grillige rotsblokken een paar meter verderop verborgen het
grijze, poederachtige zand voor nieuwsgierige blikken. Een
plek waar niemand je zag, behalve als iemand die wist waar
hij moest zijn zich met een kijker in de hand de moeite zou
getroosten. Een perfecte plek om alleen te zijn. Of met zijn
tweeën.

De tortelduifjes hebben een mooi plekje uitgezocht, dacht
ik in het Deens zoals ik wel vaker deed wanneer ik ergens in
mijn eentje op een hit lag te wachten. Ik concentreerde me op
die paar honderdsten van een seconde die mij een succes of
een fiasco konden opleveren. Ik liet mijn gedachten de vrije
loop in het labyrint van de herinnering, haalde me mijn twee
dierbaren voor de geest en dacht aan films, boeken en liefdes-
avontuurtjes in een poging de tijd tot niets te laten worden.
Tot *nada*. Tot een niet-bestaande toestand, zodat de verveling niet over zou gaan in ongeduld en ik op het moment van
de waarheid, wanneer het verschil tussen succes en fiasco niet
meer was dan een paar honderdsten van een seconde, niet
alert genoeg zou zijn.

Ik hield de speedboten in de gaten. Eentje scheerde met
hoge snelheid langs de kust en trok een kaarsrechte streep
door het water, maar nummer twee veranderde van koers,
minderde vaart en voer de baai in. Het was een grote, twintig
voet lange, schitterend witte motorboot met mooie slanke

lijnen. Op het voordek lag een jonge vrouw, ze droeg alleen een zwarte Ray Ban-zonnebril. Die stond haar goed. De man stond met ontbloot bovenlijf aan het roer en stuurde de boot de baai in terwijl hij op het echolood de waterstand in de gaten hield. Dicht bij de kust kunnen verraderlijke klippen en rotspunten zijn, maar de witte motorboot had weinig diepgang. Of de man wist hoe hij tussen de twee klippen door moest laveren. Dat laatste was het geval, aldus mijn contactpersonen.

Ik leefde van de onverzadigbare nieuwsgierigheid van mensen die graag kijken naar de blamages van bekende en rijke personen. Hoewel ik al twintig jaar ervaring had met de hebzucht en machtswellust van de moderne mens, bleef het me verbazen dat er nog altijd zoveel grote mannen bereid waren om hun carrière, huwelijk en positie op het spel te zetten voor seks. Dat ze zo overtuigd zijn van hun onkwetsbaarheid dat ze bereid zijn grote risico's te nemen. Om te bewijzen dat ze nog altijd mannen zijn. Wisten ze dan niet dat er altijd wel iemand bereid was hun geheim te verkopen?

Ik was hier aan de Costa Brava beland dankzij een tip die ik weken geleden had gekregen. Zo ging het altijd. De vele informanten en contactpersonen die ik betaalde, onderhield, mee uit eten nam, prees, verwierf, naar de mond praatte en wier ego ik oppoetste, vormden een wijdvertakt netwerk. Hierdoor bleef ik op de hoogte van het doen en laten van vele beroemdheden. Zij wezen me een doel aan en verstrekten me de noodzakelijke gegevens, maar de logistiek voor het veldwerk, het verkennen van de omgeving en het uitvoeren van de hit waren mijn zorg. De voorbereiding die nodig was om het doel te kunnen raken dat nu nietsvermoedend en met de onschuld der onwetenden de kust naderde, had me twee weken gekost. De inlichtingen waren zeer nauwkeurig, zelfs de naam van de boot klopte. Als een nieuwe regering aantreedt nadat de oude jarenlang heeft kunnen genieten van de zoetheid van de macht, zou ze beter achterom moeten kijken. Vooral als de nieuwe regering gebaseerd is op God, Koning en Vaderland en de moraal zo hoog in het vaandel draagt dat het contact met de aarde verbroken is. 'Werp niet de eerste steen, vriend', zei ik halfluid in het Deens, een taal die nog altijd zeer vertrouwd aanvoelt hoewel ik hem jarenlang alleen met mezelf gesproken heb en dus meestal in mijn hoofd. Engels gebruikte ik voor zaken, Spaans voor de liefde en Deens voor mijn diepste, geheime gedachten waarvoor je de onderliggende nuances van elk woord moet kennen. Daar waar het er niet toe doet wat je zegt, maar hoe je het zegt of denkt. De Denen vormen een kleine stam in de periferie van de grote wereld en hun gemeenschappelijke kenmerk is de taal. Denen herkennen elkaar aan hun taal. Buitenlanders spreken met een accent. Echte Denen spreken dialect. Wij herkennen elkaar aan de snibbige ondertoon van bedrieglijke ironie. Wij categoriseren elkaar op basis van de taal, die veel onvertaalbare nuances, understatements en ironie bevat.

De man manoeuvreerde de boot veilig naar de kust. Toen hoorde ik het geluid van de motor verstommen en alvorens het anker uit te gooien en de boot tegen de stroom in te laten schommelen, liet de man hem de laatste meters langzaam verder drijven. Ik tilde mijn nieuwe camera op, een wonder van computergestuurde technologie. Ik wist dat de 400-mm telelens een goede keus was. Door de zoeker kon ik de mensen duidelijk zien. Zij was waarschijnlijk ergens in de twintig en had een glad, gebruind lichaam waarop het zwarte schaamhaar duidelijk zichtbaar was in de zon. Ze was noch te dik noch te dun maar welgeschapen. Ze deed me aan iemand denken, maar ik wist niet aan wie. Dergelijke gave vrouwenlichamen wiegen overal rond, van St.-Tropez tot Marbella. Ze trekken rijke, machtige mannen van middelbare leeftijd aan zoals rottend vlees dat met vliegen doet. Met hun ogenschijnlijk smetteloze, eeuwigdurende schoonheid doen ze de mannen het verval van hun eigen lichaam vergeten. Deze jonge vrouwen hebben nog zo weinig pijnlijke ervaringen gehad dat ze denken dat zij nooit zullen aftakelen. Ik drukte mijn klamme, maar rustige wijsvinger op de ontspanner, liet de motor stationair draaien en maakte een snelle serie. Ik zoomde in om een helder shot te maken van de jonge vrouw, terwijl het gezicht van de man scherp achter haar opdook. Hij was achter in de veertig, donker met zuidelijke trekken, had een gladgeschoren gezicht en dik zwart haar. Hij had gespierde armen en schouders, maar een beginnend buikje onder het zwarte lichaamshaar verried dat hij niet meer in de kracht van zijn leven was. Hij was zeer gebruind en door de zoeker kon ik zijn regelmatige witte tanden zien toen hij naar de vrouw lachte.

Hij zei iets en wierp haar een paar watersandalen toe, de vrouw lachte en zei iets terug terwijl ze de sandalen aantrok. Toen pakte ze een duikbril en een snorkel en liet zich naakt in het water glijden. Er zitten veel zee-egels op de rotsen onder het wateroppervlak. Kennelijk wist het stel dat, en ze hadden met recht respect voor de lange scherpe stekels. Ik schoot het rolletje vol en ving een paar keer de naakte billen van de vrouw, die uit het water opdoken voordat ze haar benen recht omhoog stak, om gracieus als een dolfijn weer in zee te verdwijnen. Ze snorkelde in grote cirkels om de schommelende boot heen.

De man maakte een rubberbootje los van het dek, liet het in het water zakken en roeide naar het strand. Hij had een rode zwembroek aan en zijn benen waren gespierd maar toch elegant. Was hij soms een wedstrijdzwemmer geweest? Hij peddelde tot aan de vloedlijn en trok de boot aan land. Hij pakte een kleed, legde het op het zand en zette de picknickmand erop. Er stak een slanke flessenhals uit de mand. De vrouw zwom tot vlak bij het strand en gooide haar duikbril en snorkel naar de man, die ze opving. Ze riep hem, hij nam

14

een duik zonder dat er water opspatte en crawlde met lange krachtige slagen naar het diepe. De vrouw volgde hem. Ik verwisselde mijn rolletje, liet de motor stationair draaien en schoot het ene plaatje na het andere van het paar in het water. Ik had een beetje gewetenswroeging, of was ik gewoon jaloers? Ze speelden in het water als kleine kinderen en wanneer de druppels in alle kleuren van de regenboog van hun lichamen spatten, waren ze ronduit mooi. Maar wat deed het ertoe? Het was een kwestie van seconden. Het ging om puur praktische zaken als diafragma, sluitertijd, focus, scherpte. De vrouw trok zijn zwembroek uit, die als een rode kwal van het paar afdreef. Hij was sterk en tilde haar boven het water uit en kuste haar borsten. De motor van mijn spiegelreflexcamera maakte een zwiepend geluid en in plaats van het rolletje te verwisselen, pakte ik een andere camera en maakte nog een serie. Het zweet drong door de stof van mijn T-shirt heen. Ik voelde hoe de natte plek op mijn rug groter werd. Ze leken wel een stel jonge honden. Hij zwom tussen haar benen in, tilde haar half uit het water en liet haar achterover vallen zodat het opspattende water een aureool om hun lichamen vormde. Vervolgens zwom zij naar hem toe, legde haar armen om zijn hals en sloeg haar benen om zijn heupen. Dat was een mooi plaatje. Vol liefde en erotiek en toch onthulde het niet alles. Dat je de penetratie niet kon zien maakte het des te prikkelender. Ik ging nog even door toen ze de coïtus afmaakten op het kleed op het strand, al waren die foto's toch niet verkoopbaar. Dit was niet erotisch meer maar pornografisch, en ik ben geen pornograaf.

Daarna lagen ze in de zon en zagen er gelukkig uit. Zoals naakte mensen die denken dat ze veilig en alleen zijn, dat kunnen. Wanneer ze denken dat ze alleen zijn in de tuin van het paradijs, maar de slang vergeten die, in de vorm van een geperfectioneerde hightech Japanse telelens van bijna een halve meter lang, de gelukkige seconde voor eeuwig en voor iedereen die het wil zien, vastlegt.

De man smeerde de vrouw in met zonnebrandolie en ik had zoveel ervaring dat ik wist dat de beste foto, de foto die mijn banksaldo de komende jaren met misschien zo'n tweehonderdduizend dollar zou kunnen verhogen, de minst seksuele maar tegelijkertijd de meest erotische was. Het was raak toen de minister de voeten van zijn minnares in zijn handen nam en ze langzaam en sensueel begon te masseren. Misschien had ze toch een stekel van een zee-egel in de tere huid van haar welgevormde voeten gekregen. Ze leunde achterover op haar gestrekte armen en ze staarde langs hem heen in de verte. Haar gezicht was kalm en voldaan en om haar mond speelde een glimlachje toen hij eerst haar grote teen in zijn mond nam en vervolgens liefdevol, stuk voor stuk op haar welgevormde tenen begon te sabbelen als een kind op een snoepje.

'Bingo', zei ik en wilde net wegkruipen om het paar nog even alleen te laten voordat hun geluk en leven voorgoed verpest zouden worden, toen mijn mobiele telefoon in de tas naast me overging. Ze konden het zachte gebliep onmogelijk horen beneden op het strand. Ze waren te ver weg en het zachte geruis van de zee zou het geluid overstemmen mocht de wind het elektronische signaal toch meegevoerd hebben. Maar machtige mannen zijn juist machtige mannen omdat ze een zevende zintuig lijken te bezitten, een gevoel voor gevaar, voor politieke mijnenvelden. Het is alsof ze het van tevoren weten, misschien voelen dat er iets aan hun aura morrelt, tegen hun zelfvertrouwen duwt. In elk geval richtte hij zijn hoofd op toen mijn telefoon ging en keek mijn kant uit met samengeknepen ogen alsof hij even het gevoel had dat er gevaar dreigde. Als een dier dat water drinkt uit een poel in de savanne en weet dat er een luipaard aankomt al kan hij het roofdier niet zien, horen of ruiken. We maakten dezelfde beweging. Ik stak mijn hand in mijn tas en haalde mijn mobiele telefoon tevoorschijn, terwijl hij de zijne uit de mand pakte, een nummer intoetste en naar mijn verstopplek bleef turen. Ik kroop naar achteren. Ik had het kunnen weten. Natuurlijk had hij een paar bodyguards meegenomen. Hij was misschien wel onvoorzichtig, maar ook zorgvuldig en allesbehalve stom.

'Hello', zei ik.

Er klonk een vrouwenstem aan de andere kant van de lijn. Ze sprak mijn naam op z'n Deens uit. Als Liem.

'Peter Lime?' Haar stem was helder, jong en zonder een herkenbaar dialect. De mobiele telefoon was een belangrijke uitvinding. Hij had het leven voor mensen als ik een stuk eenvoudiger gemaakt, maar was tevens een vloek.

In Denemarken wordt mijn naam uitgesproken als 'liem', wat lijm betekent. Ik geef er de voorkeur aan me voor te stellen met het Engelse woord voor limoen, 'lime', de kleine bittere groene vrucht. Ik zet altijd een apostrof achter mijn naam als ik het heb over Lime's foto's. In het buitenland leg ik soms uit dat ik niets van doen heb met Orson Welles en de riolen van Wenen, maar dat de naam zijn oorsprong vindt in een dorpje in Jutland: Lime tussen Ebeltoft en Randers.

Ik koos er al vroeg voor om anders te zijn door te eisen dat men mijn achternaam op z'n Engels uitsprak. Ik wilde geen naam die deed denken aan kleverige lijm. Mijn naam was gewoon ontleend aan die van een gehucht. Ik kom overigens ook uit een vergelijkbaar dorp. Een klein stipje op deze grote aarde, zoals ik ook maar een klein stipje was in de grote steden die ik als de mijne beschouwde. In die jungles waar ik vaak op een prooi joeg op een moment dat die zich juist veilig en alleen waande. Ik hield van de anonimiteit waar grote steden ons in hullen, wat echter niet gold voor de beroemdheden van wier schandalen ik leefde. Ze konden niet voortdurend in hun beschermende coconnetjes blijven zitten, ze moesten af en toe tevoorschijn komen en dan stond ik klaar. Misschien komen ze tevoorschijn omdat ze er diep in hun hart van houden om kat en muis te spelen. Omdat ze welbeschouwd gewoon ijdeltuiten zijn die bevestiging zoeken. Misschien is zelfs hun ergste vrees dat er op een dag niemand meer op de loer zal liggen, want dat zou betekenen dat ze niet langer interessant zijn, maar hun kwartiertje in de verleidelijke glans van het flitslicht hebben gehad. Het is een soort drug voor duizenden mensen op deze mediadronken aardbol.

'Wie is daar?' vroeg ik.

'Clara Hoffmann, van de PET, de inlichtingendienst in Kopenhagen', zei ze.

'Hoe komt u in godsnaam aan dit nummer?' zei ik en ik tijgerde achterwaarts totdat ik er zeker van was dat ik omhoog kon komen zonder dat ze me vanaf het strand konden zien. Mijn T-shirt plakte aan mijn rug toen ik snel naar mijn auto liep. De camera's bonsden tegen mijn heup terwijl ik mijn tempo opvoerde.

'Dat doet er niet toe. Heeft u een momentje?'

'Nee. Dat heb ik niet.'

'Het is belangrijk.'

'Dat zal wel, maar ik heb geen tijd.'

'Ik zou u graag ontmoeten.'

'Ik ben niet in Madrid', zei ik.

Ik stond geparkeerd aan het einde van een stenig weggetje dat door een veld liep en plotseling ophield bij twee rotsblokken. Het was niet meer dan een pad vol kuilen. De herder die ik gezien had toen ik aankwam, stond nog ongeveer op dezelfde plek tussen zijn schapen die probeerden wat spaarzaam gras te vinden tussen de door de zon geteisterde rotsen. Hij droeg een brede hoed die zijn gezicht verborg. Ik zag alleen een shagje uit zijn mondhoek steken. Hij had een oude rugzak over zijn schouder en leunde pittoresk op zijn herdersstaf. Aan zijn voeten lag een grote haveloze hond. Een andere patrouilleerde langs de kudde.

'Waar bent u?' vroeg de kalme, heldere stem heel duidelijk vanuit Kopenhagen, als ze daar tenminste zat.

'Ik geloof niet dat u dat aangaat.'

'Het is belangrijk, dus als we elkaar gauw ergens zouden kunnen ontmoeten…' zei ze.

'Belt u over een paar uur terug', zei ik.

'Het is beter als we elkaar ontmoeten. Ik bel vanuit Madrid.'

'U bent nogal vastbesloten. Ik ben niet in Madrid', zei ik.

Hoe zou ze ook moeten weten dat ze naar mijn mobiele telefoon heeft gebeld.

'U wilt uw vaderland ongetwijfeld helpen', zei ze.

'Ik ben Denemarken niets verplicht', zei ik.

Ze lachte. Haar lach was even melodieus als haar stem.

'Ik logeer in Hotel Victoria', zei ze.

'Oké', zei ik, zette de telefoon uit en holde op een drafje naar de auto. Een nieuwe jeep met vierwielaandrijving die ik een week geleden gehuurd had. Ik gooide mijn camera's op de achterbank en gaf zoveel gas dat het gruis onder de wielen opspatte. De herder draaide langzaam zijn hoofd als een camera op een statief en volgde me met de ogen toen ik hotsend en slingerend van de kust wegreed. De schapen bleven naar gras en onkruid zoeken, slechts een paar hieven er hun kop op en renden naar elkaar toe toen ik ze in een stofwolk achterliet die, maar dat bedacht ik te laat, mogelijk vanaf het strand te zien was.

Ik had mijn hoofdkwartier gevestigd in het vakantiedorpje Llanca, vijftig kilometer naar het zuiden. Ik stuurde de jeep zo snel ik kon over de smalle, bochtige bergweg, die als een asfaltlint langs de kust slingerde. Door de hitte dampte het asfalt. Het was nog maar begin juni maar het was al erg warm. Het zag ernaar uit dat het opnieuw een lange, hete en droge zomer zou worden. Er waren al toeristen en het was moeilijk de trage auto's in te halen die met hun zware caravans de lange tocht naar zuidelijke stranden maakten. Ik reed als een Spanjaard. Bergafwaarts liet ik de kilometerteller flink oplopen om bij de eerstvolgende haarspeldbocht op de rem te springen, dan liet ik de kleine sterke jeep bijna op twee wielen door de bocht scheuren en begon tegen de volgende helling op te klimmen waarbij ik soms het geluk en de ruimte had om een toerist in te halen of een stinkende vrachtauto die een dikke walm uitstootte die als een vette wolk om mijn gezicht danste in mijn open voertuig. De zee lag links van me, blauw als de hemel en af en toe had ik even uitzicht op een wit dorpje. Ik voelde me goed met de wind in mijn haar en het resultaat van de hit in mijn tas op de achterbank. Ik verheugde me erop om weer thuis te komen bij Amelia en María Luisa, thuis in de stad die van mij was en zoals gewoonlijk was het triomfantelijke gevoel een moeilijke klus geklaard te hebben onbeschrijfelijk bevredigend. Ik hoefde eigenlijk niet zo veel meer te werken, maar ik zou niet weten waarmee ik mijn dagen zou moeten vullen als ik het niet deed. En zoals ik onder druk van Amelia heb moeten toegeven gaf het werk, de jacht en het neerleggen van de prooi mij een bijna wrede voldoening. Hoewel ik al meer dan twintig jaar in Spanje woonde, speelde mijn Deense protestantse achtergrond ongetwijfeld ook mee. In het zweet des aanschijns zult gij uw brood eten. Zonder werk heb je geen identiteit. Denen vragen altijd eerst wat voor werk je doet en dan pas naar je naam.

De rit verliep langzaam al scheurde ik met de jeep door de haarspeldbochten. Er was te veel verkeer en het kostte me bijna twee uur om de vijftig kilometer af te leggen. Er waren twee opstoppingen door wegwerkzaamheden. Het liep tegen drieën toen ik Llanca binnenreed. Het plaatsje lag opgesloten in de siëstawarmte. Dat wil zeggen, de toeristen liepen te paraderen terwijl de vaste bewoners thuis zaten te lunchen en televisiekeken. Mijn hotel lag bij de haven waaraan een mooi natuurlijk zandstrand grensde. Het strand was vol gezinnen die op het gele zand lagen te zonnen of in het stille groene water zwommen. De stemmen klonken wattig. Zachte handen smeerden zonnebrandolie op een rug. Een vader hielp voorzichtig een klein kind met een zwembandje. Een moeder gaf haar zoon een standje omdat hij zijn kleine zusje pestte. Een puber crawlde met veel gespat rond om indruk te maken op een paar meiden met beugels in hun mond en hormonen in elke vezel van hun lichaam. Een paartje kuste elkaar. Een man sloeg loom de bladzijde van zijn roman om. Een verliefd stelletje stond op en liep innig omstrengeld naar hun hotel. De middagliefde wachtte.

Ik was dorstig, zweterig en hongerig. Er is een tijd geweest waarin ik mijn neus opgehaald zou hebben voor dit soort familiegeluk op het strand. Voor vader, moeder en kinderen, allemaal roodverbrand, die genoeg aan elkaar hadden. Er is een tijd geweest waarin ik een beetje afgunstig geweest zou zijn, al had ik dat nooit willen toegeven aan anderen of mezelf. Maar nu had ik geen moeite meer met al dat lief en leed van die gezinnetjes. Ik had zelf een gezin. Ik stond vroeger bekend om de leus die in mijn ogen ook altijd de enig juiste was, dat wolven beter alleen kunnen leven en jagen. Dat er een verschil is tussen alleen zijn en eenzaam zijn en dat ik weliswaar alleen was maar niet eenzaam, maar nu ik van het gezinsleven hield zag ik in dat ik niet altijd slechts alleen maar ook eenzaam was geweest. Onmisbaar zijn voor anderen gaf me grote voldoening. Dat anderen afhankelijk van mij waren en dat mijn daden de mensen die mij het meest na stonden beïnvloedden en van grote betekenis voor hen waren. Mijn gezin. Die woorden alleen al maakten me gelukkig. Dat het geld dat ik verdiende niet alleen voor mezelf was, maar ook bijdroeg aan het welzijn en geluk van twee andere mensen.

Ik parkeerde de jeep in een zijstraat bij het hotel, dat aan de strandboulevard lag. Voordat ik mijn sleutel ging halen, dronk ik staande aan de bar een groot glas vers sinaasappelsap en at een luchtige, smakelijke tortilla met aardappel en ui. De bar bevond zich naast het hotel en was zoals zoveel andere Spaanse bars een beetje lawaaiig. In een hoek de tv op volle sterkte, de grond bezaaid met papiertjes en peuken, kunststoftafeltjes en de geur van olie en knoflook en een aangenaam gekletter, gesis en gerammel van kopjes, glazen en de espressomachine als levende muzak in je oren. De muren waren versierd met een paar oude toeristenposters van de ruige kust van de Costa Brava en de voetbalelftallen van Barcelona door de jaren heen. Een jonge Michael Laudrup lachte triomfantelijk op een paar foto's uit de tijd dat hij het elftal van het ene kampioenschap naar het andere had gevoerd. De meeste lunchgasten kwamen uit de buurt. Ik rookte een sigaret en dronk een dubbele espresso, de adrenaline in mijn bloed nam af en ik werd weer rustig. Ik kletste een beetje over voetbal met de barkeeper. Hij had net in de krant over de degradatie van Barcelona gelezen. De club stond niet langer nummer één, maar nummer drie. In Catalonië is dat een degradatie. Barcelona moet kampioen worden anders is het elftal een mislukking. Ik ben zelf fan van Real Madrid, maar we praatten er in alle rust over. Ik probeerde te ontspannen. Na een hit voelde ik me altijd alsof ik twee uur in de Japanse karatestudio aan de Calle Echegaray had doorgebracht. Ik voelde me verkwikt, opgewonden en uitgeput tegelijk. Zoveel regelwerk, zoveel voorbereiding, zoveel logistiek en toch was het verschil tussen een succes of een fiasco maar een paar honderdsten van een seconde. Er zou iets aan het rolletje of de camera kunnen mankeren. Een microscopisch klein zandkorreltje in de sluiter zou de opname verpest kunnen hebben of mijn handen hadden deze keer getrild. Misschien had ik de belichting verkeerd ingeschat. Het slachtoffer zou vaag en onherkenbaar kunnen zijn. Er konden honderd dingen mis zijn gegaan.

Ik nam een bad, pakte mijn spullen in en belde naar Madrid. De volle rolletjes lagen in mijn afsluitbare cameratas en mijn kleren in een handige tas die als handbagage mee het vliegtuig in kon. Ik neem altijd zo weinig mogelijk mee op reis, laat het hotel wat kleren wassen of koop een nieuw T-shirt. Oscar was doorgaans tegen vieren op zijn kantoor, maar veel andere kantoren in Madrid gaan pas om vijf uur weer open. Dat veranderde de laatste tijd. Het ritme werd steeds meer Europees, maar afspraken maken tijdens de traditionele siësta was nog altijd moeilijk. Met name in de staatsbureaucratie. Die uurtjes moesten gebruikt worden voor zakenlunches, het gezin of avontuurtjes in geheime hotelkamers of intieme appartementen van minnaressen. Ik had het nummer van Oscars huidige minnares, maar alleen voor noodgevallen. Bij moeder de vrouw thuis kon je hem hooguit op zondag aantreffen, zo hadden Oscar en Gloria dat nu eenmaal geregeld. Gloria was groot en nog steeds erg aantrekkelijk, maar ze kon niet langer verhullen dat ze de vijftig naderde. Dat scheen haar niet erg te deren. Zij had een bloeiende advocatenpraktijk en zorgde er zelf voor dat jongere minnaars bevestigden dat ze heus nog aantrekkelijk was. Spanjaarden zijn praktisch in de liefde en Oscar en Gloria zouden nooit willen scheiden. Niet omdat ze katholiek waren. De wet bood hun daartoe de mogelijkheid als ze wilden. Maar ze pasten bij elkaar en hun privé-levens en gezamenlijke ondernemingen waren zo met elkaar verweven dat de enigen die aan een scheiding zouden verdienen een legertje advocaten zou zijn.

Beiden waren mijn vrienden en zakenpartners en we kenden elkaar al meer dan twintig jaar. We hadden elkaar in die chaotische, hoopvolle jaren na Franco's dood leren kennen. Oscar was een twee meter lange Duitse journalist die voor een paar linksgeoriënteerde krantjes schreef. En Gloria was een mooie rechtenstudente die haar lidmaatschapsbewijs van de illegale communistische partij droeg als ware het een van de verdwenen kroonjuwelen van de tsaar. We hadden een korte, heftige affaire, maar iedereen sliep met iedereen in die tijd waarin we elkaar zonder blozen kameraden noemden, maar aan onze liefde was zonder bitterheid een einde gekomen. Met Oscar en Gloria lag dat anders. Ze werden halsoverkop verliefd en zijn *against all odds* bij elkaar gebleven, maar trouw had de laatste jaren niet zoveel meer te betekenen. Samen waren we jong, arm en revolutionair geweest en samen zijn we rijk geworden. Die twee waren mijn tweede familie. Ze hadden geen kinderen. Een bewuste keus. Gloria had een abortus laten doen in Engeland toen dat verboden was in Spanje en daarna de onwettige pil beschouwd als een revolutionair zwaard waarmee ze de paus en al die andere oude reactionaire idioten te lijf ging die haar leven wilden sturen. Toen ze later alsnog een kind wilde, was het te laat. De biologische klok had kennelijk al geslagen. Ze werd in elk geval niet zwanger, maar als dat een diepe teleurstelling voor haar was dan had ze dat goed verborgen gehouden. Oscar kon het niet veel schelen. Als Gloria een kind wilde, dan wilde hij best vader zijn. Toen dat niet bleek te lukken, keerden ze wat hem betreft onbewogen terug naar het gewone leven en na een paar jaar spraken ze er niet meer over.

Ik dacht aan ze, terwijl ik mijn spijkerbroek en T-shirt, die nat van het zweet waren, in mijn tas stopte en een schoon overhemd en een lichte broek aantrok. Ik dronk een paar colaatjes uit de minibar. Ik dacht de laatste tijd sowieso vaker aan mijn jeugd en jonge jaren. Ik was te gelukkig en tevreden met mijn bestaan om in een midlifecrisis te belanden, maar waarschijnlijk is het leven zo ingericht dat je vaker begint terug te kijken op het moment dat je inziet dat je jeugd onherroepelijk voorbij is. Dat het leven over zijn hoogtepunt heen is. Dat er bepaalde dingen zijn die je niet meer kunt, hoe graag je ook wilt. Door terug te kijken en te proberen te begrijpen, helpen herinneringen je misschien je beter staande te houden in de tijd die komen gaat. De tijd waarin je langzaam oud wordt en hopelijk een zachte dood zult sterven.

Ik belde met de telefoon van het hotel naar Oscars directe nummer. Hij nam meteen op. Toen we elkaar leerden kennen sprak Oscar geen Spaans, dus spraken we Engels met elkaar. Dat deden we nog steeds als we met zijn tweeën waren, hoewel Oscar inmiddels vloeiend Spaans sprak. Dat voelde het meest natuurlijk.

'Zo, ouwe jongen', zei Oscar met zijn hese, donkere stem. 'Vertel.'

'Ik heb ze', zei ik.

'En?'

'Bijna een Jacqueline', zei ik. 'Dus laat de zaak maar draaien.'

'Je bent een slimme, cynische jongen.'

'Het was een conservatieve minister.'

'Anders zou je het ook aan de stok krijgen met Amelia', zei hij en ik hoorde de lach in zijn stem. Hij mocht Amelia graag maar had nooit helemaal kunnen acccpteren dat ik getrouwd was en mijn vrouw trouw bleef. Dat ik op mijn oude dag toch nog zo burgerlijk was geworden. Dat ik naar haar luisterde en haar opvattingen respecteerde. Gelukkig konden wij vieren goed met elkaar opschieten.

'Ik kom morgen met het materiaal', zei ik.

'Ik zal zorgen dat er een technicus paraat staat.'

'Ik ontwikkel ze zelf', zei ik.

'Heb je een advocaat nodig?'

'Ze zijn op een openbaar strand genomen.'

Oscar en ik zeiden de dingen zelden rechtstreeks door de telefoon. Spanje heeft een omvangrijke en machtige veiligheidsdienst en die neemt het niet zo nauw met de grondwet als het gaat om het verbod op het aftappen van telefoons. Spanje is een Europees land met terrorisme, en bloed en geweld willen de mensenrechten wel eens verdringen.

'Hoe openbaar?' zei hij.

'Hartstikke openbaar. Het is geen privé-terrein. Iedereen met een boot kan er komen.'

'Ik breng de zaak aan het rollen. Wanneer kom je thuis?'

'Ik ruil mijn auto om en rij dan naar Barcelona waar ik het eerstvolgende vliegtuig neem.'

'Oké. Signing off, old boy', zei hij en in zijn stem klonk een tevredenheid door die tegenwoordig alleen nog bij hem opgewekt kon worden door de gedachte aan geld verdienen.

'Groeten aan Gloria', zei ik.

'Will do, old boy.'

Ik checkte uit, liep naar mijn jeep met mijn tas in de hand, over mijn schouder hing de cameratas waarin de negatieven zaten die Oscars banksaldo en dat van mijzelf met vele duizenden dollars zouden verhogen.

Schuin voor mijn jeep stond een nieuwe zwarte Mercedes. Twee mannen leunden er met de armen over elkaar geslagen tegenaan. De ene zou niet veel problemen opleveren. Het was een kleine, pafferige man met een breed, fors gezicht en een kale kruin. Hij leek me geen vechtersbaas. Hij was vast een dure pr-jongen die aangenomen was om de kastanjes uit het vuur te halen voor zijn baas. De andere daarentegen was rond de dertig met gespierde bovenarmen en een zelfverzekerd lachje onder de donkere zonnebril. Ook hij zag er niet gehard uit. Hij leek een bodybuilder, geen fighter. Opgepompte spiermassa, niet de taaie gehardheid die je aantreft in het sportcentrum waar ik altijd kom. Ondanks de warmte droegen ze allebei een kostuum. Perfect zittende lichte tropenkleding en zo te zien zweetten ze niet. De herder moest gekletst hebben. De herder kon lezen en schrijven. In elk geval de getallen en letters van een nummerbord van autoverhuurbedrijf Avis.

'*Oyes, hijo de puta*', zei de gorilla. Hij rechtte zijn rug en liet zijn handen langs zijn lichaam glijden. Hij leek ontspannen maar ik meende iets anders van zijn gezicht af te lezen. De zijstraat lag er verlaten bij. Vanuit de hoofdstraat klonk het geluid van het verkeer dat weer tot leven kwam en ik hoorde het metalen geluid van rolluiken die opgetrokken werden.

'Je bent zelf een hoerenzoon', zei ik.

Hij deed een stap naar voren zodat hij me de toegang tot de jeep versperde.

'Je staat in de weg', zei ik.

'Geef!' zei hij alleen maar en wees naar mijn cameratas.

'Dat is particulier eigendom', zei ik.

'De rolletjes niet. Je krijgt je camera's terug. Geef!'

Ik zette mijn tas op het asfalt. Het zweet prikte in mijn oksels en mijn hart begon sneller te kloppen. Terwijl ik de man voor mij nauwlettend in de gaten hield, werden de geluiden van de hoofdstraat ongemerkt zwakker alsof ze gefilterd werden. Hij was niet zo kalm als hij leek. Er schemerde een zwakheid in zijn ogen en er stonden zweetdruppels op zijn bovenlip. Ik schoof mijn cameratas op mijn rug en wachtte af, vooral omdat ik hoopte dat er mensen zouden opduiken in de zijstraat waardoor hij af zou zien van geweld, maar hij deed een stap naar voren en beging de fout zijn hand uit te steken alsof hij de tas van mijn schouder wilde rukken. Ik greep zijn hand, deed een stapje naar achteren zodat ik zijn gewicht kon gebruiken, pakte zijn pink, draaide hem rond en trok in een beweging zijn arm op zijn rug. Hij hapte overrompeld naar adem, maar het geluid stokte in zijn keel toen ik mijn knie tegen zijn testikels ramde en de druk op zijn schouder zo opvoerde dat het kraakte. Met een hol gesteun zonk hij voor me ineen, verlamd door de shock en de pijn.

Ik pakte mijn tas weer op. De kleine dikke chauffeur liep van de Mercedes weg en hief afwerend zijn handen op. Het was allemaal zo snel gegaan dat ik betwijfel of hij er iets van meegekregen had. Zijn vriend lag op zijn knieën over te geven van de pijn. Zijn pink zou ongetwijfeld opzwellen en zijn kruis zou nog wel een paar dagen zeer doen.

'No', zei de kleine dikke alleen maar en ging demonstratief opzij. Ik liep langs hem heen, gooide mijn tassen in de jeep en reed weg. Mijn handen trilden een beetje en mijn overhemd plakte aan mijn rug. Een paar toeristen, een gezin met twee wat grotere kinderen, waren de hoek om gekomen en staarden me na. De vader trok de minderjarige kinderen beschermend naar zich toe. De vrouw sloeg haar handen voor haar gezicht. Hun veilige vakantiegevoel zou wel verstoord zijn, maar daar was niets aan te doen.

Ik reed langzaam en voorzichtig naar het Avis-bureau. Het duizelde me allemaal een beetje en dat kwam niet alleen door de hitte. Ik ademde drie, vier keer diep in om mijn ademhaling weer onder controle te krijgen.

Bij Avis ruilde ik de jeep in voor een snelle Audi en pas toen ik de snelweg opreed en mijn snelheid opvoerde, werd ik rustiger. Maar ik keek vaak in mijn achteruitkijkspiegeltje om te zien of er soms een zwarte Mercedes of een politieauto achter me aan reed. Pas in het vliegtuig naar Madrid voelde ik me helemaal veilig. Ik stopte een cd met Grateful Dead in mijn discman en kantelde mijn stoel achterover. Het vliegtuig was maar halfvol. Ik zag de Middellandse Zee verdwijnen toen we langzaam landinwaarts draaiden en koers zetten in de richting van het gigantische, uitgestorven Spaanse binnenland, terwijl de bekende, dodelijke, hevige drang om een borrel te bestellen mijn bewustzijn beheerste.

Ik dacht aan Amelia en María Luisa en bestelde een cola bij de stewardess, terwijl het vliegtuig me naar huis, naar Madrid vloog.

2

Gelukkig stond er niemand op me te wachten op het vliegveld Barajas, dat even druk was als altijd. Ik vond probleemloos een taxi naar de stad die gehuld lag in een blauwviolette mantel van vallende duisternis en smog die door de hittegolf van de afgelopen dagen over deze grote steenmassa op de Castiliaanse hoogvlakte was gelegd. Madrid was nu – *on and off* – al bijna een halve eeuw mijn thuis en sinds mijn huwelijk acht jaar geleden kon ik me niet voorstellen dat ik het ooit nog zou verlaten. Ik was geen nomade meer, maar een honkvast persoon. Ik had mezelf altijd beschouwd als een eeuwige zwerver die met rusteloze voeten woonde waar hij zijn hoed ophing, maar nu was ik als een boer gebonden aan een stukje grond. Ik had me gesetteld en voelde me zo gelukkig en in mijn element dat ik het noodlot af en toe vreesde. Niet in de vorm van geweld of een ongeluk. Dat kon ik me gewoon niet voorstellen, maar ik vreesde op de een of andere manier dat mijn vroegere rusteloosheid in alle hevigheid zou terugkeren, waardoor ik de plek, de enige plek ter wereld waar ik me echt geborgen en gelukkig voelde, zou moeten verlaten.

Tijdens de rit naar het centrum van de stad in de drukke, toeterende, agressieve avondspits produceerde de radio een schreeuwerig sportprogramma. De taxichauffeur was kennelijk in dezelfde stemming als ik. Hij had geen zin in een gesprekje. Het was een magere, tengere Marokkaan die ongetwijfeld geen werk- of verblijfsvergunning had maar de smalle Straat van Gibraltar was overgestoken om zijn geluk te beproeven in de rijke, maar ook door crises geteisterde EU. De voorsteden van Madrid behoren tot de lelijkste ter wereld. Afschrikwekkend op een sovjetachtige manier. In grote zwarte rijen groeien ze vanuit het midden van de stad naar buiten en het is bijna onvoorstelbaar dat ze het vibrerende centrum omkransen waar ik altijd zo graag naar terugkeer.

Ik voelde me zoals altijd na een opdracht een beetje leeg en enigszins gedeprimeerd. Niet ernstig, gewoon een vlaag van melancholie. Omdat het achter de rug was en ik besefte dat die ene seconde nooit zou terugkeren en dat ik weer een stapje dichter bij de dood was gekomen. Het verkeer liep nagenoeg vast toen we in het centrum waren aangekomen en bij het postkantoor aan de Plaza de Cibeles wilden afslaan naar de Plaza Santa Ana. Een paar honderd meter voor het plein zaten we hopeloos vast, dus ik rekende af en liep de Paseo del Prado op, terwijl de auto's stinkend en toeterend stilstonden en alleen de kleine scooters tussen de twee rijen wachtende auto's door konden slingeren. Op zulke scooters reden vooral jonge kerels met hun liefjes. De meisjes hielden zich zelfbewust met één hand vast en hielden hun slanke benen elegant tegen elkaar alsof ze op een amazonezadel te paard zaten. Madrid is een rijke, elegante en tevens een barbaarse, sombere stad, maar de jonge Madrilenen overtreffen de jongeren van Rome en Parijs in elegantie. Ik was natuurlijk ook een halve patriot. In de nachtelijke hitte klinkt er in de meeste grote steden een agressieve toon die in het asfalt trilt, door de huizenblokken weerkaatst wordt en het gemoed van de bewoners beïnvloedt. Madrid was een nachtdier. Een stad die 's zomers nooit leek te slapen, die voortdurend in beweging was. Zoals een nomade. Levend voor zichzelf. Geen einddoel voor zijn reizen.

De Plaza Santa Ana vormde het centrum van mijn *barrio*. Mijn plek op aarde. Ik was er jaren geleden min of meer toevallig beland en ik had sindsdien, wanneer ik langere tijd in Madrid verbleef, op verschillende plaatsen in die buurt gewoond. Het Teatro Real vormde de ene zijde van het rechthoekige plein en het grote witte Hotel Victoria de andere. De flanken bestonden uit hoge, oude wooncomplexen met cafés en restaurants op de begane grond. Bomen zorgden voor schaduw op de hete zomerdagen. Midden op het plein, op de witte tegels, speelden kinderen in de zachte violette avondschemering. Op een paar bankjes zaten vaders en moeders te kletsen, terwijl ze hun kinderen in de gaten hielden die in hun blauwe schooluniformen genoten van de vrijheid voordat ze naar binnen moesten om te eten. Wanneer ik op reis was geweest, genoot ik ervan om een momentje in alle rust uit te kijken over het plein, mijn rug naar het theater gekeerd en de Cervecería Alemana als een vast punt aan de overkant. Ik voelde me een beetje zoals de hoofdpersoon uit een ouderwetse film waarin men het verstrijken van de tijd uitbeeldt door witte kalenderbladen met grote zwarte letters weg te laten wapperen in de wind. Concreet. Hier kon ik de kalenderbladen met terugwerkende kracht omslaan en mijn tijd op het plein jaar na jaar in herinnering roepen. De verschillen waren niet meer dan nuances, zichtbaar in de haarlengte, de snit van de jurken en de veranderende elegantie, in de merken en de vormen van de auto's, in de zichtbaar stijgende welvaart, in de make-up van de vrouwen en ook een beetje in het spel van de kinderen. Maar over het geheel genomen was het beeld hetzelfde. De melodie van de stemmen, het geronk van de auto's en het gebrul van de motoren, het krijgertje spelen en touwtjespringen van de kinderen, de gedempte gesprekjes van de moeders en grootmoeders over kinderen en liefde, de luidruchtige woorden van de mannen over voetbal en stierengevechten, terwijl de sigarettenrook om hen heen kringelde. Het was precies zoals altijd. De geur van benzine en van knoflook van de cafés en restaurants. Ik hoopte dat het altijd zo zou blijven, al veranderde Madrid onmerkbaar maar gestaag door de samensmelting van Europa en de Brusselse harmonisatieregelingen en leek de stad steeds minder op zichzelf en steeds meer op andere steden.

Ik zocht María Luisa en mijn vrouw. Het nieuwe element van deze zomer waren de moderne inline skates die de kinderen droegen, waardoor hun voeten veel te groot leken. Een paar jaar geleden waren skateboards in geweest. Ieder jaar was er een andere speelgoedrage, maar spelletjes als touwtjespringen en krijgertje, die ik kende uit mijn eigen jeugd, werden tot op de dag van vandaag nog altijd gespeeld tijdens de zwoele Madrileense avonden.

Ik zag mijn dochter het eerst en zoals gewoonlijk stroomden warme gevoelens door mijn hele lichaam. Ze had ook skates gekregen maar die had ze nu niet aan. In plaats daarvan was ze aan het touwtjespringen met de intense concentratie van een bijna zevenjarige, terwijl twee van haar vriendinnetjes het touw steeds sneller ronddraaiden. Ze leek het meest op haar moeder met haar zwarte haar en olijfkleurige huid, maar ze had mijn blauwe ogen en lange ledematen. Ze had een fijn, rond gezichtje met een mond die graag lachte. Het touw sloeg tegen haar enkel en ik zag de ergernis op haar gezicht maar ze accepteerde de regels van het spel en nam het touw over van de vriendin die aan de beurt was om te springen. Ze hadden hun schooluniformen nog aan en droegen linten in het haar. Hoewel het onmogelijk was, beeldde ik me in dat ik María Luisa boven de kakofonie van kinderstemmen uit kon horen. Ze was ons kleine wondertje. De bevalling was zwaar geweest. Amelia was zesendertig toen ze beviel en de artsen zeiden dat ze waarschijnlijk geen kinderen meer zou kunnen krijgen. Ze kregen gelijk. Amelia had trouwens helemaal niet gedacht dat ze ooit kinderen zou krijgen. Ze wilde geen kinderen met haar eerste man. Ze sprak niet veel over hem, maar een maand na de bruiloft had ze al spijt. Hij veranderde en wilde de baas spelen. Hij was ontzettend ouderwets in een tijd waarin Spanje plotseling explodeerde na de dood van de dictator. Ze ging na drie jaar bij hem weg en toen de nieuwe echtscheidingswet werd aangenomen, vroeg ze een scheiding aan. De jaren verstreken en toen wij elkaar leerden kennen, bleek het ineens niet zo makkelijk. We waren niet zo jong meer en een kind verwekken was moeilijker dan we gedacht hadden. We hadden een jaar lang flink ons best gedaan voordat het lukte, maar nog een kind zat er niet in. Dus waren we oude en daardoor vertroetelende ouders. Maar er is nog nooit een kind doodgegaan door verwennerij.

Ik kreeg Amelia in de gaten, die op een van de bankjes met de benedenbuurvrouw zat te praten. Amelia was het eerste wonder dat mij, hoewel pas op latere leeftijd, overkwam. We waren acht jaar getrouwd. Haar haar begon een beetje grijs te worden, maar dat konden andere mensen niet zien omdat ze het verfde. Ze was nog steeds slank en op een ondefinieerbare manier mooi. Ze was geen klassieke schoonheid maar viel in elk gezelschap op. Ze was evenwichtig en levenslustig en de rimpels bij haar ogen en mond vond ik innemend omdat ze het teken waren dat ze graag lachte om het leven. Ze was iemand die geleefd had en ik was dankbaar dat ze ervoor gekozen had de rest van haar leven met mij te delen.

Ik tilde mijn tas op en liep in haar richting. Ze zag me en beloonde me met een lach en stond op. Ik was beleefd en groette onze benedenbuurvrouw María met de drie traditionele kusjes die net niet de wangen raakten voordat ik Amelia omhelsde en een kus op haar mond gaf. We leefden in een moderne tijd maar ze was nog steeds een beetje schuchter als we in het openbaar liefkozingen uitwisselden. Ik kuste haar langer dan ze nodig vond, maar de bodyguard van de minister zat nog steeds in mijn hoofd. Ze bevrijdde zich en ik liet haar los en er ontstond een lichte verlegenheid tussen ons terwijl we naar woorden zochten.

'Welkom thuis, mijn liefste', zei Amelia. 'Is het goed gegaan?'

'Het is prima gegaan', zei ik.

'Waar ben je geweest, Pedro?' zei de buurvrouw. 'Welke exotische landen heb je nu weer bezocht?'

'Catalonië.'

'Ah, die Catalanen. Die willen toch geen Spaans spreken, hoe heb je je dan verstaanbaar kunnen maken?' zei ze met een grijns, maar diep in haar hart vond ze de Catalanen maar een eigenaardig volkje dat erop stond Catalaans te spreken in plaats van Cervantes' fraaie taal.

'Zo erg is het nu ook weer niet, María', zei ik. María was culinair journaliste, getrouwd met een advocaat en nog maar tweeëndertig jaar. Ze was tegen de stroom ingegaan en had al drie kinderen die ook ergens op het plein speelden. De meeste jonge Spanjaarden houden het tegenwoordig op een of hooguit twee kinderen. María kwam oorspronkelijk uit Andalusië en sprak nog steeds het snelle afgebeten Spaans uit die streek, waarin alle s'en zachte z-klanken worden.

Ik keek naar María Luisa. Ze was weer geconcentreerd aan het touwtjespringen.

'Ze heeft je deze keer erg gemist', zei Amelia.

Mijn dochter zag me en stopte abrupt. Ze begon te rennen.

'Papa, papa!' riep ze en rende in mijn armen. 'Papa, je bent weer thuis!' Ik drukte haar tegen me aan. Ze rook fris en prettig. Ze legde haar armen om mijn nek en trok aan mijn paardenstaartje dat ik me een paar jaar geleden, toen mijn haar dunner begon te worden, had aangemeten. Het was ongetwijfeld een teken dat ik niet ouder wenste te worden, een teken van ijdelheid, maar mijn dochter vond het grappig en Amelia zei dat het me goed stond. Ze hield ervan als ik er een beetje tough uitzag. Ze had niets tegen mannen die er stoer uitzagen, maar wel tegen mannen die zich bruut, hardvochtig of egoïstisch gedroegen, vooral tegenover vrouwen. Zo was haar vorige man geweest, begreep ik. Hij dacht dat vrouwen hem zouden respecteren na een paar meppen. Ik zag er misschien een beetje ruig uit, maar Amelia wist dat ik tegen vrouwen en kinderen boterzacht was.

Ik zette María Luisa neer en luisterde naar haar woordenstroom, waardoor ik binnen een paar minuten op de hoogte was van domme juffen, stomme jongens, ontrouwe vriendinnetjes en een valpartij waarbij ze haar knie bezeerd had waarop vervolgens jodium gesmeerd was. Amelia en María gingen weer zitten en ik nam naast hen plaats met María Luisa op schoot. Ze nestelde zich tegen me aan en we praatten wat over de aangename warmte die wel lang zou aanhouden en andere banale zaken, zoals mijn goed verlopen vliegreis. En dat María Luisa graag gauw naar het strand wilde. Amelia wist dat ze niet moest vragen naar details over mijn werk. Ze kende me goed genoeg om te weten dat, ook al zei ik dat alles goed gegaan was, er iets niet helemaal gegaan was zoals ik wilde. María Luisa sprong van mijn schoot en rende weer naar haar vriendinnetjes.

'Bueno', zei María. 'Ik ga naar binnen om te koken. Juan komt zo thuis.' Ze riep haar kinderen die heftig protesteerden omdat ze al mee naar boven moesten.

'Ik neem ze wel mee', zei Amelia. 'We blijven nog even hier. Ik bak alleen maar een biefstukje.'

María vertrok en Amelia kroop tegen me aan.

'Zo, liefste. Hoe is het gegaan?'

Ik deed verslag van mijn dag. Ze onderbrak me niet. Mijn beroep was waarschijnlijk het meest onduidelijke deel van ons huwelijk. Ik wist niet wat Amelia echt van mijn werk vond. Of ze het eigenlijk, diep in haar hart, verachtte maar dit noch voor zichzelf noch voor mij wilde erkennen omdat ze besefte dat het míjn werk was waardoor we bovendien een financieel zorgeloos bestaan konden leiden. Ze wist ook dat mijn werk zo belangrijk voor me was dat ik er niet mee kon stoppen. Ik hield van mijn gezin, maar ik wist, en Amelia zag dat ook in, dat het gezinsleven voor mij niet genoeg was om mijn dagen mee te vullen. Ik kon nog steeds niet zonder de kick van het jagen op een prooi.

'Kun je er problemen door krijgen?' vroeg ze toen ik uit-verteld was.

'Dat geloof ik niet', zei ik. 'Dat moeten Oscar, Gloria en haar advocaten maar uitzoeken.'

'Je zou kunnen besluiten ze niet openbaar te maken.'

'Sta je ineens aan de kant van zo'n minister?' zei ik en drukte haar dichter tegen me aan.

Ze lachte.

'Nee. Nee. Ze verdienen niet beter, maar ik wil niet dat jij in de problemen komt.'

'Ik ben een grote jongen, hoor', zei ik.

'Dat weet ik, maar toch…'

'Maak je geen zorgen', zei ik.

Ze ging overeind zitten.

'Er heeft een Deense vrouw gebeld', zei ze. 'Ze sprak geen Spaans, maar uiteraard wel goed Engels. Ze zei dat ze van de politie was…?'

'Veiligheidspolitie. De inlichtingendienst. Ze belde naar mijn mobieltje. Ze logeert daar.' Ik wees naar Hotel Victoria, het oude mooie stierenvechtershotel dat, verlicht door de straatlantaarns, als een wit, kalm schip aan het eind van het plein lag.

'Wat wil ze?'

Ik schudde mijn hoofd, liet Amelia los, pakte een sigaret en stak hem op.

'Ik weet het niet. Ik heb geen idee wat het kan zijn', zei ik.

'Ze zei dat ze terug zou bellen.'

'Ik zal wel met haar praten.'

'Heb je honger?' vroeg Amelia. 'Zullen we ergens naartoe gaan? Wat tapas eten?'

'Ik heb niet zoveel honger. Ik wil het liefst thuis eten. Laten we de kinderen nog tien minuutjes geven.'

We omarmden elkaar en kletsten wat over van alles en nog wat zoals goede echtparen dat kunnen. Amelia was lerares en ze werkte met geestelijk gehandicapte kinderen. Ze werd slecht betaald en voor het geld hoefde ze het eigenlijk ook niet te doen, maar ze zou niet zonder kunnen, al zouden ze haar salaris schrappen. Ze was iemand die grote voldoening vond in haar werk, zelfs al maakten haar leerlingen maar kleine vorderingen. Ze vertelde dat een van de kinderen nu met moeite een strip kon lezen. Hij was vijftien en een hopeloos geval, maar voor Amelia was het genoeg dat hij na drie jaar therapie in staat was een stripballonnetje te lezen. Ik zou haar baan nog geen uur volhouden. Ik luisterde met plezier naar haar en voelde me langzaam tot rust komen.

Een vrouw van rond de veertig liep op ons toe. Ze droeg een blauwe rok tot net boven de knie, een bijpassend blauw colbertje en een witte blouse. Ze had rode lippenstift op en een beetje zwart bij haar ogen. Ze droeg haar haar naar achteren. Dat gaf haar gezicht een wat schooljufachtige strenge uitdrukking, maar haar blauwe ogen keken vriendelijk.

'Peter Lime?' zei ze.

Ze sprak mijn naam op zijn Deens uit. Amelia ging rechtop zitten. Ze hoorde niet vaak dat mijn naam op die manier werd uitgesproken.

'Clara Hoffmann', zei de vrouw en stak haar hand uit zoals Denen dat gewend zijn. Ik stond op en gaf haar een hand. Die was droog en smal, maar haar vingers voelden krachtig aan.

'My wife', zei ik en ik ging door in het Engels. 'Dit is Clara Hoffmann, Amelia. Uit Kopenhagen.'

De twee vrouwen gaven elkaar een hand en namen elkaar aandachtig op.

'Dan hebben wij elkaar door de telefoon gesproken', zei Clara Hoffmann.

'Ik kon uw naam niet zo gauw verstaan toen', zei Amelia

in haar langzame maar uiterst correcte Engels. 'Wij Spanjaarden hebben moeite met namen die beginnen met een h.'

'Neem me niet kwalijk dat ik jullie stoor', zei Clara Hoffmann. Haar stem was helder en jong, paste eigenlijk niet bij haar leeftijd. 'Ik wilde een eindje gaan wandelen op deze mooie avond en zag toen ineens uw man zitten... dus...'

'Hoe wist u dat ik het was?' zei ik.

'Ik heb verschillende foto's van u gezien. Natuurlijk was u toen jonger, maar u bent niet veel veranderd.'

Amelia keek van haar naar mij en zei toen: 'Waarom gaan jullie niet even naar Alemana, dan kunnen jullie Deens praten. Ik neem de kinderen wel mee.'

Handig. De zaak afhandelen en dan weer naar huis om te eten. Als je een drankje voor iemand gekocht hebt is het daarna makkelijker je van de persoon in kwestie te ontdoen. Maar Amelia stelde het ook uit aardigheid voor. Ze kon zich goed indenken dat we misschien liever samen Deens spraken. Amelia werd altijd doodmoe van Engels praten. Al sprak ze het maar even. Ze was een echte huismus en verliet Madrid slechts met tegenzin, behalve als we naar ons zomerhuis in de groene bergen van Baskenland gingen.

'Oké', zei ik en ik gaf mijn vrouw weer een kus. Ze keek wat verbaasd. Ze hield niet van dergelijke liefkozingen voor het oog van een vreemde vrouw, maar tegelijkertijd vond ze het vast wel prettig dat ik mijn liefde openlijk toonde. Amelia nam mijn tas. Hij woog niet veel. Ze wist heel goed dat ik mijn cameratas nooit aan een ander zou toevertrouwen.

'Deze kant op', zei ik in het Deens en ik nam Clara Hoffmann mee naar Cervecería Alemana aan de andere kant van het plein. Ze droeg platte, praktische schoenen en kwam maar tot mijn schouder. Ze rook naar milde, maar goede parfum of lotion.

'Wat een leuke zaak', zei ze.

'Ja', zei ik en liep naar de bruine ingang van het café. We

gingen een afstapje af. Het café was bijna vol, maar toevallig stonden er net drie jonge mensen op van een tafeltje bij het raam, ik pakte Clara Hoffmann zachtjes bij haar arm en stuurde haar die kant op. De tafels waren van wit marmer. Het was er net als in alle oude Spaanse cafés zeer lawaaiig. Aan het plafond boven de bar hingen serrano-hammen en twee barkeepers maakten koffie, tapas en drankjes voor de obers met witte jasjes en zwarte pantalons, die hun bestellingen luidkeels overbrachten. Aan de muren hingen zwartwitfoto's van stierenvechters, waaronder oude sterren zoals Manolete, en van toneelspelers en filmacteurs uit de jaren veertig en vijftig. Aan een muur hing een stierenkop. Het publiek was gemengd, maar bestond toch vooral uit jonge mensen. Het licht was fel en wit, maar de mensen en de geur van olie en knoflook verspreidden een vriendelijke, tevreden atmosfeer.

'Wat een leuke zaak', zei Clara Hoffmann nog een keer. 'Goed verlicht en mooi.'

Ik lachte.

'Dat klinkt bijna als de titel van een novelle die een van de bekendste gasten van deze zaak schreef.'

'Wie?'

'Hemingway. "A Clean, Well-Lighted Place"', zei ik.

'Ja, waar is hij niet geweest', zei ze en viste een sigaret uit haar smalle platte tas van A4-formaat.

'U bent geen fan van hem?' zei ik.

'Ik geloof niet dat ik iets van hem gelezen heb. In elk geval niet sinds ik van de middelbare school af ben. Hij is misschien ook wel wat passé, of niet soms?'

Ik gaf haar een vuurtje.

'Daar denkt u wellicht anders over?' zei ze. Ze had bijna grijze ogen. Ze hielden je blik gevangen. Ze kwam zelfverzekerd, een beetje koel en afstandelijk over.

'Ik ben een grote fan', zei ik en wees naar de tafel en toen

39

uit het raam. Een dichte stroom voetgangers trok voorbij, op zoek naar drankjes en tapas, want pas om elf uur gingen ze echt aan tafel. Ik vervolgde: 'Ze zeggen dat de tafel waaraan wij zitten zijn stamtafel was. Hier heeft hij tijdens de burgeroorlog zitten schrijven, terwijl de fascisten Madrid bombardeerden. Hij logeerde meestal in uw hotel als hij in de stad was, samen met beroemde stierenvechters uit die tijd. Tot een paar jaar terug waren er verschillende obers die hem nog gekend hadden, zich hem herinnerden en hem naar zijn bed gedragen hadden als hij te dronken was om zelf te lopen.'

Ze keek rond.

'Het is hier prettig', zei ze.

'Maar u bent denk ik niet gekomen om over Hemingway te praten', zei ik.

'Zeg maar jij', zei ze.

'Wil je iets drinken? Een glaasje wijn?'

'Ja graag', zei ze en blies een rookwolk uit.

Felipe kwam naar ons toe en we maakten een praatje over het weer. Hij was al ober in Alemana toen ik hier in mijn jonge jaren kwam. Hij was een veelbelovende stierenvechter geweest maar door een stier gespietst en dat had hem zijn ballen gekost, zoals de Spanjaarden zeggen. De wond was oppervlakkig geweest, maar zijn ziel was dodelijk geraakt. Hij verloor zijn moed en durfde de arena niet meer in. De eigenaar van Alemana, een *aficionado*, gaf hem een baantje als ober uit respect voor de moed die hij betoond had in de periode voor de noodlottige dag waarop de stier hem zijn moed ontnam. Hij was nu een kleine gedrongen man met droefgeestige ogen en een rode neus, maar hij verzweeg zijn bloedende hart voor de rest van de wereld. Hij woonde alleen in een pensionnetje en ging eens per jaar naar zijn geboorteplaats Ronda om alleen in de arena te staan waar hij debuteerde. Wat hij daar deed, weet ik niet. Misschien God vervloeken. Misschien dacht hij gewoon terug aan zijn oude, vervlogen dromen.

Hij had een theedoek over zijn arm en nam mijn bestelling op. Een glas rode wijn voor de Deense dame, een Spa-citroen voor mij, een portie garnalen in knoflook en eenmaal serrano-ham. Halverwege de bar brulde hij de bestelling door.

Clara Hoffmann keek naar me.

'Ik heb een paar vragen', zei ze toen.

Ik keek haar recht in de ogen.

'Voor de goede orde,' zei ik, 'wil ik graag je legitimatiebewijs zien.'

'Natuurlijk', zei ze en overhandigde me een identiteitskaart. De Deense politie gebruikte kennelijk geen oude politie-insignes meer. Ze leek op de foto. Ze was dus drieënveertig. Ik had haar eigenlijk een beetje jonger geschat, maar dat viel niet mee met die vrouwen van tegenwoordig.

'Rechercheur. Gewichtig', zei ik.

'Mijn baas is maar een paar jaar ouder dan ik. Een vrouw. Onze nieuwe staatssecretaris is pas tweeëndertig. Daar is niets gewichtigs aan.'

Ze klonk niet bitter, maar toch een beetje gelaten. Alsof ze wist dat ze misschien het hoogst haalbare bereikt had. Haar diploma had haar geholpen deze baan te krijgen, maar de echt hoge posten lagen buiten haar bereik. Misschien dacht ze helemaal niet zo. Ik gaf haar het bewijs terug. Felipe smeet de glazen, flessen en tapas voor ons op tafel samen met het witte papiertje dat uit de kassa kwam. De garnalen sisten fel in de kokende olie met knoflook. De gerookte, in de lucht gedroogde ham was in scheermesdunne plakjes gesneden en fraai, bijna als een bloem op het bord gedrapeerd.

'Dat ziet er lekker uit', zei ze. 'Wat is het nu precies?'

'Ben je nog nooit in Spanje geweest?'

'Op Mallorca. Eeuwen geleden. Ik ben meer... hoe zal ik het zeggen... mijn belangstelling gaat meer uit naar het Oosten.'

'Russische spionnen vangen?'

'Zoiets.'

Ze glimlachte. Haar gezicht kreeg een andere uitstraling als ze lachte. Iets van het schooljuffrouwachtige verdween en haar ogen werden levendig.

'Dat zijn garnalen in knoflook. Dat spreekt voor zich. En dat is serrano-ham. Die komt van een speciaal varken dat zijn hele lieve leventje lang in de bergen rondloopt en bijzondere wortels eet. De hammen worden gerookt, hangen vervolgens jaren boven de bar en worden steeds smakelijker.'

Ze proefde voorzichtig en nam toen een echte hap.

'Daar neem ik wat van mee naar huis', zei ze.

'Ja, het smaakt goed.'

We dronken wat. Toen werd ze zakelijk. Ze leunde over de tafel. Er was veel lawaai. Ik zat met mijn rug tegen de muur, zodat ik de deur in de gaten kon houden. Er was een druk verkeer het café in en uit. Ik kende heel wat stamgasten, maar ze lieten me ongemoeid.

'Ik zal je niet lang van je vrouw weghouden. Maar als ik een paar vragen zou mogen stellen...?'

'Ga je gang.'

'Door de telefoon deed je anders aardig afwerend.'

'Het kwam nogal ongelegen.'

'Laila Petrova', zei Clara Hoffmann, terwijl ze aandachtig mijn gezicht bestudeerde. Ik dacht na en schudde mijn hoofd.

'Zegt je niets?'

'Absoluut niets. Wie is ze?'

'Inmiddels achtenveertig jaar. Kastanjebruin haar, waarschijnlijk geverfd. Slank, één meter vijfenzeventig, gewoon postuur. Vaak zeer smaakvol gekleed. Een ovaal gezicht, glad na een paar cosmetische ingrepen. Nu eens blauwe, dan weer bruine ogen. Door contactlenzen. Fotogeniek. Kunsthistorica. Tweemaal getrouwd... Van haar eerste man weten we de naam niet. Haar tweede man was een Russische schilder van wie ze tien jaar geleden gescheiden is. Geboren Nielsen, denken we. De schilder heette natuurlijk Petrov.'

'Zegt me helemaal niets.'

'Lees je Deense kranten?' zei ze, terwijl ze zeer vrouwelijk en welgemanierd van de ham en de garnalen at. Ze had honger. Haar maag was nog niet ingesteld op de Spaanse eettijden. Ze brak het brood in kleine stukjes en doopte ze in de olie met knoflook. Ze had smalle, sterke handen. Ze droeg geen trouwring, maar aan haar rechterhand zat een dunne gouden ring met blauwe saffieren.

'Nee, dat doe ik niet', zei ik. 'Alleen als ik toevallig een knipsel tegenkom.'

'Knipsel?'

'Ik ben beroepsfotograaf. Dat weet je. Ons bedrijf levert foto's aan de hele wereld en we maken uiteraard gebruik van een knipseldienst die ervoor zorgt dat we zien wie de foto's van ons bedrijf gebruikt. Voor het geval ze de copyright vergeten.'

'Sorry, natuurlijk', zei ze en prikte het laatste stukje ham van haar bord. Ze kauwde zorgvuldig en nam een slokje wijn voordat ze zei: 'Dan ken je de geschiedenis niet. Laila Petrova is verdwenen. Ze was – is – directeur van een van de nieuwe, zeer grote en internationale musea voor kunst in Denemarken. Culturele hoofdstad enzovoort. Ze is verdwenen en heeft de rest van het tentoonstellingsbudget meegenomen. Ongeveer vier en een half miljoen kronen.'

'Knap werk, maar waarom kom je naar Spanje om mij te vertellen over een slimme meid die er met de kas vandoor is? Ik heb nog nooit van haar gehoord. Dat had ik je door de telefoon ook wel kunnen vertellen. Dan had je het belastinggeld van de Deense burgers uit kunnen sparen.'

'Ja, maar dan had ik je dit niet kunnen laten zien', zei ze en viste een kartonnen map uit haar tas. Uit de map, die ook een aantal documenten leek te bevatten, haalde ze een zwartwit-foto. Ze hield hem voor me op en bestudeerde mijn gezicht aandachtig. Het was een standaardformaat foto, 25 x 36 cm. Scherp, maar duidelijk een kopie van een afdruk, niet recht-streeks van het negatief afgedrukt. Op de foto stond een jonge blonde vrouw die met iets samengeknepen ogen rechts langs de fotograaf keek. Ze had lang, steil haar dat over haar schouders viel en ze had een pony tot vlak boven haar wenk-brauwen. Het leek me dat de foto rond 1970 genomen moest zijn. Veel meisjes hadden in die tijd een Marianne Faithfull-kapsel. Ze droeg een gebloemde blouse die van boven een beetje open stond. Ze had een smalle ceintuur in haar ver-moedelijk blauwe spijkerbroek en lachte. Haar ene voortand was een beetje scheef, maar dat maakte haar lach nog aan-trekkelijker. Op de achtergrond waren de contouren van een paar vissersbootjes zichtbaar. Ze hield de hals van een gitaar vast met haar vingers op de snaren. Het was zomer. Het was een innemende, vrolijke foto. Helemaal links stond een bebaarde man die bewonderend naar het meisje lachte. De richting van zijn blik en de wimpel aan een van de vis-sersbootjes zorgden ervoor dat de foto een gulden snede had zodat de ogen van de kijker onwillekeurig naar de ogen en lach van het blonde meisje werden getrokken. Ik had het ge-voel haar en de foto eerder gezien te hebben, maar ik kon ze totaal niet plaatsen.

Ik keek Clara Hoffmann aan.

'Een prachtige foto', zei ik.

Clara Hoffmann draaide de foto om. Hij was van POLFO-TO, zag ik aan de copyrightstempel. Maar daarom had ze hem niet omgedraaid. Onderaan stond in een schuin hand-schrift: *Lime's foto?* Ik keek op. Clara Hoffmann hield mijn blik gevangen.

'Inderdaad', zei ze. 'Lime's foto. Vraagteken. En Lime, dat moet jij zijn.'

De foto gonsde in mijn herinnering. Ik zocht een onderschrift, maar er stond alleen in typeletters: 'Foto-onderschrift zoek, maar vermoedelijk genomen in Denemarken, 15 juni 1970.'

'Ik heb in mijn leven duizenden en nog eens duizenden foto's genomen', zei ik en pakte de foto uit haar hand. Ik keek naar de handgeschreven woorden en de datum: 15 juni 1970. Ik wist dat ik de jonge vrouw op de foto kende, maar ik hield mijn gedachten voor me. Ik was eraan gewend om informatie achter te houden. In elk geval tot ik wist wat de ontvanger ermee wilde. Het was ook zo lang geleden.

'Je hebt gewoon toevallig zo'n foto bij je, terwijl je de stad ingaat?' zei ik vervolgens.

Ze lachte weer en bleef me aandachtig bestuderen.

'De ervaring heeft me geleerd dat, als je als vrouw alleen uit eten wilt in een vreemde stad, je het minste gedonder hebt als je een paar officieel uitziende papieren uit een map haalt en je leesbril opzet. Ik heb alles in mijn tas.'

'Oké', zei ik. 'Is zij het?'

'Laila Petrova, ja. Toen ze jong was.'

'Ze heet geen Laila', zei ik en ik wist het weer.

'Ze heet Lola. Nielsen. Jensen. Petersen. Iets gewoons.'

'Dus jij hebt de foto gemaakt?'

'Ik denk van wel, ja.'

Ik dronk mijn glas leeg.

'Maar waarom is het een zaak voor de veiligheidsdienst? Hoort het niet eerder thuis bij fraudebestrijding?'

'Wie is die man op de foto?' vroeg ze. Ik keek naar hem. Hij was ook een jaar of twintig, misschien jonger. Maar hij was niet scherp in beeld, want dat zou de compositie verpest hebben. Het was niet toevallig dat hij een beetje vaag was, zodat het hoofdonderwerp goed uitkwam. Hij had een zwarte baard en snor en halflang pagehaar. Hij had regelmatige en witte tanden. Hij droeg een donkere, waarschijnlijk blauwe anorak.

'Dat weet ik niet', zei ik. 'Is de veiligheidsdienst in hem geïnteresseerd?'

'Laten we het er maar op houden dat we geïnteresseerd zijn en daarom ook in de foto van Lime.'

Ik gaf hem terug.

'Ik kan jullie niet helpen.'

'Ik vroeg me af of je het negatief nog hebt. En of er andere foto's van hetzelfde rolletje zijn.'

'Als het een foto van mij is, heb ik het negatief wellicht. Als ik het negatief heb, kan ik het misschien vinden. Als ik het kan vinden, zijn er misschien meer foto's. Wie is die man?'

'Hij wordt al meer dan twintig jaar gezocht. Het is een Duitser. Een van zijn vele namen is Wolfgang. Hij is lid geweest van de Rote Armee Fraktion. Hij wordt internationaal gezocht wegens moord, brandstichting, bankovervallen en ontvoeringen. Mijn Duitse collega's dachten dat ze hem hadden toen de DDR instortte, maar hij is verdwenen. Hij heeft vijftien jaar als monteur in Oost-Duitsland geleefd. Een van mijn Duitse collega's zag de foto in *Bild am Sonntag*. Het is een sensationele gebeurtenis, dus de Duitse roddelpers heeft zich ook even op de zaak gestort. Hij zag jouw foto. Hij herkende onze Wolfgang. Hij nam contact met ons op. We hadden er geen flauw benul van dat Wolfgang Deense contacten had. Waar is de foto genomen?'

Op het laatst werd haar stem scherp. Alsof het niet langer een vriendschappelijk gesprek was, maar een ondervraging.

'Dat weet ik niet. Ik weet niet eens zeker of het mijn foto is. Hij is bijna dertig jaar geleden gemaakt.'

Ze gaf me de foto weer terug.

'Hou maar. Ik heb meer kopieën. Denk erover na. Probeer het je te herinneren, kijk in je archief Lime. Help ons.'

'Oké. ik zal kijken wat ik kan doen – Felipe!'

Felipe kwam, ik betaalde en gaf hem zoals gewoonlijk een dikke fooi. Ik stond op.

'Ik bel je,' zei ik, 'over een paar dagen. Geniet ondertussen van Madrid.'

'Op kosten van de belastingbetaler', zei ze.

'Ik betaal geen belasting in Denemarken', zei ik, tilde mijn cameratas op en verliet het café met een gevoel van onrust dat ik niet kon verklaren of begrijpen. Maar de tijd waaruit de foto stamde kwam stukje bij beetje terug. Ik begon me dingen te herinneren en niet alle herinneringen waren de moeite waard.

Toen ik thuiskwam, zette ik het van me af. Ik woonde schuin tegenover het café in een appartement op de bovenste verdieping dat ik jaren geleden gekocht had en in de loop van de tijd uitgebreid had met belendende appartementen. We hadden meer dan driehonderd vierkante meter, inclusief mijn atelier en een daktuin. Er werd voortdurend op geboden. Het was een fantastisch appartement midden in de stad, dus zeiden we altijd nee. Ik opende de deur en groette zoals gewoonlijk Jacqueline Kennedy, die bijna naakt en op ware grootte bij de deur hing.

'Ik ben thuis', riep ik naar de keuken, waar Amelia en María Luisa zich op dit tijdstip wel zouden ophouden. Ik borg de niet-ontwikkelde rolletjes op in de brandkast en wierp de foto van Hoffmann op mijn bureau. Daarna waste ik mijn handen en ging aan tafel zitten voor het avondeten. Ik liet me betoveren door de huiselijke geborgenheid en het gezelschap van mijn meisjes, waardoor ik altijd vervuld raakte van geluk vermengd met de angst dat ze me op een dag ineens zouden verlaten. Amelia had noedelsoep gemaakt, er was biefstuk met salade, en als nagerecht aten Amelia en ik manchego-kaas en María Luisa kreeg ijs. Het lijkt banaal en alledaags om de ingrediënten van een lekkere maaltijd op te sommen, maar ik had in het banale van alledag juist rust gevonden. Mijn *wa*, zoals de Japanners dat noemen. De grote geschiedenis ligt verborgen in de details van het gewone.

Amelia en ik probeerden samen te praten maar lieten María Luisa het gesprek sturen. We luisterden naar haar gekwebbel en lazen in elkaars ogen de blijdschap die ze opriep.

Soms wanneer ik op reis geweest was, wilde María Luisa dat ik haar voor het slapen gaan een verhaaltje in het Deens voorlas. Ik sprak zelden Deens met haar. Dat was aanvankelijk wel mijn bedoeling geweest, maar het voelde kunstmatig aan omdat we verder alleen maar Spaans spraken met vrienden en familie. Ik las haar wel voor in het Deens vanaf dat ze heel klein was. Ze antwoordde me nooit in mijn moedertaal, maar het gaf haar kennelijk een vertrouwd gevoel om deze vreemde taal uit mijn mond te horen. Ik stopte haar na het avondeten in bad en las voor uit haar lievelingsboek over Alfons Åberg die een geheim vriendje heeft. Haar ogen waren zwaar en slaperig toen we het uit hadden en ik liet haar al slapende alleen bij het brandende nachtlampje. Ik douchte me snel en kroop bij Amelia in bed, die naakt onder de lakens lag in de warmte. De geluiden van de stad kwamen door het half openstaande raam naar binnen terwijl wij elkaar beminden en één werden.

Ik kan 's nachts vaak niet slapen en toen Amelia met haar hoofd van mijn schouder schoof en zich op haar zij draaide, stond ik op. Zoals wel vaker ging ik toen op ons dakterras zitten, dronk een colaatje en rookte een sigaret in de warme nacht. Ik zat met de foto uit het verleden die de Deense vrouw me had gegeven, omringd door geraniums, rozen, eucalyptus, sinaasappel- en citroenbomen en luisterde naar de hartslag van de stad die opsteeg van het plein onder me. Geklik van hakken, de brullende acceleratie van een motor, een paar dat samen lachte, een man die in zijn dronkenschap een klaagzang afstak, een taxiportier dat dichtgegooid werd, een hekwerk dat dichtging voor een bar, de gillende sirene van een politieauto, een vloek toen er een man struikelde, iemand die van puur geluk begon te zingen, de symfonie van de late uurtjes. Hier was mijn hemelraam met uitzicht op Madrid. Hier kon ik zitten denken en de rust in mezelf vinden. Toen ik midden jaren zeventig naar Madrid verhuisde, had de nacht nog een ander geluid gehad, een geluid van flamenco wanneer de mensen ritmisch in hun handen klapten om de serano te roepen. Dat was een man, een nachtwaker, die met een grote knoestige stok rondliep en de sleutels van de huizen en de pensions bij zich droeg. Om hem te roepen klapte men in de handen. Het was vaak een oorlogsinvalide uit de burgeroorlog. Zijn pensioen bestond uit het geld, de munt van vijf peseta's – de duro – die men hem gaf wanneer hij de deur had geopend. In de milde zomernachten klonk overal in de wijk het ritmische klappen als een lokkend zigeunerlied in deze liefdesuren tussen nacht en ochtendgloren. De oude serano's waren verdwenen. De vooruitgang had ze meegenomen. Een enkeling was er nog over, maar dat waren museumstukken met een vast inkomen zoals de nachtwaker in Ebeltoft.

Ik keek naar de foto. Hij was genomen in Bogense tijdens een tuinfeest en geplaatst door een regionale krant die hem doorverkocht moest hebben aan een bureau. Ik heb een hele serie van het feest aan de krant verkocht. Een van mijn eerste geslaagde pogingen om persfoto's te verkopen. Lola was twintig jaar en woonde in dezelfde commune als ik. Ze wilde folkzangeres worden, de vrouwelijke tegenhanger van Bob Dylan. We waren een paar keer met elkaar naar bed geweest. Ze was 's nachts mijn kamer binnengekomen, maar dat deed ze bij meer mannen. In onze commune probeerden we af te rekenen met de burgerlijke jaloezie. Dat lukte niet, maar Lola scheen geen problemen te hebben met deze knagende slang. Ze veroorzaakte daarentegen wel problemen omdat ze zo begerenswaardig was en een bezitsdrang opriep bij de verliefde mannen. De man op de foto heette geen Wolfgang. Zijn naam was Ernst. Het was een jonge vent van achttien die uit Hamburg kwam. Hij wilde net als iedereen kunstenaar worden. Hij wilde romans schrijven. Hij was links, maar ik kon me niet herinneren dat hij iets met bommen had. Hij nam deel aan discussies over de noodzaak van geweld in de strijd tegen de burgerlijke staat, maar het waren anderen die daarover schreven in tijdschriften en bepaalde kranten. Hij was tot over zijn oren verliefd geweest op Lola, die met hem speelde, de liefde met hem bedreef en vervolgens in mijn bed stapte of in dat van iemand anders. Hij keek met ongelukkige ogen naar haar en liep haar achterna als een jong hondje zijn baas.

Meer kon ik me niet herinneren. Ik geloof niet dat ik in de tussenliggende dertig jaar ooit aan Lola gedacht heb. Maar op het terras in de donkere nacht herinnerde ik me ineens dat ze de laatste nacht dat we samen waren, huilde. Ik geloof dat het de laatste nacht was. Ik vond haar prachtig en sexy, maar ik was niet verliefd op haar. Ik wist dat ik verder wilde. Ik wilde de wereld in. Het was net alsof ik, toen ik op reis zou gaan, haar iets van haar macht ontnam.

Ik herinner me niet meer hoe we vrijden, maar plotseling hoorde ik haar iele stem in de Madrileense nacht.

'Peter, mijn enige talent is mannen verleiden. Ik kan mannen laten doen wat ik wil. Waarom doe jij niet wat ik wil?'

Ik wist niet waarom ik me dat zo duidelijk herinnerde. Ik wist niet eens of het van belang was. Je geheugen kan je vreemde streken leveren. Kort daarna ben ik uit de commune weggegaan. Mensen kwamen en gingen in die wonderlijke tijd waarin alles mogelijk leek, waarin de pijn van het leven onderdrukt werd en de wereld veranderde. Ik probeerde me andere gezichten uit die tijd voor de geest te halen, maar ze vloeiden in elkaar over, in lang haar en baarden, wijde spijkerbroeken, gemengd baden, naakte borsten in de zon, kinderen waar niemand zich over ontfermde, discussies over politiek en maatschappij, parka's, uniforme T-shirts, Kingssigaretten en vrouwen met paarse luiers in hun haar. Als een rij klonen die in hetzelfde huis beland waren.

Ik stond op en ging naar mijn atelier om de foto's uit Catalonië te ontwikkelen en af te drukken, zodat Oscar niet teleurgesteld zou zijn wanneer hij ongetwijfeld morgenvroeg al mijn nieuwste scoop zou komen bewonderen. Dat kon ik beter dan wie ook: mijn prooi besluipen en die in al zijn naaktheid blootleggen.

3

Oscar kwam tegen tienen langs.

Ik had zoals gewoonlijk even na zeven uur het ontbijt klaargemaakt voor María Luisa en Amelia. Zoals de meeste Madrilenen gingen we altijd laat naar bed, maar stonden we vroeg op. Dat was het ritme van de stad. We probeerden wel altijd een middagslaapje te doen. We hadden Spaanse gewoonten, dus we aten 's ochtends niet veel. Een groot glas sterke koffie met melk en een croissant voor Amelia en mij en een glas melk met een witte boterham met jonge kaas voor María Luisa. Ze was in een lintenperiode, bond haar donkere haar op met roze of kleurige linten die contrasteerden met haar bevallige blauwe schooluniform. Van het plein steeg de ochtendsymfonie van auto's op, de klank van metalen hekwerk dat opengetrokken werd, het gebrul van optrekkende motoren, geroep en gerammel van zware vrachtwagens die de cafés en winkels bevoorraadden. Amelia dronk haar koffie met kleine voorzichtige slokjes. Ze was iedere ochtend nieuw voor mij. Iedere ochtend was het een klein wonder dat ze er nog steeds was. Amelia droeg een spijkerbroek en een blouse, haar werkoutfit, en ze had een beetje make-up op. Ze leek wat ze was, een aantrekkelijke moderne vrouw. We keken elkaar aan en dachten terug aan onze nachtelijke omhelzing. 's Ochtends zeiden we nooit veel. Dat was niet nodig. We ontbeten samen in de keuken in een aangenaam slaperige stilte, terwijl de radio op de achtergrond verkeersberichten, sport en nieuws uitkraamde. Daarna gingen mijn dierbaren de wereld in. Wanneer ze mij 's ochtends verlieten, had ik een irrationeel gevoel van verlies. Ik vreesde dat ik ze zou kwijtraken. Ik durfde best te bekennen dat die twee de zin van mijn bestaan waren.

Oscar vond het komisch en tamelijk onbegrijpelijk dat ik zo'n burgerlijke familievader was geworden, maar hij was vast ook een beetje jaloers. Hij was bang voor verveling en om die te bestrijden had hij behoefte aan steeds sterkere prikkels. Ik bedoel geen grote hoeveelheden alcohol of drugs, hoewel hij die bij tijd en wijle niet uit de weg ging, met alle catastrofale gevolgen van dien, waarna hij weer een poos zonder leefde. Oscar was verslaafd geweest aan speed en cocaïne. Maar de grootste kick kreeg hij van avonturen. Hij beschouwde grenzen als linies die doorbroken moesten worden, alsof hij een generaal was die voortdurend naar het zwakke punt in de verdediging van zijn tegenstander zocht. Hij moest zichzelf er continu van overtuigen dat hij nog jong was. Oscar was altijd al een rokkenjager geweest en toen hij jonger was, had dat wel iets charmants omdat hij zo succesvol was, maar nu we de vijftig naderden had zijn niet-aflatende veroveringsdrift iets wanhopigs. Hij gaf ook toe dat hij niet meer zo erg zijn best deed, maar dat het belangrijk voor hem was het af en toe toch te proberen. Het was een flinke klap voor hem toen hij op zijn veertigste ontdekte dat veel jonge vrouwen hem als een oude man bestempelden. Een ouwe bok zelfs. Gloria had hem wekenlang een zielenpoot gevonden, maar ze hadden voor de zoveelste keer vrede sloten. Ze konden niet zonder elkaar. Ze hadden ook een bedrijf samen. En op de een of andere manier waren hun levens met elkaar verbonden. De een zou niets zijn zonder de ander.

Ik ging beneden, naar de bar op de hoek, waar ik *El País* las en nog een kop koffie dronk. De Basken waren nog steeds in oorlog met elkaar en de Spaanse regering. De ETA had de avond ervoor een Spaanse politieagent vermoord in Bilbao. Een jonge vrouw was dood aangetroffen, door de mond geschoten. Ze had verraad gepleegd, betekende dat. Een paar weken eerder hadden ze een jonge Bask, een gematigd nationalistisch gemeenteraadslid vermoord omdat de regering weigerde ETA-leden vrij te laten. Het gevoel van woede en machteloosheid bij de Baskische bevolking was enorm geweest. Meer dan een miljoen mensen hadden in de straten van Bilbao gedemonstreerd. Een paar dagen later was er een tegendemonstratie van dertigduizend ETA-sympathisanten in San Sebastián. Het was alsof er een burgeroorlog woedde. Er zou geen eind komen aan de moorden. Met enige regelmaat ontplofte er een autobom in de straten van Madrid. Met als gevolg dat woede en angst over de stad waren neergedaald. In mijn jonge jaren tijdens de dictatuur van generaal Franco had ik de ETA-leden als vrijheidsstrijders beschouwd. Nu waren het gewoon duistere jongeren die een anachronisme waren in een tijd waarin de grenzen van Europa waren vervaagd tot strepen in een verouderde atlas. Uitschot van de barbaarse ideologieën van de twintigste eeuw.

Ik nam de krant mee naar huis om daar op Oscar te wachten die ongetwijfeld zeer benieuwd zou zijn naar de foto's. Ik had er zelf niet helemaal een goed gevoel over. Een deel van mijn professionele geheim bestond erin dat niemand officieel wist dat ik de foto's had genomen. Ze werden door ons bureau verkocht. Maar de bodyguards van de minister hadden mij en het nummerbord van mijn huurauto gezien. Ik liep plotseling het gevaar zelf in het zoeklicht van de media te belanden en ook al leefde ik van de enorme honger van de media en van de vraatzucht van lezers die alles wilden weten over het leven en het ongeluk van anderen, zelf beschermde ik mijn privé-leven bijna nog beter dan het koningshuis dat deed.

Hij belde via de intercom. Ik kon aan de felle manier waarop hij het knopje indrukte horen dat hij het was. Geld was inmiddels net zo'n sterk afrodisiacum voor Oscar als een lekkere kont vroeger. Van geld raakte hij opgewonden.

Ik nam op.

'Ja Oscar', zei ik en drukte op de knop waardoor de deur

openging en mijn oude vriend kon binnenkomen.

Onze vriendschap ging terug tot het wonderlijke voorjaar van 1977 toen Spanje een kolossale verandering doormaakte. De veranderingen in Spanje gedurende dat jaar waren even ingrijpend als de veranderingen die Europa doormaakte toen de Berlijnse Muur viel in 1989. In 1977 waren er twee landen in Europa die niet deelnamen aan een of andere vorm van Europese samenwerking – Albanië en Spanje. In dat voorjaar, amper twee jaar nadat Franco aan een ziekte was overleden, ontmoetten we elkaar midden in de nacht in een kleine bar in de Calle Echegaray, de straat waarin het pensionnetje lag waar ik een kamer huurde. De bar was een van de oudste van Madrid en Oscar was zeer dominant aanwezig. De muren waren bedekt met gele, met ornamenten versierde tegels. Er stonden kleine houten tafels en stoelen, waarop je ongemakkelijk zat, maar ze serveerden fantastische wijn en waren tot het krieken van de dag open. Drie bankroete zigeuners probeerden flamencoliederen te zingen en te klappen. De voorzanger miste twee voortanden, de rest van zijn gebit was van goud. Met doorrookte stemmen zongen ze 'No te vayas todavía', terwijl ze meeklapten op het gevarieerde ritme van de meeslepende melodie. Oscar was me meteen opgevallen. Hij was erg groot en hij zat merkwaardig klunzig met een groot glas bier in zijn handen op een lage taboeret die aan een melkkrukje deed denken. Zoals bijna iedereen in die tijd, had hij lang haar, een volle baard en een snor. Ik was samen met een collega van Reuter, die ons aan elkaar voorstelde.

Oscar was een freelance journalist uit West-Duitsland. Ik was een Deense freelance fotograaf en ingehuurd door een Zweedse journalist om foto's te maken bij zijn artikelen over de democratisering van Spanje. En om voor hem te tolken. De juist teruggekeerde communistische partijleider Santiago Carrillo zou zijn eerste politieke bijeenkomst houden in Valladolid en wij namen Oscar in onze huurauto mee zodat hij een verhaal kon schrijven voor zijn Duitse kranten en tijdschriften. Hij werkte hard, maar de kleine linksgeoriënteerde bladen waarvoor hij schreef betaalden een laag honorarium voor zeer lange artikelen. Zo is het begonnen. Bij toeval, maar het grootste deel van het leven bestaat uit toeval, dat pas later als je terugkijkt een samenhangende betekenis krijgt en een herkenbaar patroon vormt. We proberen ons leven immers als een geheel te beschouwen, zoals historici van de willekeurige gebeurtenissen en brokstukken uit de geschiedenis een eenheid proberen te maken. Met het ouder worden ontstaat de behoefte om die samenhang te zien, de wens te geloven dat er sprake is van een bepaald patroon. Dat alles niet louter toeval was. Dat het leven in wezen een grote puzzel is waarvan de stukjes volledig in elkaar passen.

Ik liet Oscar binnen en we omhelsden elkaar. Dat deden we altijd wanneer we elkaar een poosje niet gezien hadden. We waren echte vrienden. Ik hield ontzettend veel van Oscar en dat was wederzijds hoewel we eigenlijk erg verschillend waren. Oscar en Gloria zijn altijd veel linkser geweest dan ik die de tijdgeest volgde, maar zij geloofden oprecht in de nieuwe maatschappij, in de revolutie. Nu komt dat geloof in de revolutie uit de jaren zeventig bijna lachwekkend over. Als pure romantiek. Iets om te bagatelliseren. Alsof we niet willen toegeven of ons niet willen herinneren dat velen geloofden dat de revolutie en de tijd van het socialisme spoedig zouden aanbreken. Oscar en Gloria bepleitten, zoals veel anderen, het onvermijdelijke gebruik van geweld, uiteraard zonder te ver te gaan en ze keken op tegen helden als Mao en Ho Chi Minh. Toen de gruwelen van de Chinese Culturele Revolutie aan het licht waren gekomen, was Gloria teleurgesteld en oprecht geschokt geweest, terwijl Oscar het onverschilliger had opgenomen. Het fundamentalistische in hun politieke opvattingen was verdwenen en had plaatsgemaakt voor het individuele. Maar ze waren even gelovig geweest als jezuïetenpaters. We spraken er niet veel over. Dat was eigenlijk het meest merkwaardige van ons jeugdgeloof. Het was nu alsof ons geloof en de Berlijnse Muur nooit bestaan hadden. Alsof Marx, Engels, de Sovjet-Unie en de DDR slechts een fata morgana waren geweest aan het einde van de twintigste eeuw.

We waren ook begonnen geld te verdienen. Daardoor verandert een mens nu eenmaal. We waren niet hetzelfde, maar we hielden van dezelfde muziek, dezelfde films en dezelfde boeken en puriteins was geen van ons. We vonden dat het leven geleefd moest worden. Zo nu en dan had ik dat te ruig gedaan, maar Amelia had me geholpen dat achter me te laten, ook al zou het verlangen nooit verdwijnen.

Geen van ons dacht nog aan revolutie.

Oscar was een erg lange man, iets langer dan twee meter, maar hij zorgde ervoor dat hij mooi slank bleef. Hij had een klein buikje, maar niet opvallend, zijn brede schouders domineerden en hieven de zwaarte van zijn middel op. Zijn brede gezicht met de merkwaardig kleine bruine ogen was tegenwoordig altijd gladgeschoren. Hij ging altijd zeer elegant en nonchalant gekleed in handgemaakte kostuums met zijden overhemden, maar zonder stropdas. Hij was goedlachs, lachte hard en aanstekelijk en hij had de vastberaden en zelfverzekerde tred van een geslaagd man. In gezelschap was hij dominant aanwezig en de meeste mensen waren van hem gecharmeerd. Oscar was een geboren verkoper, die erin slaagde zijn kopers het gevoel te geven dat het een hele eer was om zaken met hem te mogen doen. Hij was dol op verkopen. Welbeschouwd was hij een manipulator. En hij had, zoals alle grote verleiders, een enigszins twijfelachtige moraal. Ik was blij dat hij mijn vriend was en niet mijn vijand.

We liepen naar mijn atelier en ik liet hem de foto's zien. Hij klakte bewonderend met zijn tong. Ik had tien kleuren- en tien zwartwitafdrukken gemaakt. Het was een fraai fotoverhaal. De speedboot die aan komt varen, de twee die naakt zwemmen, misschien de liefde bedrijven in het water, het vrijende paartje op het strand, de minister die op haar tenen sabbelt. De laatste foto was de beste, maar hun gezichten waren het duidelijkst te zien op de shot van de speedboot. De minister buigt zich over zijn minnares. Zijn gezicht is scherp en zijn blik is gericht op haar blote borsten. Zij bevochtigt haar lippen met haar tong. Ik was zo dichtbij geweest dat ik mijn grote telelens, waardoor een grove korrel ontstaat, niet had hoeven gebruiken. De details waren zo scherp dat het leek alsof ze mij mee hadden gevraagd op hun uitje. Ik had de tien afdrukken zo uitgezocht dat de meeste roddelbladen en kranten van de diverse landen ze konden gebruiken afhankelijk van hoe bekrompen ze waren en wat de traditie voorschreef. Aangezien het om een minister ging, zouden zelfs de serieuze dagbladen bereid zijn een foto te plaatsen bij een artikel over de politieke implicaties van het schandaal. Dan hadden ze een alibi om eens een paar blote borsten af te drukken, maar het moest wel een van de minst erotische foto's zijn. Voor de lol had ik de foto van de coïtus afgedrukt, maar die was zoals ik al verwachtte, te pornografisch en Oscar wierp er kort een blik op. Hij wist dat daar geen geld mee te verdienen was.

'Knap werk, Peter', zei hij alleen maar en hij bekeek de hele serie nog een keer langzaam en aandachtig. Ik kon zijn hersenen bijna horen uitrekenen welke klanten wat zouden krijgen. We waren samen met Gloria eigenaar van ons bureau. OSPE NEWS, noemden we onze naamloze vennootschap. Mijn naam had al die jaren nog nooit onder wat voor glossy- of paparazzofoto dan ook gestaan. Mijn naam was buiten het professionele wereldje onbekend, maar iedere dag stond er wel ergens op de wereld een foto met het copyright van OSPE NEWS in een krant of weekblad. En iedere dag stroomde er geld binnen. Zelfs mijn beroemde foto van Jacqueline Kennedy werd nog altijd verkocht. We hadden een filiaal in Londen en Parijs en we maakten ook andere foto's, niet alleen van bekende personen. We maakten gewone reportages, een van onze fotografen had een prijs gekregen voor de foto's die hij van de oorlog in het voormalige Joegoslavië had gemaakt en we hadden een paar zeer goede sportfotografen in huis, maar het grote geld verdienden we met privé-foto's van beroemdheden.

Oscar pakte de foto's en ging aan de witte tafel zitten, die ik in het midden van de grote ruimte had neergezet. Daaraan dronk ik koffie met zakenrelaties of klanten die voor me poseerden wanneer ik het andere deel van mijn metier uitoefende. Ik maakte portretfoto's van mensen die beroemd waren en er een vermogen voor neertelden of gewoon van mensen die ik op straat, in een café of wachtkamer tegenkwam en wier gezicht mij fascineerde. Dat deed ik dan voor niets. Onder die portretten zette ik mijn eigen naam.

Oscar keek me aan.

'Ze zijn meer waard dan je denkt', zei hij.

'Hij is nog niet lang genoeg minister om buiten Spanje erg bekend te zijn', zei ik.

Er verscheen een sluw lachje op zijn gezicht.

'Peter, ouwe jongen, ik zie het aan je. Je weet niet wie ZIJ is!'

Ik wachtte. Oscar las glossy's in zeventien talen. Niet omdat hij een geboren voyeur was, maar omdat het een onderdeel van zijn werk was. Hij bestudeerde de jetset van de wereld met dezelfde nauwgezetheid waarmee een beursspeculant koersen, opties en buitenlandse nieuwsberichten bekijkt. Om iedereen een slag voor te zijn. Om de markt, de nieuwe God van deze tijd, voortdurend een stap voor te zijn. Om voortdurend te weten wie er nu weer in het zoeklicht stond en daarmee kwetsbaar en verkoopbaar was.

'Italië', zei hij alleen maar.

Ik pakte een van de foto's. Het mooie, gladde gezicht was enerzijds precies zoals alle andere knappe jonge vrouwengezichten en anderzijds ook weer niet omdat het me vaag bekend voorkwam. De pruilerige mond en de grote, licht scheve ogen. Ik probeerde me haar zonder make-up voor te stellen om erachter te komen. Make-up kan een gezicht zo fundamenteel veranderen dat het bijna onherkenbaar is, maar voordat ik het gezicht had weten te plaatsen, zei Oscar: 'Het is Arianne Fallacia. Dat kan niet anders.'

Ik keek naar de foto. Hij had gelijk. Ze had bij het laatste filmfestival in Cannes bijna een prijs gewonnen. Ze was de grote nieuwe vrouwelijke hoop van de Italiaanse film. Dat ze bekend was in Italië en elders zou niet voldoende geweest zijn, maar het feit dat ze tot voor kort schaars gekleed een quiz presenteerde bij een of andere maffe Italiaanse tv-show, maakte haar zeer lucratief.

'Je hebt gelijk', zei ik. 'Waar hebben ze elkaar in vredesnaam ontmoet?'

'Die ouwe bok heeft belangen in een van de tv-stations van Berlusconi. Bovendien zwemt hij in het geld. Hij heeft haar zeker in de krant zien staan en zijn privé-jet naar haar toegestuurd. Lekkere meid. Ze zal nu nog beroemder worden. Hij zal gelazer krijgen, maar haar aandelen stijgen als Lime's foto's de voorpagina's in Italië en Spanje halen. Wie moet als eerste de exclusieve rechten krijgen?'

'Wil je een biertje of koffie?' zei ik.

'Cola.'

Ik haalde twee colaatjes uit de koelkast en zette ze voor ons op tafel. Oscar keek me aan.

'Wat is er mis, Peter?'

'Misschien moesten we de zaak maar droppen?'

'Het kan ons wel een miljoen of meer opleveren. Ongetwijfeld meer. Je moet met een goede reden komen.'

'Die heb ik ook.'

Ik vertelde hem het hele verhaal. Hij luisterde aandachtig. Oscar kon spontaan, kletserig en oppervlakkig opgewekt doen, maar dat was uiterlijke schijn. Meestal was hij een serieuze zakenman en hij kende mij goed genoeg om te weten dat ik, als ik voorbehoud maakte, daar een goede reden voor had. Ik had in mijn leven al duizenden foto's genomen, waarvan honderden foto's die mensen liever niet genomen hadden zien worden, dus Oscar wist dat ik niet aarzelde vanwege morele scrupules.

'Daar moeten we Gloria maar even in kennen', zei hij. 'Maar ik zie het probleem niet. Dat is al opgelost. Ze kunnen niets bewijzen. Je hebt niets verkeerds gedaan. Ze bevonden zich op een openbaar strand. Jouw naam wordt niet genoemd. Zo gaat het toch altijd? Iedereen die er verstand van heeft weet toch dat als OSPE weer eens onthullende foto's de wereld instuurt, ze meestal gesigneerd zijn door Lime, of niet soms?'

Hij had gelijk, dus ik knikte.

'Het is meer een gevoel', zei ik.

'Dat respecteer ik. Gloria moet haar voelsprieten maar eens uitsteken.'

'Oké', zei ik, maar ik had nog steeds het gevoel dat we er niet aan moesten beginnen. Ik kon het niet beargumenteren en ik had het volste vertrouwen in het beoordelingsvermogen van Gloria en Oscar. Zij kenden het ambtelijke mijnenveld, de grens tussen het wettige en het mogelijke. Ze wisten hoe ze de menselijke hang naar roddel moesten uitbuiten, maar ze wisten ook dat als ze iets onwettigs deden, de advocatenhonoraria de winst gauw zouden opslokken. Een eenvoudig optelsommetje, zoals Gloria altijd zei.

'We laten het een paar dagen rusten', zei Oscar en hij stond op om te gaan bellen.

Hij belde Gloria. Ik hoorde hoe hij haar op de hoogte bracht. Hij stond bij mijn bureau en ik zag hem de zwartwitfoto pakken die uit het verleden was opgedoken. Hij hield hem omhoog, wierp er een blik op en legde hem terug. We kenden elkaar al zolang dat hij niet het gevoel had dat hij in mijn spullen zat te rommelen. Toen pakte hij de foto nog een keer en hield hem vast, terwijl hij, plotseling afwezig, Gloria in zijn langzame, accentrijke maar correcte Spaans antwoordde.

'Om vier uur?' zei hij ten slotte.

Ik schudde mijn hoofd. Ik had om vier uur een afspraak met de Japanners. Ik voelde dat ik daar behoefte aan had. Ik voelde een vreemde onrust in mijn lijf, een kriebel in mijn vingers, rillingen over mijn rug, gesuis in mijn buik, mijn mond was droog. Waarschuwingssignalen genoeg. Ik had behoefte aan fysieke moeheid, misschien moest ik binnenkort toch weer eens naar een sessie van de AA. Ik had juist gehoopt dat dat niet langer nodig was.

'Peter kan niet', zei Oscar. 'En nu meteen dan?'

Ik schudde opnieuw mijn hoofd. Oscar hield de foto met beide handen vast en klemde de telefoonhoorn onder zijn kin. Ik had over een halfuur een *sitting* met een zesenvijftigjarige diva van het Spaanse koninklijke theater, die besloten had om haar nieuwe geliefde een portret te geven. Ik had de eer haar er even mysterieus en mooi uit te laten zien als Mona Lisa.

'Zes uur?' klonk het weer van Oscar. Hij keek op de achterzijde van de foto en legde hem toen terug op mijn bureau. Ik knikte en hij maakte kusgeluidjes in de telefoon. Het was me een stel, die twee. Of dolverliefd of ieder zijn eigen leventje. Hij draaide zich om, leunde met zijn achterwerk tegen het bureau en stak een sigaret op.

'Wie is die geheimzinnige vrouw?' zei hij naar de foto wijzend.

'Ik weet het eigenlijk niet goed', zei ik. Ik wist het wel, maar ik had geen zin in een lange uiteenzetting. Het verbaasde me niet dat hij ernaar vroeg. Oscar was altijd al nieuwsgierig geweest. Dat was een van de redenen waarom hij zo goed was in zijn vak.

'Waar komt hij ineens vandaan?'

Ik vertelde hem over de vrouw van de Deense inlichtingendienst.

'Heb jij de negatieven dan?' vroeg hij.

'Waarom ben je zo geïnteresseerd in een oude foto? Ken je haar?'

'Nee, maar ze is mooi. Op een geheimzinnige manier. Alsof ze wil zeggen: ik heb veel geheimen. Alleen een sterke man kan de sleutel vinden. Het is moeilijk mij te openen, maar als je erin slaagt zal de beloning groot zijn.'

Ik lachte. Dat was typisch Oscar. Zo zag hij vrouwen. Hij veroverde ze, ontdekte hun geheimen en wanneer hij vond dat hij hun lichaam en ziel kende, begonnen ze hem te vervelen. Alleen de onberekenbare, getalenteerde en sexy Gloria had hem zo lang weten vast te houden dat een scheiding alleen al uit praktisch oogpunt onhaalbaar was. Bovendien hield hij van haar op zijn eigen speciale manier en bij vlagen was hij weer even stapelverliefd op haar als toen ze elkaar net ontmoet hadden en er nog geheimen te ontdekken waren. Dat gebeurde vaak wanneer hij een poosje op zakenreis geweest was.

'Maar heb je ze?' zei hij weer.

Ik wees op de brandvrije stalen kasten langs de muur.

'Je weet dat ik nooit een negatief weggooi. Ze zullen hier wel ergens zijn. De foto zegt me nu niks, maar ik heb hem vast wel ergens. Misschien op zolder.'

'Dus je gaat hem opzoeken?'

Ik haalde mijn schouders op.

'Het heeft niet de hoogste prioriteit', zei ik.

'Het is een echte Lime-foto', zei hij. 'Alle ingrediënten zijn aanwezig, gulden snede, spanning, mystiek, onrust, gevaar, vreugde. Toen je jong was, was je al goed.'

'Tot ziens, Oscar', zei ik.

Hij stopte de foto's van de minister en de Italiaanse actrice in een enveloppe, tikte me op mijn wang en vertrok.

Ik zette mijn mobiele telefoon aan. Wanneer ik niet in het veld aan het werk was, fungeerde de voicemail van mijn mobiele telefoon vaak als secretaresse. Er was een berichtje van Clara Hoffmann die vroeg of ik haar terug wilde bellen. Dat wilde ik wel maar niet meteen. Ik opende in plaats daarvan de voorste stalen kast. Daarin lag een groot deel van mijn leven als kleine vierkantjes ingepakt in grijs, zacht negatiefpapier. De negatieven waren op jaar gesorteerd. Op ieder pakje had ik een datum en het onderwerp van de foto's gezet. Er lagen er duizenden. Ik had veel gereisd in mijn leven, maar mijn foto's had ik altijd op orde gehouden. Zelfs in de meest chaotische perioden van mijn leven waarin ik op het randje van de afgrond balanceerde, ordende ik mijn foto's. Alsof ik wist dat er, zodra ik zou stoppen met het ordenen van mijn foto's, geen weg terug zou zijn en ik naar een dieptepunt zou zakken waar ik nooit meer uit zou kunnen komen. Toen ik net begon en zelden een vast adres had, lagen ze in kartonnen dozen in de kelder van mijn ouders. Later toen ik mijn eerste flatje betrok dat even groot was als onze keuken en een van onze kamers nu, nam ik ze mee. Nu lagen al die duizenden van secondes, waarin de tijd bevroren was, keurig gerangschikt in stalen kasten.

Maar niet allemaal.

Het negatief zou ook in mijn geheime archief kunnen liggen waarvan Oscar het bestaan niet eens kende. Ik heb niet alleen uit liefde goed voor mijn negatieven gezorgd. Ik heb de beste en meest controversiële ook altijd gezien als een levensverzekering en mijn pensioen, maar eveneens als de som van mijn leven. Vanaf het begin heb ik mezelf de gewoonte aangeleerd om bijzondere negatieven naar mijn ouders te sturen.

Ik stopte zo'n negatief in een brief aan mezelf in een aan mijn ouders geadresseerde enveloppe. Zij wisten dat ze de brief alleen maar hoefden te bewaren tot ik thuiskwam. Wanneer ik dan op een van mijn onregelmatige bezoekjes aan Denemarken langskwam, opende ik de brieven aan mezelf en legde ze in een koffer. De koffers werden steeds groter en de laatste was een grote witte stalen Samsonite-koffer met een codeslot. Want er mocht maar één koffer zijn. Dat was een deel van het ritueel en de legende die ik zelf in het leven had geroepen en die veel bijgeloof bevatte. Ik sorteerde, archiveerde en schreef de onderwerpen in een zwart notitieboekje. Dat was een kleine eigenaardigheid van me, maar ik had geen vertrouwen in centrale archieven en evenmin in de computer. Ik bewaarde in mijn koffer niet alleen negatieven van foto's die mij een vermogen opgeleverd hadden, zoals mijn beroemde foto van de naakte, zonnebadende Jaqueline Kennedy. Er zat ook een landschapsfoto in die een speciale waarde voor me had. Of ooit had gehad. Verder de eerste foto's die ik met mijn Leica had genomen. Of met mijn eerste camera. Een nogal banaal kiekje van het Rode Plein in 1980 had ik opgeborgen bij een portret van mijn eerste vriendin, dat ik met de oude Kodak-boxcamera had gemaakt. De eerste foto die ik ontwikkelde en afdrukte. Er zaten negatieven bij uit Iran, Denemarken, uit mijn kindertijd en latere jeugd, van bijna vergeten minnaressen en geliefden, van mijn levenslange project om alle plaatsen waar Hemingway had zitten drinken te fotograferen en verder de miljoen-dollar-negatieven, zoals die van de minister en zijn liefje. De eerste foto's van Amelia en de pasgeboren María Luisa. Maar er zaten ook liefdesbrieven tussen van een lang leven, brieven van mijn vader en moeder, mijn eerste vakantiebrief naar huis, een paar rapportboekjes, wat opstellen en onhandige pogingen om gedichten te schrijven, schetsen en haastig neergekrabbelde dagboeknotities en gedachten. Een paar krantenknipsels die vooral uit mijn jeugd stamden. De moord op de Kennedy's. Eerst op John F. en later op Robert. De eerste mens op de maan. De foto's die ik genomen had van de vopo die lachte om de afbrokkelende Berlijnse Muur. Het was meer dan een koffer. Het was een herinneringskoffer waarin ik de archivalia van het sprookje van mijn leven bewaarde. Uitsluitend voor mezelf. In mijn testament stond dat de koffer na mijn dood ongeopend verbrand moest worden. In mijn zwervend bestaan was deze levenskoffer, die voor mij een soort dagboek was, een vast punt geweest. Een koffer waarin ik de geheimen van mijn leven en mijn diepste gedachten kon opbergen. Toen mijn ouders er niet meer waren, vond ik een advocaat bereid hem te bewaren en mijn post te ontvangen, maar de laatste vijf jaar was hij ondergebracht bij Amelia's vader. Als oud-medewerker van de veiligheidsdienst kon hij wel een geheim bewaren en hoewel onze meningen op veel gebieden uiteenliepen, wist ik dat hij mij vertrouwde en respecteerde, ja zelfs om mij gaf omdat hij zag hoe onvoorwaardelijk ik van zijn dochter en enige kleinkind hield.

Dus ik koos een van de meer pornografische negatieven uit en legde deze met tijd en plaats erbij in een aan mezelf geadresseerde enveloppe, die ik vervolgens in een grotere enveloppe deed. Ik voegde een groet toe en schreef het adres van Amelia's vader erop. De foto van de geheimzinnige vrouw zou best eens in de koffer in het gezellige huis van Don Alfonso even buiten Madrid kunnen liggen.

Ik keek mijn e-mail na en beantwoordde een paar brieven. Ze kwamen meestal van informanten die mij op de hoogte brachten van mogelijke hits. Geruchten over waar de beroemdheden van onze wereld hun vakantie doorbrachten of dachten te gaan doorbrengen. Het hoefden niet altijd foto's van schandalen te zijn. Iedere foto van een bekend persoon in een officieuze privé-situatie waarin zijn kwetsbaarheid tentoon werd gesteld, was veel geld waard. Ik wilde op geen van de tips reageren, maar stuurde mijn bronnen een bedankje en maakte aan een enkeling, die dat verdiende, duizend dollar over. Ook e-mailde ik een tip door naar een jonge fotograaf die freelance voor ons werkte in Londen en die een break verdiende. Ik heb zelf ook ooit om een plaatsje gevochten in een meute fotografen die voor een restaurant in Kensington stond te wachten omdat het gerucht ging dat iemand van het koninklijk huis daar zat te lunchen. Uren wachten voor één duizendste van een seconde. Het lot van de fotograaf: hurry up and wait!

De diva kwam samen met haar kleedster en ik bracht een genoeglijk uur door met deze oude toneelspeelster die me, terwijl ze in mijn atelier poseerde, onderhield met verhalen over exen en nieuwe mannen en mij liefdevol en opgewekt roddels vertelde uit het theater- en kunstwereldje. Ze stamde uit die lang vervlogen tijd waarin Spanje echt anders was, maar ze had een schitterend gezicht en ze kon, groot toneelspeelster als ze was, met ieder spiertje van haar gezicht acteren. Ik experimenteerde met het licht. Ze wilde er graag mysterieus uitzien. Ze wilde graag twintig jaar jonger lijken. Als de foto goed genoeg werd, zou ze eisen dat het theater hem zou gebruiken als promotiemateriaal.

Ik had ook verschillende schrijvers onder mijn klanten. Het was tegenwoordig al zo ver gekomen dat de foto op de achterkant van een boek van groter belang was voor de verkoop dan de inhoud. We leefden in een mediatijdperk waarin image alles was en inhoud niets. Iedereen wilde een zelfgekozen rol spelen in de schijnwerpers van de media. De personen in kwestie beweerden dat ze zichzelf waren, maar ik wist beter dan geen ander dat ze het liefst een zelfbedacht, geconstrueerd personage speelden op het openbare toneel en dat ze ongelukkig werden ze als die rol niet tot het einde toe konden volhouden. Of als ze hem niet eerlijk konden spelen. Ook de mooie, tragische prinses Diana was zowel actrice als slachtoffer geweest. Ze haatte ons wanneer we op de loer lagen, maar hield van ons wanneer we ons lieten gebruiken voor haar machtsstrijd met man en hof. Ze kon niet leven zonder de media, al werd ze er uiteindelijk door verslonden. Ze dacht dat ze kon kiezen, maar als je de mediawolven hebt uitgenodigd, gaan ze pas weer weg als ze dat zelf willen. Wie leeft van de media, gaat dood aan de media. Plotseling. Of langzaam en pijnlijk wanneer niemand zijn zoeker meer op jou wil richten. Wanneer je niet langer een goed verhaal bent maar een herinnering. Wanneer je getroffen wordt door de leegte en de flitslampen uitdoven. Beroemdheid kan een narcoticum zijn maar ook een afrodisiacum. Ik leefde van het narcisme van de hedendaagse mens en van zijn onstilbare honger naar roddel. Ik zat midden op het plein van The Global Village en briefde de kletspraat over de beroemdheden door. Door het zichtbaar maken van hun lief en leed, hun ontrouw en van de eenzaamheid die toesloeg wanneer ze verlaten werden, mystificeerde en vermenselijkte ik ze tegelijkertijd. Maar ik wilde meer en daarom bleef ik portretten maken. Omdat ik in de foto van een gezicht, als ik geluk had en in vorm was, de ziel van een individu kon blootleggen in heel zijn armzalige naaktheid door er ongemerkt het ene masker na het andere af te peuteren. Als ik een portret maakte, kon niemand zich voor mij verbergen. Ik wist iemands diepste wezen bloot te leggen.

Daarna bracht ik een paar uur door in de donkere kamer met het portret van de diva, maar ik vond nog steeds niet dat we de juiste uitdrukking hadden weten vast te leggen, dus ik zou haar nog een keer laten komen. In de donkere kamer voelde ik me gelukkig. De rest van de wereld loste dan op. De donkere kamer was geluid- en lichtdicht, dus ik kon ongestoord mijn eigen wereld scheppen, mijn kunst zien opduiken in het rode licht, als gevolg van nogal prozaïsche chemische processen die tot in het oneindige herhaald konden worden. Maar waarbij de details, in combinatie met mijn gave die in de juiste volgorde en het juiste tijdsbestek met elkaar te verbinden, ervoor zorgden dat het resultaat anders werd dan dat van de anderen. Ik zei de jonge oppas die voor María Luisa zorgde tijdens de lunchpauze gedag, at snel een boterham, ging naar buiten waar het erg warm was, sloeg de hoek om en liep naar de karateschool van de Japanners. Het waren oude vrienden van me en al twintig jaar mijn trainers. Toen ze hun school openden, heb ik promotiemateriaal voor ze gemaakt en ze geholpen met de logge Spaanse bureaucratie. Ze hadden geen geld, dus betaalden ze mij met gratis lessen. Inmiddels hadden ze geld genoeg, en ik ook, maar ik maakte nog geregeld foto's voor ze en ze lieten mij in hun school trainen als mijn lijf erom vroeg de onrust eruit te beuken. Die karatetraining hield me in vorm. Bovendien stelde ik prijs op de gesprekken met de oude trainer Suzuki, die de gave bezat het leven van bovenaf te beschouwen en het daardoor een perspectief gaf dat boven het alledaagse uitsteeg. Ik kon met hem praten, een beetje alsof hij een dominee was, terwijl ik nooit in een echte dominee zou kunnen geloven.

Oscar had zich op de golfsport gestort met een passie die alleen mannen van middelbare leeftijd in een nieuwe ondeugd kunnen investeren. Hij was veel te lang om er bijzonder goed in te kunnen worden, maar hij werkte eraan alsof het een zaak van leven of dood was. Ik was een paar keer met hem meegegaan naar de baan, maar het zei me allemaal niet zo veel hoewel ik misschien wel beter had kunnen worden dan hij. Oscar had geld genoeg, dus hij investeerde in dure trainers en inmiddels had hij het aardig onder de knie gekregen, maar ik hield het bij karate en de discipline die daarvoor nodig was. Zelfbeheersing, zoals Suzuki me leerde op de mat en in onze gesprekjes na afloop.

Toen ik de deur uitliep sloeg de Madrileense hitte me in het gezicht en de geluiden en geuren van de stad plakten aan

me vast. Het lawaaiige lied van de straat. De geur van versge-
kookte inktvis die afkomstig was van een groot blauwrood
beest dat boven een dampende koperen pan hing voor het
raam van een restaurant. De klagende, zalvende stem van
de blinde lotenverkoper die beloofde een goed woordje voor
je te doen bij de geluksgodin tijdens de volgende grote loting
van Las Once. Het knetterende, ratelende geluid van een
vrachtscooter met drie wielen en het stille gezoem van een
Jaguar. Die eeuwige kakofonie van tegenstellingen, van oud
en nieuw, die je in Madrid en Spanje steeds weer opviel.

Ik liep café Viva Madrid voorbij en het kleine stukje naar
de Calle Echegaray, een van de oudste straten van de stad. Ik
postte mijn brieven en liep vergenoegd verder. Cafés en pen-
sionnetjes wisselden elkaar af. De stoep was zo smal, dat je je
tegen de muren aan moest persen als er een auto voorbij denderde. Vroeger heb ik in Pensión las Once gewoond, dat halverwege de straat tegenover Hotel Inglés en de Japanse karateschool ligt. Toen ik een kamertje op de vierde verdieping
betrok bij señor Alberto en zijn señora werd de karateschool
net geopend. Ze hadden een Galicisch dienstmeisje, Rosa, ongeveer dertig, misschien nog maagd, analfabeet en zo streng
dat ik tegen haar zei dat ze wel met een guardia civil kon
trouwen. Rosa was niet bepaald mooi. Ze had pure, maar
grove trekken en een plomp, rond lichaam. Ze leek wat ze
was: de dochter van een dagloner en een versleten moeder,
die zoals zoveel andere arme Spanjaarden in die tijd moesten
zwoegen en zweten om hun gezin te onderhouden. Rosa
droeg altijd een roze jasschort en ze kookte en maakte schoon
samen met de señora. Rosa kwam uit een dorpje in het verre,
groene en heuvelachtige Galicië en was geboren in een kin-
derrijk landarbeidersgezin. Elke ochtend stond haar vader
net als de andere mannen op het plein in de hoop dat de
opzichter van de grootgrondbezitter hem weer een dag werk
zou geven. De armoede was zeer wijd verbreid, de uitbuiting

enorm en de klassenverschillen waren groot. Rosa kreeg op haar zevende een dienstje, maar ik ben er nooit achter gekomen hoe ze in Pensión las Once in Madrid terecht was gekomen. 's Avonds probeerde de señora haar te leren lezen met behulp van de krant *ABC*. Het was een grote dag toen Rosa zelf de krantenkoppen kon lezen en de oude señor Alberto had een zeldzame fles sherry tevoorschijn gehaald die hij al 25 jaar bewaard had en we hadden plechtig getoost omdat Rosa nu het mysterie had opgelost dat een paar letters in een bepaalde volgorde woorden vormen die meningen weergeven die op hun beurt dromen opwekken. Het was in die tijd makkelijk om socialist te zijn in Spanje. De uitbuiting en onderdrukking van de dictatuur van Franco waren tastbaar. De rijkdom die langs de kust ontstond door de toeristen kwam slechts weinigen ten goede. Er is geen enkele reden het verleden te romantiseren, maar waarom doen we dat dan voortdurend? Spanje had veel bereikt en waar een generatie geleden nog velen waren zoals Rosa, waren er tegenwoordig nog maar weinigen die niet naar school gingen en niet leerden lezen en schrijven – een essentiële voorwaarde om een echt mens te zijn.

Ik dacht zoals wel vaker aan Rosa en aan wat ze inmiddels zou doen. Uiteindelijk was ze getrouwd, niet met een gardist, maar met een zelfstandige boer in Andalusië. Had ze zich doodgewerkt op een of andere van God en iedereen verlaten Andalusische olijvenplantage? Wat zou ze van het moderne Spanje met zijn computers, auto's, materialisme, kleine gezinnen, abortus, anticonceptie, democratie, vrijheid en postmoderne moderniteit vinden? Wie van ons had zich kunnen voorstellen dat het land zo erg zou veranderen? Ik denk niemand. Ergens betreurden we de verandering ook. Hadden we niet van Spanje gehouden juist omdat het anders, ouderwets en niet-Europees was, maar bijna Afrikaans wat betreft kleuren, leefwijze en expressie? Nu was het land precies als ieder

71

ander Europees land. Opgeslokt door de EU had het nog wel steeds zijn eigen culturele expressie, maar welbeschouwd was die overal dezelfde, van Stockholm tot Madrid. In elk geval onder de jeugd. En die expressie was Amerikaans. Alleen in de arena overleefde het oude Spanje als in een soort museum waar een curiosum werd gekoesterd. De rest werd gevormd door de eeuwig malende internationale mediamachine waar ik een welvarend onderdeel van uitmaakte.

Misschien kwam het door mijn leeftijd dat ik steeds vaker vraagtekens plaatste bij mijn beroep. Misschien was het gewoon mijn onderbewuste dat me voorbereidde op de ramp. Misschien is het gewoon wijsheid achteraf.

In elk geval liep ik in gedachten verzonken, omgeven door de vertrouwde stad en haar geluiden, toen twee mannen me ineens de weg versperden. Ze waren lang en slank, midden dertig, gekleed in goedzittende pakken.

'Señor Lime?' zei de een.

Ik stopte.

'U bent gearresteerd', zei de ander, terwijl de eerste geroutineerd mijn armen op mijn rug trok en de handboeien dichtklikte.

4

Ze brachten mij die paar honderd meter met de auto over de Calle Alcalá naar het oude massieve rode hoofdkwartier van de veiligheidsdienst en politie aan de Puerta del Sol. Naar het centrum van Spanje waar de tijd stil is blijven staan en de muren van het heerszuchtige gebouw de vergeten kreten van de ter dood veroordeelden en gemartelden hebben opgeslokt. Ze waren beslist, maar vriendelijk toen ze mij mijn mobiele telefoon en de kleine Leica, die ik altijd bij me had afnamen en me op de achterbank duwden, terwijl de een met zijn hand op mijn hoofd voorkwam dat ik mijn hoofd tegen de deurpost stootte. Het was een grote witte Seat. Er zat geen handgreep aan de binnenkant, bovendien namen de agenten voor de zekerheid aan weerszijden van me plaats. Ik zat als een kind tussen twee volwassenen ingeklemd. Ze kwamen zelfverzekerd en goedgetraind over en als mijn schouders tegen die van hen aan werden geduwd kon ik hun spieren voelen. De chauffeur reed weg zonder een woord te zeggen en zonder zich om te draaien. Hij had evenals de twee anderen zeer kort haar, net als commando's. Ze antwoordden niet toen ik vroeg waarom ik gearresteerd was. Spanje was een rechtsstaat maar gezien de enorme criminaliteit en een actieve terroristische organisatie als de ETA waren de veiligheidsdienst en de politie niet zo fijngevoelig als in Denemarken. Binnen het Spaanse veiligheidsapparaat liggen de drempels voor het gebruik van geweld nu eenmaal wat lager en daar reageert de maatschappij natuurlijk op met tegengeweld. Bovendien ontstaan er hiaten in het rechtsbewustzijn. Twintig jaar geleden zou ik me doodgeschrokken zijn. Toen was het heel gebruikelijk dat de politie erop los sloeg om verdachten een bekentenis af te dwingen als ze te weinig bewijzen hadden om ze te laten veroordelen of als ze zelf maar vast een oordeel hadden geveld. Dat scheelde tijd, en ook al beweerden de Basken dat de Guardia Civil dat nog steeds deed, ik was niet direct bang voor mishandeling. Ik vroeg opnieuw waarom ik gearresteerd was en kreeg weer geen antwoord. De handboeien sneden in mijn polsen en mijn onderrug en het was onaangenaam dat ik me, als de auto accelereerde of de bocht doorging, niet behoorlijk kon vasthouden. De veiligheidsagenten roken naar tabak, knoflook en goedkope eau de cologne voor mannen. Het was deprimerend en benauwend om tussen ze in te zitten en naar het mooie, anarchistische Madrileense leven te kijken dat eruitzag alsof er niets gebeurd was. Alsof het leven gewoon door kon gaan zonder mij. Ik had zin om te gaan roepen naar de voetgangers met hun spulletjes, naar het verliefde paartje dat hand in hand liep, naar de drukke zakenman met zijn aktetas, naar de straatveger met zijn gele trui en karretje, naar de vlotte goedgeklede vrouwen die na de siësta op weg waren naar hun werk, naar de in het blauw geklede schoolkinderen, naar de scooters, de auto's: 'Ik ben hier. Help mij. Stop het verkeer. Hoe kunnen jullie verder leven alsof er niets is gebeurd?'

De chauffeur reed zonder sirene en kwam vast te zitten in het verkeer. De ruiten waren donkergetint dus al zou er bij toeval een bekende langskomen, dan zou die me amper kunnen zien. Ik haalde diep adem om mijn al te snelle ademhaling een beetje onder controle te krijgen en zei dat ik mijn advocaat wenste te spreken, maar ze negeerden me. Ik kende de wet goed genoeg om te weten dat ze, als ze wilden, altijd wel een voorlopige paragraaf zouden vinden om een van terrorisme verdacht persoon ten minste achtenveertig en misschien wel tweeënzeventig uur vast te kunnen houden. Ik was geen terrorist, maar een onderzoeksrechter zou het misschien niet zo nauw nemen als de juiste minister aan de juiste touwtjes trok. Toen we de Puerta del Sol opreden en ik de bekende en plotseling zo verre en onbereikbare kiosken zag, de lotenverkopers, de vele mensen die uit het metrostation kwamen en die misschien onderweg waren naar het warenhuis El Corte Inglés om heel gewoon en alledaags wat boodschappen te doen, fungeerden mijn hersenen ineens weer. Ik haalde langzaam en diep adem zoals Suzuki me dat vanaf het begin geleerd had.

Er was een minister die bijna alles wilde doen om te voorkomen dat zijn familiegeluk en politieke carrière als fatsoenlijk christen-democraat verwoest zouden worden door een fotoserie van Peter Lime. Hij heeft snel gereageerd, maar als een politicus vandaag de dag niet begrijpt dat de media bliksemsnel zijn en zelf hun agenda bepalen zonder te wachten op twijfelaars en bedachtzamen, dan was hij nooit minister geworden.

De Seat sloeg linksaf, reed langs het massieve politiebureau en passeerde twee wachten met machinegeweren die erbij stonden alsof ze zwanger waren met hun dikke, bruine kogelvrije vesten over hun uniformen, om toen vervolgens het binnenplein op te rijden. Daar stonden verscheidene politieauto's, een waterkanon en andere witte Seats waarvan de veiligheidspolitie dacht dat ze niet opvielen, maar ik kreeg niet de kans verder veel te zien. Ze trokken me uit de auto, pakten me bij mijn ellebogen en brachten me via een lage zijdeur naar een donkere gang, we daalden een trap af, gingen rechts een lange gang in en nog een trap af, die naar een groter vertrek voerde waar een oud vlekkerig bureau stond. Daar zat een agent in een grijs uniform. Een krant lag opengeslagen op de sportpagina, met een bericht over de laatste overwinning van Real Madrid. Er stond een leeg koffiekopje naast. De gevangenbewaarder zei al evenmin iets, maar had ons duidelijk verwacht. Hij ging ons voor door een lange gang die fel verlicht werd door een paar met staaldraad omwikkelde peertjes. Aan weerszijden van de gang waren blauwe celdeuren. Hij hield halt bij de vierde deur en deed hem van het slot. Ik voelde hoe iemand de handboeien losmaakte en deze met een harde ruk van mijn polsen trok. Ik steunde en wilde net gaan protesteren toen een van hen mij aan mijn paarden-staartje naar achteren trok, me losliet en me een harde duw tussen mijn schouderbladen gaf waardoor ik struikelde en voorover de cel in viel.

Ik viel languit. Mijn gevoelloze handen konden niets uit-richten. Ik raakte de vloer met een hol geluid waardoor alle lucht uit me geperst werd en ik lag op de cementen vloer bij te komen, terwijl de deur piepend dichtging en ik het scherpe, akelige geluid hoorde van een sleutel die twee keer wordt om-gedraaid. Ik zat opgesloten.

Ik lag bij te komen en het bloed bonsde in mijn gevoelloze handen. Het was zo stil in de gang dat het leek of de cel licht-en geluiddicht was. Langzamerhand bekroop me het gevoel dat ze me ondergebracht hadden in een van de oude martel-kamers uit de tijd van Franco's dictatuur. Als het hun bedoe-ling was me flink aan het schrikken te maken, waren ze daar aardig in geslaagd. Ik wilde met alle plezier mijn vrijheid te-rugkopen voor twintig foto's van een geile minister, maar zijn trawanten kenden Oscar en Gloria niet. In hun ogen wa-ren politieagenten nog steeds een stelletje vuile fascisten en de handlangers van het kapitalisme. Ze zouden hemel en aarde bewegen om mij vrij te krijgen. Ze zouden alle mogelijkheden die de wet bood aanwenden, maar ze zouden ook zonder aar-zelen de pornografische foto's van de minister en zijn liefje als chantagemiddel gebruiken als dat nodig zou blijken om hun vriend uit de conservatieve klauwen van de staat te krij-gen.

Met die gedachte troostte ik me. Ik krabbelde overeind en ging op de brits zitten waarop een dunne deken lag. Ik troost-te me ook met de gedachte dat dit toch wel een behoorlijk idiote poging tot afpersing was. Ze hadden geen poot om op te staan. Ze hadden geen bewijzen. Ze hadden niet eens de routinezaken afgehandeld, geen foto en geen vingerafdrukken van me genomen.

Aan het plafond, drie meter boven mijn hoofd, brandde een fel peertje dat ook met dik staaldraad omwikkeld was. De kale muren waren viesgeel en voorzien van een gladde, dikke verflaag, die niet geschikt leek om er korte mededelingen op te krassen zoals gevangenen altijd doen in het romantische beeld dat we van ze hebben. Een gat in de hoek moest het toilet voorstellen. Er was een wastafel met roestsporen die naar de afvoer liepen en aan de muur was een tafeltje bevestigd. De deur droeg het kijkgaatje als een sieraad. Je kon erdoor naar binnen kijken, maar niet naar buiten. Ze hadden mijn riem niet meegenomen en evenmin mijn kam en mijn veters. Misschien kon het ze niets schelen als ik zelfmoord pleegde. Misschien zouden ze dat het liefste willen. Mijn knieën en polsen deden zeer, dus ik trok mijn benen onder me, legde mijn handen op mijn knieën, sloot mijn ogen en begon te mediteren zoals Suzuki me dat geleerd had. Ik voelde mijn geest leeg worden, mijn ademhaling tot rust komen, de pijn wegtrekken en het enige wat mijn bewustzijn opmerkte was een lichtpuntje tussen mijn ogen. Ik kwam terecht in het nada dat Suzuki me had leren vinden en dat hij *wa* noemde, het toevluchtsoord voor de gejaagde ziel. De seconden tikten steeds trager voorbij totdat ze bijna trillend, stralend stilstonden en alleen het lichtpuntje dat Suzuki beschreef als de diepste hartkamer van de ziel vulde mijn bewustzijn. Mijn lichtpuntje ontsproot uit de gezichten van mijn twee dierbaren en gaf me rust.

Dus toen ze in de loop van de avond bij me kwamen, was ik weliswaar hongerig en dorstig maar evenwichtig en strijdvaardig. Het waren dezelfde twee mannen en de dikke bewaker. Ze deden me geen handboeien meer aan, maar volstonden met een vaste greep om mijn ellebogen. Ik eiste opnieuw dat ik mijn advocaat of vrouw mocht bellen, maar ze antwoordden niet. Ze brachten me naar een kleiner vertrek en zetten me tegen een witte muur.

Toen begonnen ze met de rituelen. Ze namen een foto en vingerafdrukken, nog steeds zonder daarbij meer dan het hoogstnoodzakelijke te zeggen. Toen brachten ze me naar een klein rechtszaaltje.

De onderzoeksrechter was een forse man van middelbare leeftijd, die me over zijn smalle leesbril aankeek. Hij had dikke, borstelige, grijze wenkbrauwen en een wijkende kin. De stenografe droeg een blauwe rok en blouse en keek niet naar me. Bij de eerste prille schreden in een strafzaak in Spanje is de rechter zowel rechter als ondervrager. Hij moet vaststellen of er een strafbaar feit is gepleegd en of er voldoende bewijsmateriaal is om met de zaak verder te gaan of dat de verdachte op vrije voeten gesteld moet worden. Deze onderzoeksrechter zag eruit alsof hij best eens een vriendje van de minister kon zijn. Hij was dik en verdoezelde zijn kilo's met een goedzittend kostuum. Zijn stropdas was ook donker van kleur. Hij leek een begrafenisondernemer die goede zaken deed.

De twee stille agenten zetten mij op een stoel voor de rechter die van zijn recht gebruikmaakte door op me neer te kijken. De agenten zelf gingen achter mijn stoel staan, die een hoge rugleuning had en oncomfortabel zat. De rechter rommelde in zijn papieren en vroeg of mijn naam Peter Lime was, of ik verblijfsvergunningnummer zus en zo had en of ik gehuisvest was aan de Plaza Santa Ana te Madrid. En of ik Spaans verstond. Ik antwoordde op alles ja en deed mijn uiterste best om rustig te blijven. Toen we vastgesteld hadden dat ik was wie ik was, zei ik: 'Ik heb nog niet met een advocaat mogen spreken. Ik heb brood noch water gehad sinds ik onterecht ben gearresteerd. Mijn vrouw en kind moeten zich ernstige zorgen maken omdat ze niet weten waar ik ben.'

De rechter had geen gevoel voor humor en ook geen andere menselijke eigenschappen.

'U antwoordt de rechtbank wanneer u iets wordt gevraagd, anders zwijgt u.'

Hij keek in zijn papieren en toen weer over zijn leesbril naar mij.

'Op 3 juni was u in Llanca in Catalonië.' Ik kon geen vraagteken horen dus ik gaf geen antwoord.

'De verdachte is verplicht te antwoorden', zei de rechter. Het was akelig en angstaanjagend. Ik was afhankelijk van het besluit van een enkele man. De minister had lange grijparmen. Hij moest ermee te maken hebben. Mijn hele leven lang heb ik me bij ups en downs altijd vastgeklampt aan het idee dat ik tenminste een vrij mens was, niet afhankelijk van openbare genade of de willekeur van een werkgever.

'Het is correct dat ik in Llanca was', zei ik.

'U heeft met vechttechnieken geweld gebruikt tegen een ambtenaar van het ministerie van Justitie en een tweede ambtenaar bedreigd?'

'Dat is geen juiste weergave van de gebeurtenis', zei ik.

'Wat is dan de juiste?'

'Ik verdedigde mezelf tegen twee onbekende mannen die mijn camera's wilden stelen en daarmee mijn werk wilden vernietigen', zei ik.

'Wat is uw werk?'

'Ik ben fotograaf.'

'Waarvan heeft u die dag in Llanca foto's gemaakt?'

'Ik ben niet verplicht hierop te antwoorden. Ik wil mijn advocaat spreken', zei ik met toenemende woede.

'De recherche in Llanca heeft getuigen in deze zaak', zei de onderzoeksrechter. Hij had geen mimiek en zijn ogen waren koud als die van een dode vis.

'Daar durf ik best de confrontatie mee aan te gaan', zei ik.

'Ze komen uit het buitenland. Het zal even tijd kosten om ze te vinden.'

'Mijn advocaat?'

'Als de tijd daar is.'

'Dan kom ik dan wel terug.'

Hij keek weer over zijn bril.

'Aangevoerd is dat u jarenlang aan karatetraining heeft gedaan. We kunnen wel stellen dat uw lichaam een wapen is, een levensgevaarlijk wapen?'

Opnieuw kon ik het vraagteken niet horen, dus ik zweeg.

'Is het correct dat u de zwarte band heeft met karate?'

'Dat is correct.'

Dat leek hem bijzonder veel plezier te doen. In elk geval trok hij zijn lippen een beetje omhoog zodat het even leek alsof hij zou gaan glimlachen. Hij rommelde nog een keer in zijn papieren. Het kwam me voor dat het hem moeite kostte iets te vinden om een vraag over te stellen. De zaak was erg mager. Het was een vriendendienst met een dun laagje juridisch vernis eroverheen.

Maar toen loste hij een schot waarvan ik nog nerveuzer werd. Hij keek over zijn bril.

'Hier staat dat u enkele jaren contact heeft gehad met leden van de terroristische organisatie ETA. Verschillende contacten?'

'Wat staat er precies?'

'Is het correct?'

'Nee', zei ik.

'Er zijn afluisterrapporten bijgevoegd. Met geheim stempel. En schaduwrapporten, met geheim stempel. Er is sprake geweest van contact.'

'Welk jaar?'

'Dat doet er niet toe…'

'Wel. De voormalige leden van de ETA met wie ik contact gehad heb, overigens alleen beroepsmatig, hebben allemaal amnestie gekregen in 1977', zei ik.

Hij hield zijn pokerface, maar ik kon zien dat hij zich slecht had voorbereid. De hele zaak was slecht voorbereid. Het was een geval van intimidatie en ze hadden niet veel tijd gehad om iets te bedenken. Ze hadden mijn file uit hun goedgevulde geheime archieven gehaald en snel iets in elkaar geflanst waarmee ze de zaak een paar dagen meenden te kunnen rekken. Hij redde zich eruit door het vooronderzoek af te sluiten.

'Dat moet uitgezocht worden. U krijgt drie dagen eenzame opsluiting zoals wettelijk is toegestaan, terwijl het onderzoek wordt voortgezet. Daarna wordt u weer voorgeleid. Dan samen met uw advocaat.'

Incomunicado was het Spaanse woord dat hij gebruikte in verband met de eenzame opsluiting. Veelvuldig toegepast in het Spaanse rechtssysteem. Het gaf de politie drie etmalen de tijd om meer materiaal te verzamelen en voor te leggen, waardoor het voorarrest legitieme gronden kreeg en wel maanden kon duren tot de zaak voorkwam of geseponeerd werd. Ik werd nu echt zenuwachtig. Ook het democratische Spanje was een land waarin netwerken en clan-achtige relaties binnen de machtige kringen van grote betekenis waren. Ik had een ravage aangericht in zeer machtige kringen. Ze waren bereid gebruik te maken van alle middelen en mazen van het systeem.

'Ik eis dat ik mijn vrouw en mijn advocaat mag bellen', zei ik met toenemende wanhoop in mijn stem. Mijn mond was droog en mijn handpalmen waren klam.

De onderzoeksrechter richtte zich tot de stenografe die keek alsof ze zich jammerlijk zat te vervelen. De rechter was niet helemaal gek. Althans dat hoopte ik. Ik klampte me vast aan de hoop dat hij wist dat hij eigenlijk geen poot had om op te staan, maar dat hij zich wilde indekken tegen represailles door ervoor te zorgen dat alle formaliteiten in orde waren.

In elk geval dicteerde hij: 'Notuleer! De verdachte krijgt met ingang van heden drie dagen eenzame opsluiting volgens paragraaf 189, artikel 4, Wetboek van Strafrecht. De recherche brengt de vrouw van de verdachte direct op de hoogte van de arrestatie. De verdachte mag zijn advocaat twee uur voor de volgende rechtssessie spreken, die vastgesteld wordt om vijf uur 's middags op de derde dag vanaf heden. De eerste vooronderzoeksbijeenkomst is nu gesloten en mag niet vermeld worden door de pers. Tot het vastgestelde gesprek met de advocaat mag de verdachte geen bezoek ontvangen. De verdachte heeft recht op dagelijks een halfuur beweging in de open lucht, alleen. De verdachte kan de bijbel of andere religieuze literatuur tot zijn beschikking krijgen, maar geen radio, tv of kranten. De verdachte krijgt dezelfde verzorging als andere geïsoleerde gevangenen. Het onderzoeksverhoor is hierbij afgesloten.'

Hij stond op, de anderen volgden en ik werd teruggebracht naar de cel. De deur sloeg achter me dicht met een nog akeliger geluid de keer daarvoor. Wanneer de machthebbers besloten hebben misbruik te maken van het systeem, is de mens maar een klein pluisje. Maar zoals alle machtelozen was ik dankbaar voor niets en ik had mezelf gedwongen de koude rechter te bedanken voor het feit dat de politie contact op wilde nemen met Amelia. Ze moest buiten zinnen zijn van ongerustheid, maar na enig nadenken zou ze Oscar en Gloria wel bellen.

De gedachte aan haar bracht me in een iets beter humeur en een halfuur later kwam de dikke agent met een kom warme groentesoep met twee stukken vers brood en een stuk kip met gebakken aardappelen en mineraalwater. Hij zag eruit als iemand die zich graag te goed deed aan zware Spaanse boerenkost. Zijn oogjes verdwenen bijna helemaal in vetplooien en door zijn strakgespannen vette huid leek hij wel een verongelijkt kind. Ik had eigenlijk geen honger. Ik had liever een bad genomen, maar ik at toch. Je moet zorgen dat je fit en gezond blijft, hoorde ik Amelia al zeggen. Ik had de kip graag geruild voor een sigaret, maar ze hadden mijn sigaretten en aansteker afgepakt, even als mijn sleutels en portemonnee. De dikke agent kwam de grijze borden weer halen en bracht een stuk zeep, een tandenborstel, tandpasta en een dun handdoekje plus een Spaanstalige bijbel voor me mee. Hij gooide ook een grove, grijze deken op de brits. Het was zeker bedtijd voor gevangene Lime. Ik vroeg hem om sigaretten, maar hij gaf geen antwoord.

'Welterusten', zei ik tegen zijn rug, maar hij gaf weer geen antwoord. De cel was bijna geluiddicht. Ik kon geen andere gevangenen horen. Ik hoorde geen straatgeluiden. Ik hoorde geen rammelende sleutels of slepende stappen. Het was doodstil. Dat was een vreemde ervaring in een stad als Madrid waar altijd lawaai is en nooit echte stilte. Het enige geluid dat ik hoorde was het gebons in mijn hoofd en een zwak geruis van een buis in de muur. Ik maakte gebruik van het stinkende gat in de muur, waste me, poetste mijn tanden en ging op de brits liggen. Ik was een slechte slaper. Ik slaap ook altijd weinig, dus het was volstrekt onmogelijk rust te vinden en in slaap te komen. Het licht brandde en de stilte werkte op mijn zenuwen. Ik miste Amelia en ons kleine wonder. Ik dwong mezelf te denken aan onze goede momenten samen. Ik begreep nu hoe mensen murw en zelfs gek worden wanneer ze een poos geen ander mens zien. Eigenlijk heb ik mezelf altijd beschouwd als een eenzame wolf die zich het prettigst voelde in zijn eigen gezelschap, maar nu al kreeg ik buikpijn van verlangen naar het gezelschap van mijn dierbaren en andere mensen, desnoods volslagen onbekenden in een café. De minister en zijn mannen wisten wat ze deden. Als ze me hier maar lang genoeg opsloten, zou ik overal toe te bewegen zijn. Bijna overal. Want ik voelde me behalve bang en zenuwachtig ook boos en verongelijkt. Ik voelde me tot diep in mijn ziel gekrenkt. Ik lag op mijn rug en hield het vlammetje van mijn woede en vernedering brandende. Ik smachtte naar een sigaret. Ik wenste dat ik de agressieve wraakzucht kon vasthouden waardoor ik zou kunnen blijven vechten. Ik wist dat het geen zin had te mediteren, dus ik bleef gewoon liggen terwijl de tijd stil leek te staan en de gedachten ongestructureerd door mijn hersenen tolden, maar ik voelde elke onregelmatige hartslag en ik zweette terwijl ik het koud had, ondanks dat de temperatuur constant bleef net als de grote stilte in het felle licht.

Ik moet toch even weggedoezeld zijn, want toen de deur openging, werd ik met een schok wakker. Het waren de twee handlangers uit Llanca. De kleine zweterige dikkerd en de grote gorilla. De laatste keek me woedend aan en aan zijn ogen kon ik zien dat hij nog niet vergeten was dat ik zijn pols bijna had gebroken en misschien waren zijn testikels nog blauw. De kleine probeerde het met een lachje. Ze waren in pak, maar het tijdstip van de dag viel af te lezen aan de blauwzwarte, grove baardstoppels op hun gezicht. Het was bijna vier uur in de morgen. Ze zagen er vermoeid uit. Ze waren zo vroeg gekomen omdat het afweermechanisme van de meeste mensen dan het zwakst is, maar zij zagen er vermoeider uit dan ik me voelde. Ik had een dutje gedaan en voelde me eigenlijk best goed.

De gorilla leunde tegen de deur aan zodat hij het kijkgaatje bedekte. Hij had de gewoonte om met zijn linkerhand over zijn kin te strijken, deze vervolgens omhoog te laten glijden en dan met een vinger in zijn neus te wroeten. Een vreemde tic, alsof hij zenuwachtig was, maar de rest van zijn lijf leek vervaarlijk kalm. De kleine leunde tegen de muur. Hij had dode grijze ogen, een erg smalle neus en ogen die diep in zijn gezicht zaten alsof ze iets te hard op hun plaats gedrukt waren bij zijn geboorte.

Ik kwam overeind en bereidde me voor op de klappen

die ze vast en zeker kwamen uitdelen.

Maar in plaats daarvan gooide de kleine dikkerd een pakje Chesterfield en een aansteker naar me toe. Ik stak er een op, inhaleerde diep en voelde een prikkeling door mijn hele lichaam gaan en door een kortdurende aangename duizeligheid begon de cel een beetje te zweven. Heel irrationeel schoten me ineens een paar regels van een gedicht van Sten Kaaløte binnen:

En hier in de keuken in Skåne bij de radio op het
blauwe tafelzeil
is de zon net boven de heuvels opgekomen
en een beetje duizelig van mijn ochtendsigaretje
zit ik gefascineerd te luisteren...

Sigvaldi verkocht de poëziebundels vanuit een kinderwagen in de winkelstraat Strøget in Kopenhagen. Toen ik jong was hield ik erg veel van poëzie. Misschien wilde ik zelf wel dichter worden. Deze herinnering dook ineens op alsof ik al half dement was en het verleden haarscherp kon zien, terwijl het heden mistig was. Mijn afwezigheid bracht ze in verwarring. Ze interpreteerden het als angst, wat misschien niet helemaal onterecht was.

'Calvo Carrillo', stelde de man bij de muur zich voor. 'Mijn collega heet Santiago Sotello. U hoeft niet bang te zijn. Laten we gewoon een beetje zaken doen, Pedro. We moeten dit op een beschaafde manier kunnen oplossen. We zijn tenslotte volwassen kerels, nietwaar? Onbezonnen gedrag laten we aan de jeugd over. Dat is nu eenmaal hun privilege.'

Ik rookte en zweeg, keek alleen maar naar zijn merkwaardige poppenogen. Of ogen zoals die van María Luisa's teddyberen. Vastgezet met een klodder lijm.

Calvo Carrillo vervolgde: 'Dit kan een ernstige zaak worden...'

'Jullie hebben geen bewijzen', zei ik.

'Ernstig in die zin dat we u dwars kunnen blijven zitten. Misschien komt u over een paar dagen vrij, maar dan laten we u weer oppakken. Het terrorismeverhaal is zwak, maar iedere keer als er weer een moord is gepleegd, zullen we u moeten ondervragen. De beschuldiging van geweldsmisbruik is misschien ook zwakjes, maar de staat heeft geld genoeg dus als we willen kunnen we het buitenlandse gezin opsporen dat gezien heeft hoe u een paar ambtenaren heeft mishandeld. Dan moeten we u opnieuw gevangenzetten voor een verhoor. Voor een confrontatie. Begrijpt u wat ik bedoel?'

Ik knikte. Ik wist dat hij gelijk had. Ze zouden me het leven behoorlijk zuur kunnen maken. Het leek alsof hij mijn gedachten kon lezen want hij ging door met het opsommen van de vele manieren waarop een moderne, geciviliseerde en sterke staat zijn burgers kon treiteren of misschien juist die mensen die geen staatsburger waren.

Hij deed een stap naar voren.

'U bent een buitenlander, maar wel een buitenlander die onze taal heeft geleerd, die onze cultuur begrijpt en die volgens mij een zekere liefde voor het leven hier koestert, nietwaar? Het kan moeilijk worden om uw verblijfsvergunning te verlengen. In elk geval kan de behandeling van zo'n aanvraag lang duren en zo lang moeten we dan uw werkvergunning intrekken, toch? Dan hebben we de belastingdienst nog. Die kan ineens lastig en ook erg traag worden. Ze kunnen u om de vreemdste papieren vragen. Bijlagen. Boekhouding. Allerlei dingen eisen, gesprekken, revisies, huiszoekingen, nog meer controles, teruggaan in de tijd, met zakenrelaties bellen, terugbetaling eisen, boetes, langdurige processen. Begrijpt u me?'

'De kerk kan me misschien ook wel in de ban doen?' zei ik.

Carrillo lachte. De gorilla staarde. Hij haalde zijn hand uit zijn zak en hield een knuppel vast waarmee hij langzaam en ritmisch op zijn dij begon te slaan. Hij wilde mij laten zien dat hij die best eens zou kunnen gaan gebruiken als ik niet verstandig was. Een dikke, kwaadaardig uitziende ploertendoder van eigen fabrikaat. Een dikke, rubberen binnenband, vast en zeker gevuld met lood of ijzer. Ze waren ongeveer even subtiel als een paar bulldozers. Ze hadden kennelijk haast.

'Nee, de kerk kan waarschijnlijk niet veel doen, maar het onderzoek kan natuurlijk ook familie en vrienden betreffen', zei hij zonder ironie.

'Laat mijn vrouw erbuiten', zei ik.

'Als het zaakje eenmaal draait...'

'Maar kan het niet stopgezet worden?'

'Dat kan.'

'Maar hoe kan ik weten of hij niet opnieuw aan het draaien wordt gebracht?' zei ik.

Hij keek me opgelucht aan. Nu waren we aan het onderhandelen. Hij was de loopjongen van een politicus en wilde problemen het liefst met een eervol compromis oplossen waarbij beide partijen het gevoel hadden dat ze niet al te veel gezichtverlies leden.

'Er wordt niets gedrukt. Wij krijgen de foto's en de negatieven, maar we kunnen natuurlijk nooit zeker weten of u er niet een paar achtergehouden heeft.'

'Nee, dat kunnen jullie niet', zei ik.

'Dat geeft ook niet. In de moderne samenleving is het belangrijk een verzekeringspolis te hebben die ook het onvoorziene dekt.'

'U bent een verstandig man', zei ik.

Hij begreep het sarcasme niet of hij wilde het niet horen. Ik wist dat hij wist dat ik het aanbod zou accepteren. Wat betekende deze hele kwestie nu eigenlijk voor mij? Een hoop geld, maar ik had genoeg geld. Het betekende dat ik een portie trots moest inslikken, maar het was nu niet bepaald een zaak waar juristen met een grondige kennis van de vrijheid van meningsuiting zich jarenlang op zouden willen storten. Het waren ook geen foto's die idealisten zouden willen verdedigen uit naam van de persvrijheid. Het waren foto's die waren gemaakt om de nieuwsgierigheid te prikkelen en de honger naar roddel te stillen. Het waren foto's die het vuur van de ergernis weer zouden doen oplaaien, maar ze veranderden niets. En persoonlijk kon het mij niets schelen welke politici er aan de macht waren. Zo redeneerde ik bij mezelf, terwijl de kleine bureaucraat geduldig wachtte.

'Wanneer word ik vrijgelaten?' vroeg ik.

Hij aarzelde even. Toen wist ik dat er nog een paar obstakels waren.

'Misschien over vierentwintig uur. Misschien iets eerder.'

'Waarom nu niet?'

'We moeten in elk geval doen alsof alles formeel is verlopen en daarom moet de rechter u vrijlaten. Om eerlijk te zijn, we hebben hem een beetje geprest. Om u gevangen te zetten. Ik geloof niet dat het verstandig is om hem nog meer te pressen.'

'Straks gaat hij zijn beroep nog serieus nemen?' zei ik.

'Misschien.'

'Er zit een luchtje aan.'

Het was eigenlijk verbazingwekkend zo snel als ze me hadden weten te vinden.

Hij liep heen en weer in de cel. Hierdoor zag ik pas goed hoe weinig ruimte ik eigenlijk had. Een paar stappen heen en weer. Ik wist dat ik gek zou worden als ik maandenlang alleen in zo'n kleine cel zou moeten zitten. Hij zei: 'Dat van de rechter klopt. Verder is het zo dat we de foto's en negatieven liever in handen hebben voordat we de zaak laten vallen. We willen immers geen, en daarmee bedoel ik ook echt geen berichten in de pers.'

'Ik ben geïsoleerd.'

'Daar kunnen we iets aan doen. Morgenochtend krijgt u de beschikking over een telefoon. U krijgt kranten, een radio, een tv, het eten dat u wilt, zo veel beweging als u wenst, maar het vonnis blijft van kracht totdat, om het zo maar te zeggen, bevoegde autoriteiten inzien dat de zaak bij gebrek aan bewijs geschorst moet worden.'

Hij spreidde zijn armen. Wat hij eigenlijk zei was dit: we hebben nu een deal, meer kan ik niet doen, verder kan ik niet gaan. Als ik verder moet gaan, moet ik eerst terugkoppelen en nieuwe instructies krijgen.

'Oké', zei ik.

'Dus we hebben een afspraak?'

Hij was verbaasd, maar wat moest ik anders? Wat had hij verwacht? Dat ik de boel bij elkaar zou schreeuwen? Onmiddellijke vrijlating zou eisen? Ik kende zijn en mijn wereldje goed genoeg om te weten dat hij weliswaar met een voorstel zou komen maar dat de grote lijnen al vastgelegd waren en dat de uitkomst moest kloppen.

'Ja, dat klopt.'

'Het was een genoegen zaken met u te doen', zei hij en stak zijn hand uit. Ik drukte deze. Hij liet me de sigaretten en aansteker houden. Ze wensten me een goede nachtrust toe, zeiden tot morgen en vertrokken. Ik rookte nog een sigaret, ging op mijn rug op de brits liggen en viel in slaap. Ik was niet helemaal tevreden over mezelf, maar waarschijnlijk was dit toch de beste oplossing. Oscar zou een beetje teleurgesteld zijn vanwege het geld, maar hij zou ook wel inzien dat de foto's van een geile bok en een mooie Italiaanse actrice niet het gedonder waard waren dat we er onvermijdelijk mee zouden krijgen. We hadden deze slag verloren. Dat was wel vaker gebeurd, maar niet tegenover machthebbers. We zouden weer andere winnen. Ook tegenover machthebbers. Zo dacht ik, maar ik hield mezelf natuurlijk ook een beetje voor de gek.

In wezen vervloekte ik mezelf omdat ik zo snel had toegegeven, maar ik was ook tevreden want met dit besluit had ik de eerste stap gezet om met een onderdeel van mijn vak te stoppen.

Ik had daar al veel eerder over nagedacht, in elk geval vanaf het moment dat mijn dochter begon te praten. Schaamde ik me er ergens toch voor dat ik op de loer lag om andere mensen te vangen wanneer ze het kwetsbaarst waren? Had ik niet al eerder overwogen om te stoppen en me te concentreren op de portretfotografie en misschien af en toe een journalistieke reportage? Het bracht minder geld op, maar hadden we wel meer geld nodig, mijn gezinnetje en ik? Ik had genoeg aandelen in portefeuille. Als ik mijn aandeel in ons bureau verkocht, hoefde ik de rest van mijn leven bijna geen vinger meer uit te steken als ik een goede beleggingsadviseur vond. Wilde ik niet, diep in mijn hart, dat mijn dochter over een paar jaar trots op me zou kunnen zijn zonder zich te hoeven generen voor mijn werk? Ik voelde een zekere opluchting. Ik nam die nacht in de cel geen definitief besluit, maar ik deed wel een stap in die richting. De mens is een dwaas. Hij denkt dat hij een besluit kan nemen en dan blijkt het noodlot de kaarten ineens anders geschud te hebben.

Maar ik viel in slaap, wat altijd een klein wonder voor me is. Ik wist dat de zaak nu draaide. Ik kende Spanje goed genoeg om te weten dat het een rijk, geciviliseerd en modern land was, maar de Spanjaarden sleepten nog altijd oude tradities met zich mee en een bureaucratie die tijd nodig had. Als ik morgen een telefoon zou krijgen, kon ik de volgende dag gewoon als een dagje vrij beschouwen.

Dat deed ik dus.

De volgende ochtend kwam er een nieuwe, jeugdig uitziende bewaker. Hij bracht koffie en melk, brood en boter, de ochtendbladen en een radio. En niet te vergeten een draagbare telefoon die opgeladen was en functioneerde, dus zo geïsoleerd was de cel nu ook weer niet, behalve als deze geluiddicht gemaakt was met een elektronische filter die ze vannacht verwijderd hadden. Want ik meende ook dat ik langzaamaan geluiden ging horen: geklop, gesuis, gerammel, stemmen. Het was alsof ik niet langer volledig van mijn medemens geïsoleerd was. Of anders was het een speciale telefoon. Het was in elk geval niet de mijne. Deze rinkelde, maar hij had geen menu of een geheugen zodat je kon zien wie er gebeld had en via welk telefoonstation het ging. Dit was een simpel, modern toestel waarmee je kon bellen, maar je kon het nummer niet doorgeven. In werkelijkheid was dit misschien helemaal geen mobiele telefoon, dacht ik, maar een draadloze, dus er luisterden vast een paar staatsoren mee. De nieuwe bewaker zei dat het tegen alle regels was, maar hij had het bevel gekregen om het ding voor een kwartier aan mij te geven, daarna zou hij hem weer ophalen.

Ik belde meteen naar Amelia. Ze nam direct op en huilde toen ze mijn stem hoorde, maar ik wist haar te kalmeren. Ik geloof niet dat ze geslapen had. Ze was over het algemeen een rustige en dappere Spaanse die niet zomaar van slag raakte en ze hield op met huilen zodat we konden praten. Ik ging ervan uit dat we afgeluisterd werden, maar ze mochten me best horen zeggen dat ik haar erg miste, van haar hield en me er erg op verheugde om María Luisa en haar weer te zien. Ik was in orde en zou binnen een dag weer thuis zijn. Ik had een brok in mijn keel, maar praatte op een neutrale toon en noemde haar gewoon Amelia en geen 'snoepje', ons intieme koosnaampje. Ze was niet voor niets de dochter van een oud-officier van de inlichtingendienst, dus ze probeerde me niet uit te horen. Ik legde de situatie en de gemaakte afspraak uit.

'Die Deense heeft weer naar je gevraagd', zei ze op een gegeven moment.

'Wie?'

'Ik ben haar naam vergeten.'

'O, die', zei ik.

'Ze vroeg naar… je weet wel.'

'Ik heb nu wel wat anders aan mijn hoofd', zei ik, geïrriteerder dan ik me eigenlijk voelde. In elk geval had ik het niet op Amelia af moeten reageren.

'Moet ik iets doen?' vroeg ze.

'Praat met je vader. Met mij gaat het goed. We zien elkaar gauw. Kus de kleine meid.'

'Ik heb haar naar school gestuurd. Dat leek me het beste. Ik heb gezegd dat je weer op reis was.'

'Je had best de waarheid mogen vertellen. Ik hoef me nergens voor te schamen.'

'Dat heb ik dus niet gedaan.'

'Oké.'

Er viel een korte stilte.

'Pedro', zei ze.

'Ja, liefste.'

'Ik begrijp het. Ik hou van je.'

'Ik hou ook van jou.'

'Kom gauw weer naar huis.'

'Dat doe ik. Maak je geen zorgen. Geef onze kleine meid een kus van me!'

'Dat zal ik doen.'

'Adiós', zei ik, drukte op het knopje en verbrak de verbinding.

Mijn tijd was bijna om, dus draaide ik Gloria's directe nummer. Oscar zou zich opwinden, Gloria zou kalm blijven. Oscar was in Gloria's kantoor. Ik hoorde hem op de achtergrond brommen en rondstampen, terwijl ik Gloria vertelde hoe de zaak volgens mij in elkaar zat.

'We hebben al drie à vier advocaten aan de slag om je eruit te krijgen', klonk haar bekende en aangename stem. 'Maar ze beroepen zich op de paragraaf die voor terroristen van kracht is en dus vinden ze dat ze niet verplicht zijn iets te zeggen. We zijn al naar de rechtbank geweest om ongeldig te laten verklaren dat je überhaupt volgens die paragraaf vastgezet bent. Het ziet er niet best uit, Peter.'

'Wat zegt Oscar ervan?'

'Oscar loopt te ijsberen en roept dat het puur fascisme is. Ik heb niets aan hem. Hij luistert mee.'

'Hoi, Peter. Hou de moed erin!' hoorde ik hem op de achtergrond roepen.

Ik vertelde Gloria en de commentaargevende Oscar over het aanbod van de verre machthebbers en dacht eraan te zeggen dat de pers erbuiten gehouden moest worden. Oscar protesteerde op de achtergrond en had het over vrijheid van meningsuiting en over niet buigen voor de macht, maar dat is natuurlijk altijd makkelijk gezegd als je niet in een cel zit opgesloten. Gelukkig was Gloria praktisch ingesteld.

'We hebben geen behoefte aan intimidatie. Dat zal onze zaken op den duur schaden en we willen jou er nu uit hebben. Ik kan de gedachte dat je in een of andere cel zit weg te rotten niet verdragen. Het maakt me woest. Wees stil Oscar! We opereren vanuit Spanje en het is zinloos ons de woede van de autoriteiten op de hals te halen. Laten we ervoor zorgen dat ze Peter loslaten. Wat moet ik doen, Peter?'

Ik gaf haar het telefoonnummer dat de handlanger van de minister me gegeven had toen hij mijn cel 's nachts verliet en verzocht haar de foto's en negatieven aan hem te geven.

'En de verzekering?' zei Gloria.

'Laat maar zitten', zei ik.

'Oké, Peter. Verder nog iets?'

'Hoe is het met Amelia?

'Oké. Ze is niet zo gauw van haar stuk. Maar het is natuurlijk niet makkelijk. Je hebt een juweeltje aan de haak geslagen, Peter! Maar dat weet je zelf ook wel.'

'Oké, dank je.'

'Pas op jezelf, *cariño*. Ik ben van plan je er vandaag nog uit te krijgen.

'Dat zou fijn zijn.'

De verbinding werd verbroken. Dat moest ergens centraal geregeld zijn. Het was een draadloze telefoon die ze er ergens anders 'op konden leggen'. Kort daarop kwam de nieuwe bewaker, zoals ik hem noemde, om de mobiele telefoon te halen en ik keek met gemengde gevoelens toe hoe hij mijn reddingslijn wegbracht. Ik had contact gehad. Er was een wereld buiten. Ik had vrienden die aan mijn vrijlating werkten.

Het daaropvolgende etmaal was saai, maar eigenlijk ook ontspannend en vredig. Misschien omdat ik wist dat het slechts een kwestie van tijd was voor ik weer vrij zou komen. Amelia en María Luisa wisten waar ik was en dat ik het goed maakte. Het zaakje liep en de machinerie draaide rustig en voorspelbaar als het uurwerk van Jens Olsen in Kopenhagen. Het was net als het wachten op een prooi. Je moest je in jezelf keren en de tijd stilzetten.

Ik las de kranten, sliep even, rookte sigaretten, sportte een halfuurtje op de binnenplaats en at nog een keer. Deze keer kippensoep, gevolgd door trucha a la Navarra, een gebakken forel. Ik vroeg om koffie, kreeg het, lag op mijn rug naar het plafond te kijken en kan me eigenlijk niet herinneren hoe de avond verder verliep. Maar ik dronk water, las de kranten nog een keer, luisterde naar de radio – de televisie hebben ze nooit gebracht – en dacht aan mijn gezin. Ik draaide verschillende situaties in mijn innerlijke bioscoop. Mooie scènes met Amelia, María Luisa en mij in het huis op de berg bij San Sebastián. Misschien denk je dat je gedurende zo'n etmaal gaat nadenken over het leven en andere gewichtige zaken. Maar zulke gedachten krijg je niet alleen omdat je tijd hebt. De tijd was er gewoon en hij verstreek traag, maar er zitten zo vreselijk veel seconden in een etmaal. Dus drukte ik me een paar keer op, deed wat buikspieroefeningen, ging op mijn rug liggen en wachtte op de slaap die zoals gewoonlijk niet wilde komen.

Maar ten slotte sliep ik enigszins tevreden in zonder te weten dat mijn wereld juist in die uren volledig instortte. Dat mijn reis door de hel al begonnen was zonder dat ik het besefte.

5

Voordat ze me wakker maakten, had ik een akelige droom. Ik was op kamp, net alsof ik weer een padvinder was, maar het kamp bevond zich in een vreemd sciencefictionachtig landschap met kunstmatige bergen, nepsneeuw en geslepen ultraviolet licht dat afkomstig leek uit Hollywoods droomfabriek of een of andere multimediacomputer. Aan de horizon werd het donker alsof er zich onweerswolken samenpakten. In het midden van een open grot met grauwe slijmerige wanden stond een gasbrander. Ik stond gebogen over een pan die borrelde als een warme IJslandse bron. In de verte klonk keer op keer het gekrijs van een vogel. Het deed het meest denken aan de wanhopige lach van een vrouw en hels gereutel. Oscar was er. Hij stond met de rug naar me toe, gekleed in een van zijn onberispelijke kostuums. Hij was langer dan normaal en hield een boek in zijn hand. Dat was ingebonden in zwarte stof. Hij droeg een wit overhemd met een lila stropdas. Naast hem stond Gloria. Ze had rood haar. Eerst droeg ze een lang gewaad zoals sommige vrouwen aan hadden in de tijd dat ik jong was, maar ineens was ze helemaal naakt. Alleen haar geslacht was bedekt met een zwart balkje zoals ze dat in de krant voor het fatsoen doen. Oscar gaf haar het boek en zij wilde het aanpakken, maar ze had kromme oude handen met nagels van verschillende lengte. Oscar zei: 'Neem het grootboek. Alles is ingevoerd en gerevideerd.' Gloria bedacht zich en wilde het zware zwarte boek toch niet aannemen en zei: 'Ik vroeg je de balans op te maken, niet om mij het grootboek te geven.' Ik wilde me naar hen omdraaien om te zeggen dat Oscar het juiste boek had gepakt, maar ik wist dat ik in de borrelende pan moest roeren en waagde het niet mijn hoofd niet om te draaien en toch zag ik alles. Ik was heel, heel bang.

Ik voelde ook een groot verdriet omdat ik Oscar niet durfde te vertellen dat hij het juiste boek had. Ik deed vreselijk mijn best om wakker te worden, want in de droom vertelde een innerlijke stem mij dat mijn gezicht spoedig zichtbaar zou worden in het duivelse brouwsel en dat het vol etterende bulten zou zitten. Het geheel werd beschenen door een fel donkerpaars licht met giftige zilveren strepen.

Ik werd met een schok wakker.

De dikke agent stond in de deuropening. Hij zag er raar uit. Ik was doorweekt van het zweet, mijn hart bonsde en ik had het gevoel of er een elektrische schok door mijn hoofd ging, terwijl ik vocht om wakker te worden en probeerde mijn onderbewuste op de vlucht te jagen. Ik schoot overeind en gooide mijn benen over de rand van de brits zodat het me even zwart voor de ogen werd.

'Pardon, señor Lime, als ik u liet schrikken', zei de dikke agent. Het was de eerste keer dat ik zijn stem hoorde. Die paste helemaal niet bij hem. Ik had verwacht dat zo'n groot lichaam een diepe, gutturale bas met harde Madrileense consonanten zou voortbrengen, maar hij had een heldere stem en het dialect dat hij sprak leek me afkomstig uit Badajoz in Extremadura. Ik kende die stad. Een zomer lang had ik daar de vele ooievaars gefotografeerd die op de zonovergoten pannendaken op hun nesten zaten, precies zoals hun voorouders hadden gedaan toen de conquistadores de nieuwe wereld introkken om te moorden, plunderen en verkrachten. De herinnering aan deze witte, statige vogels op hun daken die door zijn accent in me opkwamen, kalmeerde me en mijn hart, dat tekeerging alsof ik achtervolgd werd, begon weer normaal te kloppen.

'Het geeft niet', zei ik, wreef in mijn ogen en maakte van mijn haar automatisch een paardenstaart.

'Mag ik señor Lime verzoeken mij te volgen?' zei hij.

Zijn vriendelijkheid maakte me achterdochtig.

'Hoe laat is het?'

'Iets over zevenen.'

'Word ik nu al vrijgelaten? De rechter is er vroeg bij.'

'Als u zo vriendelijk zou willen zijn mij te volgen, señor Lime', zei hij.

'Wat gaan we doen? Waar gaan we heen?'

'Señor Lime. Ik verzoek u. Volgt u mij. Een paar vrienden wachten op u. Er zal u niets gebeuren. Dat kan ik u garanderen.'

Zijn vette gezicht straalde zowel vertwijfeling als eerlijkheid uit, dus ik geloofde hem.

'Laat me even een minuutje alleen', zei ik vriendelijk.

Hij verliet de cel, maar liet de deur op een kier staan. Ik plaste, gooide water in mijn gezicht, deed een elastiekje om mijn paardenstaart, schoot in mijn spijkerbroek en trok mijn overhemd over mijn T-shirt aan. Ik was nog steeds een beetje in de war, zoals wel vaker het geval is als je midden in een nare droom bent gewekt of wanneer je opnieuw in slaap bent gevallen.

We sjokten door de gang. In mijn cellenblok was het nog steeds stil, maar al op de trap hoorde ik de bedwelmende tonen van Madrids ochtendsymfonie. Mijn humeur verbeterde bij de gedachte dat ik mijn vrouw en kind gauw zou terugzien. We kwamen in een brede gang. Daar heerste een behoorlijke verkeersdrukte. Dat woord kwam in me op omdat er heel wat mensen heen en weer liepen. Ik was zo lang alleen geweest dat ik overweldigd werd door zoveel mensen tegelijk. Het geluid van hun bedrijvige schoenen overstemde het verre bruisende geluid van de hectische ochtendspits, dat net zo herkenbaar vriendelijk was als je eigen gezicht in de spiegel tijdens het scheren. Sommige mensen knikten, de meeste keken weg. Ik was niet eens zolang geïsoleerd geweest, maar het voelde als een eeuwigheid. Ik begreep nu pas wat een vreselijk straf eenzame opsluiting is. Nu begreep ik waarom mensen die weken of zelfs maanden opgesloten zitten uiteindelijk toch instorten. De mens is een sociaal dier.

We liepen een groot kantoor binnen. Daar zat de rechter achter een bureau. Voor hem zaten Gloria en Oscar. Ze zagen eruit alsof ze de dood zelf hadden gezien. Gloria had gehuild. Het was jaren geleden dat ik haar zo gezien had. Ze zag er ineens ouder uit zonder de gebruikelijke zorgvuldig aangebrachte make-up. De make-up die ze nu op had, was in alle haast aangebracht. Maar het was vooral de uitdrukking op haar gezicht. Het leek alsof alle energie die haar mooie, rijpe gezicht anders uitstraalde, was weggestroomd. Oscar was als versteend, maar zenuwachtig en zoals gewoonlijk vol opgekropte energie.

'Dat werd tijd', zei ik opgewekt ironisch. Dat was de toon die onze vriendschap kenmerkte. 'Ik was al bang dat jullie me hier tot in de eeuwigheid zouden laten wegrotten.'

'Ga zitten, Peter', zei Oscar droog.

De angst vloog me naar de keel.

'Is er iets met Amelia?' zei ik.

'Ga nu zitten, Peter!' herhaalde Oscar.

Gloria liep op me af, pakte mijn hand en duwde me op een leren bank die langs de muur stond. Voor het bureau van de onderzoeksrechter stonden twee leren stoelen van hetzelfde soort. Het was een erg masculiene, zware kamer, die te kennen gaf dat hier strengheid, orde en misschien rechtvaardigheid heersten. Op het bureau lag een doorzichtige plastic zak met mijn spullen: portemonnee, sleutels, mijn Leica, mobiele telefoon, aansteker, sigaretten.

'Wat is er met Amelia en María Luisa?' riep ik. Ik weet niet waarom ik het ineens zo zeker wist. Ik wist het gewoon. Toch kwam de klap enorm hard aan toen Gloria zacht en met tranen in haar stem de ergste woorden uitsprak die ik ooit in mijn leven heb gehoord.

'Amelia en María Luisa zijn er niet meer, Peter. Ze zijn dood, Peter. Ze zijn vannacht bij een brand omgekomen. Het is zo godvergeten onrechtvaardig, zo verdomd verkeerd, zo ontzettend vreselijk.'

Ze barstte in huilen uit en ook al kotste ik over haar rug, ze bleef me omhelzen en vasthouden.

De tijd verdween. Ik weet niet hoelang ik weg was, maar er ontstond een leegte in mijn herinnering die vergelijkbaar is met het zwarte gat in het heelal. Ze vertelden me later dat ik niet was flauwgevallen, maar dat ik in mijn eigen ogen wegzakte alsof het licht doofde en dat ik als een robot verstarde. Ik weet niet of het een onaangename ervaring was, want ik kan me er niets van herinneren. Er was alleen duisternis en stilte. Het duurde tien minuten. Tien minuten als in diepe slaap. Ze waren bang dat ik nooit meer tot de levenden zou terugkeren, maar tot de levende doden zou gaan behoren. Ze vreesden dat ik pal voor hun ogen in een zombie zou veranderen. Dat had ik ook best gevonden, maar een mens klampt zich nu eenmaal aan het leven vast. Ik zag het voorval later als een vorm van lijfsbehoud. Mijn lichaam schakelde over op stand-by zoals een computer doet wanneer een programma crasht, om op die manier te redden wat er te redden valt en de vitale delen te beschermen. Je zou ook kunnen zeggen dat ik toen een beetje stierf.

Toen ik terugkeerde naar de wrede werkelijkheid, zat ik op de bank met een glas water in mijn hand. Ik dronk het in één teug leeg. Het was koud, maar mijn mond en keel bleven droog. De anderen stonden om me heen als een tableau wassen beelden, verstijfd in de tijd, bevroren in de eeuwigheid. Gloria zag er volslagen verloederd uit. Als een vrouw die tijdens het voorspel met haar minnaar betrapt is door haar man. Haar jasje had ze over haar halfnaakte bovenlijf geslagen, dat alleen bedekt werd door haar zwarte wonderbra. Ik kon mezelf en mijn braaksel ruiken, dat een onsmakelijke schaduw op de grond had nagelaten. Iemand moet het opgeruimd hebben. Gloria's blouse zat verfrommeld in een plastic zak.

Ik kreeg meer water en Oscar zei: 'Ben je oké?'

'In godsnaam, Oscar!' zei Gloria.

'Nee, ik ben niet oké, Oscar. Maar ik wil graag weten wat er aan de hand is', zei ik.

Mijn stem was onnatuurlijk droog en kalm. Het was alsof ik buiten mijn lichaam was getreden en mezelf hoorde praten.

De rechter schraapte zijn keel. Hij zat er log bij en had een ongenaakbaar gezicht. Hij had kleine varkensoogjes. Hij deed me denken aan een beer op de boerderij van mijn oom toen ik klein was.

'Señor Lime', zei hij en schoof met een stuk papier alsof het iets vies was, alsof ze het gebruikt hadden om mijn braaksel mee op te vegen. De geur om mij heen en in mijn innerlijk deed me denken aan de gierput uit mijn jeugd. Ik voelde dat ik rood werd, verbleekte en weer rood werd, maar de rechter trok zich er niets van aan. Gloria ging naast me zitten en pakte mijn hand terwijl de rechter zalvend begon te praten.

'Mijn condoleances. Hier is uw ontslagbrief. En uw bezittingen. De zaak is geseponeerd. U heeft het recht de Spaanse staat om schadeloosstelling te vragen voor de onrechtmatige aanhouding en detentie. Ik bied u mijn kantoor aan zodat u in alle rust met uw vrienden kunt overleggen. Nogmaals mijn oprechte deelneming. Wilt u zo vriendelijk zijn uw handtekening te plaatsen voor u vertrekt.'

Hij wurmde zich achter het bureau vandaan en verdween.

'Wat is er gebeurd?' vroeg ik opnieuw. Ik luisterde stil naar het verhaal. Geen tranen. Mijn innerlijk was droog, leeg en stil. Gloria vertelde het. Het was alsof ze een politierapport voorlas. Feitelijk en met de precisie van een advocaat gaf ze kille woorden aan de tragedie van mijn leven.

Om half twee 's nachts was er een explosie geweest in ons appartement. Zo heftig dat de ramen eruit sprongen. Gevolgd door een enorme brand die zich over het hele pand had uitgebreid. Het dak was ingestort. Verscheidene woningen waren totaal uitgebrand. Pas een paar uur geleden hadden de brandweerlieden de brand voldoende onder controle gekregen, zodat ze met rookmaskers op naar binnen konden gaan. Tot nu toe waren er dertien lijken geborgen, en er waren elf gewonden. De twee gezinnen die op de begane grond woonden hadden evenals die van de eerste en tweede verdieping op tijd het pand kunnen verlaten. De lijken waren overgebracht naar het pathologisch laboratorium. De politie was bezig met het onderzoek. Hun voorlopige theorie was dat de gasexplosie het gevolg geweest moest zijn van een lek in een leiding in onze keuken of badkamer of in die van de buren.

Het had net zo goed in de krant kunnen staan en later stond het ook in bijna dezelfde bewoordingen in de serieuze ochtendbladen. De boulevardpers dikte het flink aan en noemde het een catastrofale brand. Daarom hadden ze ook een paar artikelen opgenomen over de vele oude en gevaarlijke gasinstallaties die er nog altijd in de oude stadswijk van Madrid waren. Plus allerlei onzin natuurlijk.

'Weten jullie zeker dat ze thuis waren?' vroeg ik.

'Heel erg zeker, Peter', zei Gloria. 'Ik vrees dat ze daar al achter zijn gekomen.'

'Ik wil ze graag zien', zei ik.

'Natuurlijk', zei Gloria.

'We kunnen er wel meteen heen gaan', zei Oscar. 'Maar leuk zal het niet zijn.'

'Erger dan dit kan niet', zei ik.

Oscar kon niet zo goed met emoties omgaan, maar hij doorstond het erg goed. Hij was zichtbaar geschokt, zag lijkbleek en stond er in elkaar gedoken bij, alsof iemand een zwerfkei op zijn rug had gelegd. Hij sleepte met zijn voeten toen hij naar me toe kwam, stak een sigaret op en stopte die in mijn mond. Hij sloeg zijn arm om me heen, we zaten daar zonder een woord te zeggen en terwijl zijn zware, sterke arm op mijn schouder drukte en ik Gloria's hand in de mijne voelde, rookte ik mijn sigaret en probeerde ik te begrijpen dat Amelia en María Luisa mij ontnomen waren. Ik kon het woord 'dood' niet gebruiken. Dat klonk verkeerd. Het was te neutraal en klonk bijna natuurlijk. Elk mens gaat vroeger of later nu eenmaal dood, maar mijn twee dierbaren waren van me afgepakt. Weggenomen en verdwenen.

Ik kan het gevoel van leegte, van verdriet en mijn irrationele woede over het feit dat ze me op deze manier in de steek hadden gelaten, niet beschrijven. Ik voelde me ook erg schuldig omdat ik de gasinstallaties in onze flat niet allang had laten vervangen door elektrische boilers. Maar in duizenden keukens en badkamers in het oude Madrid bliezen en dampten nog altijd geisers. Ik was verdrietig geweest toen eerst mijn vader en later mijn moeder overleed. Maar ze waren allebei bijna tachtig. Ze hadden een lang leven gehad. Het was niet meer dan natuurlijk dat ze stierven en het toneel aan mijn oudere broer en mij overlieten. Ze overleden na een langdurige ziekte, zodat ik het gevoel had gehad dat ze het leven moe waren. María Luisa en Amelia waren weggerukt. Het was zo verdomd onrechtvaardig.

De grote Mercedes 600 van Oscar stond op het binnenplein en hij liet me achterin plaatsnemen, naast Gloria. De bewaker met zijn malle kogelvrije vest opende de slagboom en toen reden we de vrijheid tegemoet, althans zo zou je het kunnen noemen, maar welke vrijheid eigenlijk? De vrijheid om ongelukkig te zijn? Om me het leven te benemen? Om weer naar de fles te grijpen? Er stonden twee tv-ploegen en een groepje fotografen te wachten. De camera's werden op de schouders gezet op het moment dat de zwarte Mercedes zijn vizier liet zien.

'Wat is hier aan hand, Oscar?' zei ik toen hij moest remmen om niet op de wachtende mensen in te rijden.

'Je weet hoe het is. Zoiets weten ze altijd meteen', zei hij.

'Hoe dan?'

'Het zijn je soortgenoten. Natuurlijk ging het gerucht dat je gearresteerd was toen wij rond gingen bellen. Ze wisten waar je woonde. Ze zijn niet dom. Er gaan ook geruchten over de foto's. Ik had natuurlijk mijn voelhoorns uitgestoken, verdomme.'

Zijn stem was hees en boos.

'Oscar. Hou op. Peter is ook niet gek', zei Gloria.

De tv-camera's en fotolenzen kwamen dichter bij de donkergetinte ruiten alsof ze die wilden liefkozen. Of penetreren. De mensen die in de auto zaten wilden verkrachten. Ik kon de spiegels in de apparaten horen werken en de journalisten 'hoe gaat het met u, wat is uw commentaar, zeg iets Pedro' horen roepen. Het was merkwaardig om met zo'n verdriet aan de andere kant te zitten, terwijl je dan juist alleen en op jezelf moet zijn. Het was merkwaardig om aan de andere kant van de lens te staan. Toen ik jong was en als een van de wachtende wolven voor het restaurant van de koninklijke en adellijke lieden in Kensington in Londen stond, perste ik me altijd naar voren om een gezicht in zijn meest kwetsbare naaktheid te onthullen. Was mijn gezicht ook zo verwrongen geweest, had mijn mond ook zo open gestaan als die van een naar lucht happende vis, was in mijn ogen diezelfde mengeling van leedvermaak en opwinding te zien geweest? Hoe vaak niet heb ik gezien hoe het slachtoffer probeerde zijn gezicht te bedekken zelfs al viel er misschien helemaal niets te verbergen? Alsof de overval op zich het kwaad opriep en een schuldgevoel veroorzaakte. Ik was te ongelukkig om boos te worden. Ik was gewoon wanhopig.

Ik zei: 'Breng me naar Santa Ana, Oscar.'

'Daar staan ze allemaal, Peter', zei hij.

'Doe nu maar wat Peter vraagt', zei Gloria.

'Oké.'

Hij claxonneerde en drong door de persjongens heen, die uiteengingen als water voor de steven van een groot schip. De meest volhardenden renden een stukje achter de auto aan. Toen Oscar ze had afgeschud, accelereerde hij, draaide een zijweg in en reed dwars over de Puerta del Sol en het korte stukje tot voorbij de kassa van de arena bij Victoria en legde toen door allerlei steegjes de halve kilometer af tot aan de Plaza Santa Ana.

Het plein was afgezet. We werden tegengehouden, maar toen Oscar de agent vertelde wie ik was, mochten we erdoor. Hij parkeerde de auto op de stoep en we stapten uit. Voor mijn flat stonden vier grote brandweerwagens. 'Bomberos', stond er op eentje geschreven. Een Spaans woord dat ik altijd moeilijk in verband heb kunnen brengen met reddingswerk. In het grijswitte ochtendlicht leken de blauwe sirenes wel flarden vuurwerk. Want het was grijs weer en een beetje fris, zo ontdekte ik. Er stonden verschillende politieauto's en de stenen van het plein waren kletsnat en beroet. Ik zag hoe brandweerlieden nog steeds water over het belendende pand spoten. En als schaduwen in de hel liepen brandweerlieden rond in dat wat een paar uur geleden nog mijn huis was geweest. Ik heb ook branden gefotografeerd. Ik heb als koele waarnemer staan kijken, denkend aan belichting, dimlicht, afstand, hoeken, totaalbeelden, zoombeelden, het verhaal. Maar als professional moet je afstand bewaren bij een ramp, anders kun je er niet mee leven.

Ze waren bezig met nablussen. De lucht was dik van roet en rook en de onbestemde geur van de dood. Er klonk gerammel en geruis, gekraak van radio's en gemompel van stemmen zoals altijd op een plek des onheils. Eerst zijn de mensen stil en vervolgens monter bij de gedachte dat ze zelf nog in leven zijn terwijl anderen het leven gelaten hebben. Ik had het ook kunnen zijn, denken ze. Maar deze keer ben ik aan de dans ontsnapt. Een ramp herinnert ons er altijd aan dat we alleen met geleende tijd op aarde zijn en dat de dood ons allen wacht.

Ik liep in de richting van mijn verbrande huis. De pers kreeg me in de gaten. Hoewel ik mijn foto's niet signeerde, kende ik de meeste leden van de Persclub van Madrid wel. Ze kwamen op me afrennen, terwijl ik naar ze toe liep. Ze drongen en duwden om er als eerste bij te zijn. De belangrijkste boodschap voor een journalist: zorg ervoor dat je er als eerste bent en dat je makkers je niet inhalen. Ze stopten. De cameralenzen wezen naar mij als bazooka's, maar ik liep gewoon verder en even leek het alsof ze medelijden met me hadden, ik glipte tussen ze door en kwam bij een versperring waarvandaan ik recht in het uitgebrande gebouw kon kijken.

De stank en de hitte sloegen me in mijn gezicht, dat begon te gloeien. Toen de tranen me over de wangen begonnen te stromen, wist ik dat de fotografen nu eindelijk het felbegeerde plaatje konden schieten. Het waren tranen van verdriet en vertwijfeling – misschien. Of was het gewoon de rook die mijn traanbuisjes prikkelde? De brandweermannen liepen door het huis. Het was volledig ingestort en alles was nat, rookwolkjes stegen op. Alles lag door elkaar en vloeide in elkaar over. Wit uitgeslagen, beroete balken lagen schots en scheef door elkaar. Een badkuip was niet langer wit, maar zwart gestreept. De badkuip was eigenlijk het ergst om te zien omdat hij zo herkenbaar was. Het was alsof een bom de ingewanden van mijn huis in stukken geblazen had. Ik hoorde stemmen om me heen. Er werden vragen gesteld, men wilde mijn commentaar horen. Ik kon de een niet van de ander onderscheiden. Het waren absurde vragen. Hoe ging het met me? Hoe voelde ik me? Wat zou ik gaan doen?

Hoe voelde ik me? Oneindige herhaling. Alsof er woorden waren voor mijn gevoelens. Alsof deze innerlijke leegte zo diep als een afgrond, beschreven zou kunnen worden in zinnen.

Toen drong Felipe Pujol naar voren. Hij kwam vlak voor me staan, duwde zich tussen twee tv-camera's door. Ik kende hem goed. Het was een kleine gedrongen Catalaan, een misdaadverslaggever van *El Mundo*.

'Pedro? Hoe gaat het? Waarom was je gearresteerd?'

Ik gaf geen antwoord. Ik keek over hem heen naar de met roet bedekte hel die een spiegelbeeld was van de hel waarin ik mij bevond.

'Pedro? We zijn toch oude vrienden? Waarom ben je gearresteerd. Geef eens commentaar.'

'Lazer op, Felipe', zei Oscar achter me. Hij had niet zo makkelijk tussen de troep journalisten door kunnen glippen als ik. Hij stond achter me en ik voelde meer dan dat ik het zag dat we omringd waren door de pers, politie en toeschouwers die allen op de plek van het onheil waren afgekomen als vliegen op een hondendrol op een warme zomerdag.

'Hou je mond, Oscar', zei Felipe. Hij ging vlak voor me staan zodat hij bijna op mijn tenen trapte, hief zijn hoofd op en keek me in de ogen. Ik kon hem ruiken. Hij had een brandy bij zijn zwarte koffie gehad vanmorgen.

Hij zei: 'Ik heb gehoord dat je een minister zwart wilde maken. Was dat de reden? Ik heb gehoord dat je pikante foto's hebt. Was het daarom? Toe, Pedro. Jezus, man. Je kent het vak. Geef me mijn verhaal. Het kan jou ook helpen. Is het waar dat je een serie foto's gemaakt hebt? *El Mundo* betaalt graag voor de exclusieve rechten.'

Ik stootte mijn knie hard tegen zijn kloten zodat hij voor me in elkaar klapte met een pijnlijk verbaasd gezicht, maar zonder een kik te geven. Het kon me echt geen barst schelen, ik draaide me om en met Oscar als een soort golfbreker voor me baanden we ons een weg door de roepende menigte fotografen, journalisten en de tv-camera's. *Ontbijt-tv* was er ook bij. Die zond zeker live uit. Die leefde van ongelukken, roddel, schandalen, recepten en verkeersberichten. Oscar was groot en ploegde er gewoon doorheen en ik liep als in een waas achter hem aan, alsof alles een droom was, verward en melkwit, waaruit ik zo meteen zou ontwaken zodat ik mijn hand kon uitsteken, die van Amelia kon pakken, waarop zij zich zou omdraaien en haar zachte achterwerk tegen mijn schoot zou duwen en we samen langzaam zouden ontwaken in de warme duisternis van onze slaapkamer.

De politie kwam eindelijk in actie, vormde een kring om ons heen en begeleidde ons naar de auto waarin Gloria achter het stuur zat. Oscar ging samen met mij op de achterbank zitten en de agenten in uniform maakten een doorgang zodat we het plein konden verlaten. Het hielp toen ze hun handen op hun knuppels legden en deze half tevoorschijn haalden om te laten zien dat hun geduld nu op was.

'Goddomme, wat een tuig', zei Oscar.

'We horen er zelf bij, schat', zei Gloria toonloos.

Wat daarna kwam is wazig. Alsof de nachtmerrie gewoon doorging. Alsof het allemaal niet echt was. Op weg naar de resten van mijn dierbaren herinner ik me slechts één woordenwisseling.

'Ik wil een borrel', zei ik.

'Oké', zei Oscar.

'Nee', zei Gloria.

Toen stond ik voor de twee bedekte lichamen in een steriele, betegelde ruimte. De dokter of politieman sloeg alleen het laken een stukje terug. Hun haar was bedekt met iets dat op een badmuts leek. Ze hadden immers helemaal geen haar meer. Ik herkende Amelia amper. Haar gezicht was helemaal zwart verbrand, maar aan María Luisa was bijna niets te zien, alsof ze plotseling door het plafond was gezakt en er iets over haar heen was gevallen dat haar beschermd had. Haar ogen waren gesloten. Ze was een beetje zwart van het roet en er zat een blaar op haar tere wangetje, maar het waren de ontbrekende wimpers waardoor ik geluidloos begon te huilen. De tranen stroomden over mijn wangen. Ik voelde me schuldig en beschaamd.

'Zijn dit uw vrouw en dochter?' vroeg de man in de witte jas.

'Ja.'

'Ik zou graag uw toestemming hebben om een sectie te verrichten.'

'Waarom?'

Hij keek op.

'Omdat ik dat heb aangevraagd, señor Lime.'

De woorden kwamen van een man van middelbare leeftijd in een goedzittend kostuum. Hij stond in een hoek van de ruimte, maar ik had hem niet opgemerkt. Gloria en Oscar stonden vlak bij de deur. Ze waren lijkbleek. Gloria leek ineens stukken ouder en Oscar kneep zijn handen hard tegen elkaar. Gloria moet reservekleding in de auto hebben gehad, want ze had een eenvoudig blauw shirt aangetrokken. Het was me niet opgevallen, maar ze was zo van streek dat ze vergeten was haar haar te kammen. Het stond alle kanten uit alsof ze net uit bed kwam.

'Rodrígues, recherche', zei hij en toonde zijn identiteitsbewijs. Hij had smalle, bruine handen en droeg zowel een dunne ring met een diamant als een trouwring. Gloria deed een stap naar voren om mij te beschermen, maar ik tilde mijn hand op waardoor ze halverwege een pas halt hield.

'Dat kan ik nu niet beslissen', zei ik.

'Dat zult u toch moeten', zei hij. 'Uw familieleden moeten begraven worden.'

Dat was waar. In Spanje worden de mensen erg snel begraven. Ze wachten niet, zoals in Denemarken, wel bijna een hele week. Misschien is het een gebruik uit vroeger dagen toen de lijken niet lang goed bleven in de gloeiende hitte. Misschien komt het doordat katholieken minder belang hechten aan het vlees dan wij, maar meer aan de ziel.

'Maar waarom?' vroeg ik.

Hij deed een stap naar voren, trok een paar operatiehandschoenen over zijn slanke, elegante handen en draaide voorzichtig het gewonde hoofd van Amelia om. Ik werd misselijk, maar mijn maag was leeg. Kleine lichtvlekjes dansten voor mijn ogen.

'Kijkt u eens, señor Lime', zei hij. Hij wees met zijn vinger naar twee afdrukken. Hij volgde ze bijna teder met zijn gehandschoende wijsvinger rond haar eens zo slanke hals tot onder de kleine, tere oren. Ik was duizelig en het koste me moeite om te focusseren. De verminkte hals vlak voor mijn ogen verdween en in plaats daarvan zag ik beelden van Amelia's witte tere hals wanneer ze haar hoofd in de nek wierp en om een opmerking van mij lachte of om een van María Luisa's vroegwijze commentaren.

Rodrígues vervolgde: 'Ziet u het, ik begrijp niet, en de patholoog evenmin, waarom uw vrouw deze verwondingen heeft. U ziet niet wat het is?'

Ik moet mijn hoofd geschud hebben, want hij zei op dezelfde hoffelijke, neutrale toon: 'Het lijken wurgafdrukken. Alsof uw vrouw gewurgd is. En we willen graag weten of dat voor of na de brand is gebeurd. Begrijpt u? Of ze al dood was toen de brand uitbrak, of dat ze de verwondingen daarna heeft opgelopen. Misschien heeft ze aan een leiding gehangen. We willen weten of dit een ongeluk was of een moordaanslag op dertien mensen. Als het een moordaanslag was, hoef ik u niet uit te leggen dat het een zeer ernstige zaak is. Daarom verzoek ik u vriendelijk om toestemming te geven voor een sectie. U kunt weigeren, maar dan proberen we het via de wet.'

De tijd stond volkomen stil. Ik draaide me om naar Gloria en Oscar.

'Verkoop de foto's', zei ik en toen werd alles zwart.

Deel II

De tijd heelt geen wonden

Het diepste verdriet hier op aarde
Is het verlies van een dierbare

— Steen Steensen Blicher

6

Dat de tijd alle wonden heelt is een fabeltje. De tijd heelt helemaal geen wonden, maar verzacht de pijn zoals een pil een hevige hoofdpijn verzacht. De pijn is er nog steeds, maar steekt niet meer zo fel als een scherpe spijker. De tijd maakt de scherpe punt van de spijker stomp en de hevige smart, waardoor je al je verdriet wel zou willen uitschreeuwen, neemt af tot een knagende pijn die je ook 's nachts wanneer je niet kunt slapen, blijft plagen.

De tijd die volgde was chaotisch en verwarrend en voor het eerst in mijn leven verloor ik enigszins de controle over wat er gebeurde. Alsof ik weer een kind was en afhankelijk van de zorg en de besluiten van volwassenen. Goedbedoelende mensen namen mijn leven over en voerden me uit de tunnel van de duisternis naar een bleek, ziekelijk zonlicht. Gloria en Oscar ontfermden zich over de puur praktische zaken. Verzekeringen, schadevergoeding van de Spaanse staat en de verkoop van foto's die de wereld over gingen en ons een vermogen opbrachten. De tien foto's die Oscar toen uit mijn flat had meegenomen waren steeds in zijn bezit geweest. Ik wilde het huis niet weer opbouwen en verkocht de grond aan de verzekeringsmaatschappij. Ik kreeg veel geld uitgekeerd, maar mijn verbrande negatieven waren onbetaalbaar. De brandvrije archiefkasten waren niet bestand gebleken tegen een explosie en brand. Gloria spande een proces aan tegen de fabrikant en de verzekeringsmaatschappij. Ze moesten de indirecte, kunstzinnige waarde van de negatieven vergoeden. Het vermogen dat verborgen lag in de opnamen die ik gemaakt had door jarenlang de werkelijkheid in een fractie van een seconde vast te leggen. Mijn ongeluk bezorgde opgewonden advocaten in vele kantoren duizenden uren werk. Ik liet Gloria en Oscar hun gang gaan.

De eerste dagen na het ongeluk sloegen de media flink op hol. Twee zaken versterkten de mediastorm die door de stad raasde. De foto's van de minister en de officiële mededeling dat de politie de brand behandelde als een moordzaak. Amelia was gewurgd vóór de brand. María Luisa was omgekomen door de rook en niet door de brand. De andere slachtoffers waren omgekomen door de brand. Er waren resten springstof gevonden in onze flat. De media speculeerden over de reden waarom iemand mijn flat wilde opblazen. Ze wezen voorzichtig naar de minister. Hij ontkende natuurlijk alles, maar moest wel aftreden vanwege de erotische foto's. Zoiets kon toch echt niet in een regering die het gezin koesterde als hoeksteen van de samenleving.

Rechercheur Rodrígues had geen enkel aanknopingspunt. Hij kwam me af en toe informeren. Er was maar één getuige die twee mannen de flat had zien verlaten kort voordat de ramen naar buiten geblazen werden. Ze hadden zwart haar gehad zoals miljoenen andere Spanjaarden, ze waren gespierd en waren in de richting van de Puerta del Sol verdwenen. Daar liep het spoor dood. Rodrígues vroeg zich af of het soms een ETA-aanslag was die de verkeerde personen getroffen had. Het bleek dat een medebewoonster voor haar eigen veiligheid onder een valse naam leefde. Ze was Baskisch en had tien jaar geleden tegen de ETA getuigd. Zoals vaak voorkwam, was ze naar de politie gegaan omdat ze afgewezen was in de liefde. Een van de leiders had haar in de steek gelaten voor een andere vrouw. Het banale speelt vaak een grotere rol in het leven dan romanschrijvers denken. Ze had de identiteit verraden van een ETA-commando die ondergronds werkte in Barcelona en in ruil daarvoor had ze bescherming gekregen. Een nieuwe identiteit en een nieuw leven in de miljoenenstad Madrid. Hier kon iedereen verdwijnen.

'Misschien hadden ze haar toch gevonden, señor Lime',

zei Rodrígues. 'We worden allemaal door ons verleden inge-haald.'

We zaten aan Hemingways tafeltje in Cervecería Alemana koffie te drinken. De oude ober Felipe waakte over me alsof ik een breekbaar stuk porselein was. Ik weet niet waarom ik maar terug bleef gaan naar Alemana dat recht tegenover mijn vroegere huis lag. Er was een open wond in de rij huizen, een gat, omkranst door een hoge, groen geverfde schutting, ter-wijl de bouwaanvragen al door de bureaucratische molen ge-haald werden. Verder lag het plein er als vanouds bij in het late middaglicht. De oude mannen en vrouwen zaten te pra-ten of de krant te lezen en zo meteen zouden de kinderen uit school komen en beginnen met hun spel. Het deed pijn, maar Alemana was mijn eerste toevluchtsoord in Madrid en ook al was het vreselijk om naar mijn huis te kijken, de plek was ook een navelstreng naar mijn verleden waar ik steeds vaker aan terugdacht. Ik zou Amelia en María Luisa nooit vergeten. De herinnering aan hen was vreugdevol maar ook pijnlijk, me-lancholiek en aangrijpend, maar het was het enige wat ik nog had.

'Dus dat is uw theorie?' zei ik.

'Dat is de meest aannemelijke verklaring. De terroristen zijn weer erg actief. Ze vergeten nooit en zeker geen verra-ders. Collega's van de veiligheidsdienst hebben van bepaalde informanten gehoord dat ze haar hadden gevonden en haar wilden elimineren. De springstof die ze gebruikten was sem-tex uit het vroegere Tsjecho-Slowakije. Daar zijn grote hoe-veelheden van in omloop. Misschien hebben ze het van de ira gekregen, of van oude vrienden uit de ddr. Alle andere sporen lopen dood.'

Hij maakte een verontschuldigend gebaar.

'Hoe konden ze nu zo'n grote vergissing maken?' zei ik.

'Carmen Arrese leek op uw vrouw, señor Lime.'

Carmen had met haar man onder ons gewoond. Getrouwd

met een advocaat. Ze waren allebei omgekomen samen met hun dochter die van María Luisa's leeftijd was. Zelf waren ze een eindje in de dertig geweest.

'Carmen Arrese had een Andalusisch accent', zei ik. 'Ze klonk absoluut niet Baskisch.'

'Haar ouders kwamen uit Sevilla, maar zij is in Pamplona geboren. We hebben haar de taal van haar jeugd opnieuw geleerd. Dat was een onderdeel van de identiteitsverandering. Van haar nieuwe legende. Haar nieuwe leven. Het is niet alleen een kwestie van je uiterlijk veranderen. We hebben haar een heel nieuw leven gegeven. Zelfs haar man wist van niets.'

'Ze was tien jaar jonger. Hoe konden ze zich nu vergissen?'

'Señor Lime. Uw vrouw was een mooie vrouw, dat kan ik zien op de foto's. God hebbe haar ziel. Ze kon best voor tien jaar jonger doorgaan. Carmen zag er ouder uit. Ze was eigenlijk ook ouder. We hebben haar jonger gemaakt. Misschien hebben de terroristen zich vergist. Zijn ze de verkeerde flat binnengegaan. Hebben ze eerst de verkeerde gewurgd en toen de springstoflading aangebracht.'

'Waarom het huis opblazen?'

'We denken dat ze te veel aanbrachten. We denken dat ze onervaren waren. De ETA heeft momenteel moeite om goede mensen te vinden. Misschien is er ook ergens gas ontsnapt. Wij denken dat uw gezin bij vergissing gedood is. Het was niet tegen u gericht, maar tegen de onderburen. Het spijt me.'

'Maar waarom hebben ze de zaak opgeblazen?'

'Waarom zo'n terreurdaad? Angst is het diepste wezen van de terreur. Niet rationaliteit.'

'Dus de zaak wordt gesloten?' zei ik.

Hij rechtte zijn rug.

'Absoluut niet. Maar andere competentere organen zullen het overnemen. U weet hoeveel geld de staat over heeft voor de strijd tegen de terroristen. Er zal intensiever aan gewerkt worden. Gemene moordenaars pakken, dat is eigenlijk mijn werk. Moordenaars die vaak duidelijk menselijke motieven hebben als seks, hebzucht, jaloezie, dronkenschap. Madrid is een stad die me genoeg werk oplevert. Andere mensen moeten zich over de veiligheid van de staat ontfermen.'

Hij keek me verontschuldigend aan. Hij hoefde zich eigenlijk nergens voor te verontschuldigen. Hij kon er niets aan doen dat we op de verkeerde plek hadden gewoond. Maar ik werd toch boos omdat ze een tikkende bom in onze directe nabijheid hadden geplaatst zonder ons te waarschuwen. Ergens was het de schuld van de staat, maar mijn woede was vooral gericht tegen de onbekende pleger van de aanslag, die nu op de een of andere manier tastbaarder was geworden.

Rodrígues stond op, gaf me een hand, bedankte me voor de samenwerking en condoleerde me nogmaals. Ik bleef zitten en dronk nog een koffie, terwijl ik het licht over het plein blauw zag worden. Alemana stroomde langzaam vol met jonge studenten uit de buurt met hun notitieboekjes, hun optimistische jeugd en geloof in de oneindige mogelijkheden van de toekomst. Ik zat alleen bij het raam en wist dat Felipe er wel voor zou zorgen dat men me met rust liet.

Oscar en Gloria hadden de praktische zaken geregeld en de eerste week had ik bij hen gelogeerd. Mijn schoonvader en ik hadden de begrafenis geregeld toen de lijken na de sectie waren vrijgegeven. We zijn altijd hoffelijk en vriendelijk tegen elkaar geweest maar nooit vertrouwelijk. Het was alsof het verdriet ons dichter bij elkaar bracht zonder dat we erover spraken. Dat was niet de stijl van Don Alfonso. Vijfentwintig jaar lang had hij als officier van de Guardia Civil en chef van een van de vele veiligheidsdiensten van de caudillo gediend. Hij was bijna zeventig, een kleine ineengekrompen man die nu zelf op de oudere Franco leek. Zoals vele anderen was hij overgestapt van het dienen van de dictatuur naar het dienen van de overgangsregering en later naar de democratie. Waren zijn handen bespat met het bloed van de gemartelden, dan wist hij dat niet en het werd nooit onderzocht. Er waren dingen in het verzoeningsgezinde Spanje na de dood van de Leider waarover men maar het beste kon zwijgen.

De begrafenis zou in stilte plaatsvinden en Don Alfonso, Oscar, Gloria en ik waren samen met de priester, de koorknaap en de doodgraver alleen op het kerkhof, maar buiten het hek wezen de cameralenzen meedogenloos op ons terwijl de politie ze op afstand hield. Het was even privé als een nieuwsuitzending. Het enige wat de foto's van mijn collega's verpestte was de stromende Madrileense regen. Of misschien juist niet. De zware zwarte wolken fungeerden als het ware als coulissen voor de slotscène van een tragedie. Het onweer kwam heel symbolisch vanachter de bergen opzetten en toen we bij de kist stonden barstte de regen los. Gigantische bliksemschichten, het waren net flitslichten. Ook dat was bijna symbolisch voor de dagen die volgden. Ik was mijn hele volwassen leven paparazzo geweest. Ik haatte het woord, maar het dekte wel de lading. Hoewel ik mezelf altijd reportagefotograaf heb genoemd. Nu werd ik, waar ik ook was, zelf achtervolgd door paparazzi.

Het was begonnen op de ochtend van mijn vrijlating. Bij het live-programma *Ontbijt-tv* had heel tv-kijkend Madrid kunnen zien hoe ik een verslaggever van *El Mundo* liet dubbelklappen. Mijn betraande gezicht stond op de voorpagina van de roddelbladen en op een opvallende plaats elders in de serieuzere kranten. De jacht op mij was geopend of ik nu op weg was naar de flat van Gloria en Oscar, voor verhoor naar de politie moest, in een restaurant of op kantoor zat. Een week lang had ik het gevoel dat er continu een camera op me gericht was. Dat dat onaangenaam was, spreekt voor zich. Voelde ik daarom mededogen met mijn eigen slachtoffers? Niet speciaal. Ik voelde niets anders dan schuld, woede en verdriet en dacht alleen aan mezelf. Na de begrafenis hoopten we dat we met rust gelaten zouden worden. Maar ook later, bij het kerkhof, dat in de buurt van het huis van mijn schoonvader ligt, zaten ze achter me aan. Als schaduwen in Hades' dodenrijk volgden ze mij waar ik ook ging en stond. Ze deden een beroep op mijn begrip. Bedelden om mijn medewerking. Beloofden me geld voor een solo-interview en fleurden hun tv-uitzendingen en kranten op met foto's van mijn getergde, naar de verbrande resten starende gezicht en met foto's van de minister die de welgevormde tenen kust van de Italiaanse actrice. Ik hoorde dezelfde woorden die ik ooit tegen andere beroemdheden had gesproken terug in de kakofonie van stemmen die om mij heen zoemden, waar ik ook liep.

Ik weet niet meer precies wat de priester zei. Ik kan me de begrafenis zelf amper herinneren. Ze lagen samen in een kist en ik wierp er een bloem op en liep met Don Alfonso aan de arm weg. We hadden geen tranen meer. Ik herinner me eigenlijk alleen het getik van de regen op de witte kist en de priester die onder een zwarte paraplu stond die een jonge koorknaap voor hem vasthield, terwijl hij in het Latijn de woorden 'gij zijt stof, en gij zult tot stof wederkeren' sprak. Op dat moment geloofde ik niet. Ik was boos op God en moest dus wel in Hem geloven anders zou ik Hem niet vervloeken, maar alles was nog steeds zwart en duister, net als de hemel waaruit de regen naar beneden plensde.

Ik was me na de begrafenis het liefst gaan bezatten, maar Gloria had een slaappil in me gepropt en me in bed gestopt alsof ik een baby was.

Dat is nu bijna twee maanden geleden. Het warme voorjaar was in de hete maand juli overgegaan en als de augustuszon Madrid binnenkort aan de kook zou brengen zou de stad snel leeglopen. Ik was bij Don Alfonso ingetrokken in zijn gemakkelijke, comfortabele villa in een dorpje buiten

Madrid. Daar, aan de voet van de bergen, genoot hij van zijn pensioen met het lezen over de geschiedenis van de Spaanse burgeroorlog en met het kweken van tomaten, orchideeën en andere bloemen. Ik kon op het laatst niet meer tegen de betuttelende bezorgdheid van Gloria en was verhuisd naar mijn schoonvader, die me een gevelkamer gaf met uitzicht op de hoogvlakte die aan de horizon plotseling overging in grijsgroene bergen. Ik zat er urenlang naar te kijken, denkend aan van alles en nog wat. Hij zorgde voor eten, maar liet me verder met rust.

Ik ging een paar keer met hem mee op expeditie in de omgeving. Hij bestudeerde de oude loopgraven uit 1937 en 1938, de tijd waarin Madrid belegerd was. Hij was toen nog maar een jongen, maar het inschakelen van kindsoldaten is echt niet alleen een Afrikaanse uitvinding. Aan beide zijden werd door kindsoldaten gevochten tijdens de bloedige, verbeten gevechten die het gevolg waren van Franco's aanval op de wettige republikeinse regering. We vonden oude wapens, restjes roestig prikkeldraad, kapotgeschoten helmen en andere overblijfselen uit die bloedige jaren van de Spaanse geschiedenis. Don Alfonso schreef alles op en tekende een kaart waarop hij nauwkeurig aangaf waar de loopgraven volgens hem liepen toen de fascisten probeerden Madrid in te nemen. Boven ons dreven grote passagiersvliegtuigen lui door de hemel, terwijl ze van en naar het vliegveld vlogen. Ze waren de tastbare bewijzen van de vooruitgang en van het nieuwe Spanje, waarin de burgeroorlog vergeten leek. De burgeroorlog van de jaren dertig die de ouverture vormde van de slachtpartij van de Tweede Wereldoorlog.

We zeiden niet zoveel tegen elkaar. We vonden een helling waarop we ons brood met wat kaas en ham van kleine boeren uit de buurt nuttigden. Don Alfonso dronk wijn. Ik kon mezelf er niet toe zetten om hem Juan of gewoon Alfonso te noemen. Het was een ouderwetse man en het was vanzelfsprekend dat ik hem met het eerbiedwaardige 'Don' aansprak. Ik dronk cola. Ik had nog steeds het gevoel dat ik mijn belofte aan Amelia moest nakomen. De meeste tijd brachten we zwijgend door tot ik hem vertelde dat ik de sprinkhanen kon horen in de glinsterende hoogvlaktehitte. Hij wilde graag dat ik dat zei. Dat was een van de dingen die hij miste. Het geluid van sjirpende sprinkhanen, de monotone melodie van de zomer. We spraken nooit over ons verlies. Er viel niets te zeggen. Het was gewoon te ondraaglijk. Don Alfonso zei dingen als: 'Zolang er een goed wijntje is, versgebakken brood en een goed stuk kaas, kan het nooit helemaal verkeerd aflopen.' Alsof hij Graham Greene, die hij waarschijnlijk nooit gelezen had, citeerde, maar dat zei ik niet tegen hem. Ik zei dan iets als: 'Ze sjirpen hard vandaag, de sprinkhanen.' Hij legde dan beide handen achter zijn oren en luisterde. Probeerde met zijn hand een trechter te vormen die, al was het maar voor één keertje, het hoge trillende geluid zou opvangen. Hij zag er ineens erg oud uit met zijn huid zo dun als perkament over de smalle jukbeenderen gespannen. Eigenlijk ouder dan tweeënzeventig. Eerder had hij er tien jaar jonger uitgezien dan hij was. Zijn keurige snorretje verzorgde hij erg goed en hij trok elke dag de schone kleren aan die zijn huishoudster voor hem klaarlegde. Dat was een weduwe van zestig uit het naburige dorp die elke ochtend kwam schoonmaken en wassen, die boodschappen deed en zijn eten klaarzette. De volheid van zijn lichaam verdween. Hij teerde elke dag een klein beetje verder in. Alsof hij langzaam voor mijn ogen werd weggeretoucheerd. Ik had de indruk dat hij mijn zwijgzame gezelschap waardeerde. De spaarzame zinnen die we spraken hingen zonder samenhang in de brandende middaghitte. Soms wees hij naar een ooievaarsnest en zei: 'Dat was er ook al tijdens de oorlog. Ik lag daarginds en schoot op de stad. De republikeinen hadden rode halsdoeken om. Dat was dom van ze, maar het waren anarchisten, dus het was een soort uniform voor ze. Hoewel ze eigenlijk tegen uniformen en sterren waren. Daarom konden de communisten ze niet uitstaan. Ze maakten elkaar af. Ze waren een makkelijk doelwit met die halsdoeken. Maar ik haatte ze niet.'

Het was een gesprek zonder inhoud. Alles wat we deden had maar één doel. De tijd doden. De langzaam verstrijkende seconden van onze levens om zien te krijgen zonder gek te worden.

Om dezelfde reden begon ik mieren te fotograferen. Verder nam ik geen foto's meer, niet van mensen in elk geval. Maar ik kocht nieuwe apparatuur en fotografeerde de grote mierenhoop achter in de tuin van mijn schoonvader. De goed onderhouden tuin was bijna vierduizend vierkante meter groot en lag een beetje tegen een helling aan. Er stonden cipressen, grote rode geraniums en twee kassen waarin mijn schoonvader zijn bloemen en tomaten koesterde. Het waren grote zwartrode mieren die van 's ochtends vroeg tot 's avonds laat werkten en vochten. Ik nam overzichtsfoto's van de hele mierenhoop, foto's van delen ervan en detailfoto's van de angstaanjagende beesten zelf. Ik bestudeerde ze nauwkeurig en was onder de indruk van hun organisatietalent. Hun wegen van en naar de mierenhoop deden me denken aan het constructiewerk van de Romeinse legionairs. De werkmieren waren net legionairs wanneer ze in marstempo de afvalstoffen van de mierenhoop wegvoerden en eten en bouwmaterialen mee terugnamen voor hun koningin. De tijd stond stil en verstreek toch terwijl ik ze urenlang bestudeerde. Het was hetzelfde gevoel van tijdloosheid dat ik als kind had gehad wanneer ik op de wc de terrazzovloer bestudeerde, die wemelde van de figuurtjes en vierkantjes. Ik deed alsof het een stad was die bewoond werd door kleine wezentjes die mij verslag deden van hun veroveringstochten en leven. De stenen vloer was niet langer een stenen vloer, maar een wereld, bevolkt door levende wezens die ik kon sturen maar ook weer niet, omdat ik mijn fantasie de vrije loop liet. Dezelfde dagdromen kwamen steeds terug wanneer ik nachts in de badkamer de foto's ontwikkelde en verschillende keren afdrukte. Het was alsof ik weer opnieuw begon. Ik had mijn Leica, en wat apparatuur, die ik elke nacht ergens in een badkamer opstelde. Het was zelfs bijna alsof ik weer kind was. Ik nam foto's die volstrekt nutteloos waren. Die geen ander doel hadden dan de tijd te doden.

Ik had een motor gekocht om me tussen Don Alfonso's huis en de stad te kunnen verplaatsen. In een café betaalde ik mijn koffie en ik reed samen met miljoenen anderen de stad uit. Het was een krachtige Honda 750, waarmee ik snel en onverantwoordelijk tussen de rijen auto's door scheurde. Oscar had iets gemompeld over onderdrukt doodsverlangen en daarin had hij misschien gelijk. Misschien was het niet eens zo onderdrukt. Ik reed hard en scherp, maar ik genoot ook van de wind die door mijn haar woei als ik de voorsteden achter me liet en door de bochten slingerde van de achteraf-weggetjes die naar het huis van mijn schoonvader voerden.

Zoals gewoonlijk werkte hij in de tuin. Ik kon zijn lichtgekleurde strohoed zien, terwijl hij tomatenscheuten afknipte en de planten water gaf. Ik pakte een blikje cola en voor hem een glas koude rosé en ging op het terras zitten. Het was erg warm en erg stil. In de verte klonk het gebrom van een vliegtuig dat draaide en de landing inzette. De cicaden zongen en in het weiland van de buren zag ik een ezel. Op het vliegveld na was het alsof de tijd, op slechts zo'n veertig kilometer van Madrid, had stilgestaan. Het was een klassieke Spaanse avond met de trillende hitte die langzaam werd opgezogen door het heldere, schitterende hemelgewelf en de lichtjes die in de schemering opdoken bij het bergmassief aan de horizon.

Hij ging zitten met een beleefd 'buenas tardes', nam zijn hoed af en wiste zijn bruine voorhoofd af. We zwegen, maar de stilte was vanzelfsprekend en nooit pijnlijk. Toen vertelde ik hem van mijn gesprek met Rodrígues. Hij luisterde zonder me te onderbreken. Vaak vergat ik dat de oude stille man een van de sluwe veiligheidsagenten van het Franco-regime was geweest en vele belangrijke contacten had gehad in heel Europa. Het kan wel zijn dat het Spanje van Franco officieel verafschuwd en geboycot werd door West-Europa, maar Franco was vooral een anticommunist en gaf de vs toestemming er vliegbases te vestigen hoewel het land niet eens lid van de NAVO was. Het Spanje van Franco was bevriend met de vs omdat Franco de vijand van de vijand was en de CIA werkte nauw samen met de Spaanse veiligheidsdiensten. Toen ik uitgesproken was, zweeg hij nog even en begon toen op zijn eigen bedachtzame manier te praten. Langzaam, zin voor zin, onderbroken door pauzes. Het was een man die alle tijd van de wereld had.

'Ja, Pedro, dat klinkt geloofwaardig. Maar ik heb in mijn leven geleerd dat het werk van een inlichtingendienst net een ijsberg is. Het grootste deel ervan ligt verborgen onder de oppervlakte. Informatie is een valuta die niet koersvast is. De waarde stijgt en daalt, en woorden bevatten zowel leugen als waarheid. De mens wil zijn eigen importantie bevestigd zien. Voelen dat hij iets betekent. Dat juist wat jij en ik te vertellen hebben beslissend is. Dat juist die inlichting van belang is. Mensen en organisaties hebben met elkaar gemeen dat ze graag oplossingen en verklaringen willen hebben. De vergelijking moet kloppen anders worden we onrustig.'

'Dus u gelooft het niet?'

'Het klinkt wel erg logisch en waarschijnlijk. De vingerafdrukken zijn van de ETA. Er worden nu eenmaal fouten gemaakt, maar het geheel wordt ook gekenmerkt door meedogenloosheid en dat is een kenmerkende eigenschap van het terrorisme. Het zou ook goed zijn voor jou en voor mij. Het zou ons iets meer zielenrust geven als er een verklaring was. Misschien zou onze wond genezen als het zinloze een onlogische, absurde verklaring zou krijgen. Dat er een reden zou zijn voor ons verlies. Misschien.'

We kwamen dicht bij het onuitgesprokene dat we normaal lieten rusten. Dus ik zweeg nog een poosje voordat ik zei: 'Ik ben van plan om naar San Sebastián te gaan.'

'Dat kan ik begrijpen. Het is misschien verstandig. Om te proberen iets te doen. Maar Rodrígues heeft gelijk: de staat schuwt geen enkel middel. Men zal alles op alles zetten om het kankergezwel uit onze samenleving weg te snijden.'

'Ik heb nog een paar contacten van vroeger.'

'Dat weet ik, Pedro. Maar de politie kent ze ook.'

'Tegenwoordig zijn ze legaal.'

'Maar toch', zei hij.

Hij wist waar ik het over had. In 1977, voordat de eerste vrije verkiezingen in veertig jaar werden gehouden, had de Spaanse regering volledige amnestie verleend aan alle ETA-leden die de wapens afzworen. De politieke gevangenen waren vrijgelaten en men kon met een schone lei verder. De meeste oud-ETA-leden hadden de wapens neergelegd en leidden nu een normaal, legaal leven in Baskenland dat zelfbestuur had gekregen onder de oude Baskische naam Euskadi. Maar een nieuwe generatie zet de gewapende strijd tegen de Spaanse staat voort en deze jonge Basken overtroffen de oude partizanen in meedogenloosheid.

Ik zei: 'Het zijn in de eerste plaats Basken. Ze hebben de wapens neergelegd, maar ze praten nog steeds liever niet met de politie. Ze willen geen verraders worden. Misschien willen ze met mij praten?'

'Misschien. Dan heb je iets te doen, Pedro. Ik begrijp het.'

'Ik zou graag uw hulp willen.'

'Dat snap ik.'

'Wilt u misschien eens informeren, navraag doen…'

'Laat me er even over nadenken. Ik ben een oude man.'

Hij nipte van zijn rosé. Ik stond op en ging naar binnen om ons avondeten klaar te maken. Het was al voorbereid. Ik hoefde het alleen maar af te maken. De villa was praktisch ingericht, maar spaarzaam gemeubileerd. Het enige wat er in overvloed was waren boeken. Het huis had twee verdiepingen en een open benedenverdieping met een grote vriendelijke keuken. De plavuizen vloer en de kale witte muren schiepen een koele sfeer. Boven waren vier kamers, waarvan ik er een gekregen had. In de woonkamer had Don Alfonso een foto van Amelia en María Luisa neergezet onder een afbeelding van de maagd Maria met het kindje Jezus op de arm. Die had ik twee jaar geleden op een zomerdag genomen in de tuin voor zijn geliefde tomatenplanten, die vol rijpe rode vruchten hingen. Ze lachten naar de camera en het licht stond als een krans om hun dunne zomerjurkjes. Het was een mooie en levenslustige foto en elke keer als ik ernaar keek, deed het pijn, maar Don Alfonso weigerde hem te verwijderen. Naast de ingelijste foto stonden twee kaarsen en ik wist dat hij deze aanstak als ik niet thuis was.

Ik maakte een salade van zijn zongerijpte tomaten en bakte een paar lamskoteletten in olie met knoflook en basilicum uit de tuin. Doña Carmen, zijn huishoudster, had ook vers brood gekocht. Ik zette alles op een dienblad, schonk een glas rode wijn in voor de oude man, pakte nog een blikje cola uit de koelkast en stalde het uit op de tafel op het terras. We aten zwijgend. We aten niet veel en ik weet ook niet meer of het ons goed smaakte, maar we moesten toch eten. Ik waste af, zette koffie en nam dat samen met zijn dagelijkse glaasje brandy mee naar buiten. Hij rookte zijn tweede sigaar van die dag. Het was nu helemaal donker. Een zachte, mooie duisternis die ons omhulde en alle geluiden om ons heen dempte, waardoor die van ver weg juist duidelijker klonken.

'Eens geloofde ik in het leven', zei hij. 'Ik dacht eigenlijk dat het zin had. Ik verloor mijn geloof in God in de loopgraven bij Madrid. Maar dat overkwam bijna iedereen. Ik kreeg mijn geloof terug toen Amelia werd geboren. Een mens kan niet in leegte leven. Een mens die niet kan bidden is een ongelukkig mens. Toen mijn lieve vrouw in het kraambed stierf, was ik ongelukkig, maar het was het noodlot, ik gaf God niet de schuld.'

Hij zweeg weer lange tijd voordat hij doorging.

'Deze eeuw is één lange misdaad. Maar nu vlak voor de volgende eeuw is er reden tot een zeker optimisme. Wanneer ik het gebod dat een mens niet ijdel mag zijn negeer, kan ik toch een zekere trots voelen namens mijn generatie. We hebben afgerekend met het nazisme. En met het communisme. Twee ideologieën die geboren zijn uit bloed en voortleefden in bloed. We hebben afgerekend met de ergste, levensbedreigende armoede in Europa. Mijn eigen land? Misschien geloof je me niet, maar tijdens al die jaren onder Franco dacht ik er voortdurend aan dat de niet-correcte middelen die we gebruikten als doel hadden van Spanje een beschaafd land te maken. Het land waarin ik meer dan zeventig jaar geleden ben geboren, was een arm, achtergebleven en geïsoleerd oord vol armoede en analfabeten, haat en wreedheden. De burgeroorlog kostte een miljoen mensen het leven. Wonden en littekens verdeelden het land veertig jaar lang. Die afschuwelijke haat. En het Spanje van vandaag? Kijk om je heen. We zijn een geciviliseerd, democratisch land. Dat doet me deugd. Het doet me deugd dat we weer een koning hebben die het land regeert. Het doet me deugd dat de jongere generaties dit allemaal vanzelfsprekend vinden. Dat was uiteindelijk het enige doel. Dat het vanzelfsprekend is dat we in vrede leven.'

Opnieuw een pauze en toen sprak hij zachtjes verder.

'Toen Amelia en María Luisa ons ontnomen werden, stierf God voor de tweede keer in mijn leven. Ik denk niet dat Hij weer tot leven zal komen. Maar ik hoop het, en aangezien ik Hem vervloek, geloof ik kennelijk dat Hij er is? Waarom een wezen vervloeken dat niet bestaat?'

Hij pauzeerde en in de warme nachtelijke stilte klonken zijn woorden als een echo van de gedachten die ik had gehad tijdens de begrafenis van Amelia en María Luisa. Don Alfonso sprak verder: 'Ik ga naar de mis, ik luister naar de welbekende woorden, ik sluit mijn ogen, ik vouw mijn handen en er gebeurt niets. Ik kan gewoon niet bidden. Mijn gebeden zijn net zo verdroogd als de tuin in augustus. Ik kan niet biechten. Mijn zonden zijn niet zo groot als Zijn onverschilligheid, dus waarom zou ik ze aan Hem opbiechten en Hem om vergiffenis vragen? Ik kan het laatste avondmaal daarom niet aannemen. Deze keer is Hij echt dood. Hij is net zo dood als mijn dochter en kleindochter. Toch zou ik zo graag geloven in de wederopstanding en het eeuwige leven, maar ik kan het niet.'

Zijn ogen glansden in het gelige licht dat vanuit de kamer zacht over het terras scheen. Ik had hem nog nooit zien huilen. Ik had hem eigenlijk nog nooit heftige gevoelens zien uiten, ze in elk geval nooit horen benoemen, hoewel ik ontelbare malen de gelukkige uitdrukking op zijn gezicht heb gezien als hij zijn kleindochter gadesloeg. Hij was een product van zijn tijd. Een formeel man, die geleefd had volgens de letter van de plicht. Ik legde mijn hand op de zijne en drukte deze stevig. Hij was droog en koel ondanks de avondhitte. We raakten elkaar normaal gesproken nooit aan en even dacht ik dat hij zijn hand zou terugtrekken, maar in plaats daarvan legde hij zijn andere hand op de mijne en omsloot deze. Hij huilde vast. Maar binnenin. Geluidloos en zonder tranen en zijn stem was rustig en weloverwogen zoals altijd toen hij zei: 'Ik zal je echt helpen, Pedro. Niet omdat ik denk dat het zin heeft. Ik heb niet eens behoefte aan wraak. Want wat heeft dat voor zin? Geloof ik misschien in rechtvaardigheid? Nauwelijks. Waarom dan? Om twee redenen. Omdat het de pijn kan verzachten die je voor mij en voor jezelf probeert te verbergen. Misschien heeft wraak een louterend effect op je. Of in ieder geval het zoeken naar wraak. Om te laten zien dat je iets doet. Ik doe het ook omdat ik het je verschuldigd ben. Als dank, te laat en ontoereikend, maar als dank omdat je mijn dochter de meest gelukkige jaren van haar leven hebt gegeven. En omdat je een oude man een paar jaar geluk hebt geschonken in de luister van zijn enige kleinkind.'

7

De volgende dag ging ik naar ons kantoor. Madrid kermde onder de hitte. Het asfalt kookte, het gebladerte van de bomen was stoffig en droog en de bloemen, die geen water mochten hebben van het stadsbestuur ook al beschikte de stad over genoeg water uit de bergen, lieten hun hoofdjes hangen, net als de paar toeristen die in de rij stonden te wachten voor het Prado. Het vibrerende witte licht glinsterde tussen de huizen en het trage, toeterende verkeer. De druppels van de fonteinen verdampten in regenboogstralen en bij de cafés, in de schaduw van de parasols, rinkelden ijsklontjes in drankjes en er hing een geprikkelde stemming. De steenmassa op de hoogvlakte bakte in de zon. De miljoenen bewoners van deze betonnen bult sleepten zich door de lange woestijndag, maar in de kantoren zorgde de airconditioning ervoor dat er in koele efficiëntie geld verdiend kon worden.

Ons kantoor lag aan de mondaine winkelstraat Paseo de la Castellana. Oscar en Gloria waren de eigenaars van het hele gebouw en bezetten het penthouse boven op het dak met dezelfde vanzelfsprekendheid als die waarmee ze elk gezelschap waarin ze zich bevonden domineerden. Op de verdieping eronder, die bestaan had uit kleine appartementen, hadden we alle muren laten afbreken, waarna we de ruimte in twee nieuwe kantoren hadden verdeeld. OSPE NEWS lag links van de lift. Gloria's advocatenpraktijk rechts. Daar rammelden en ratelden efficiënte jonge advocaten en hun secretaresses op hun computers, fluisterden ze in hun telefoons, stuurden ze e-mails en belangrijke faxen. De ademtocht van de moderne maatschappij. Ze waren hyena's en zielzorgers, sheriffs en gevangenbewaarders tegelijk. Advocaten waren overal bij betrokken en ieder telefoontje betekende meer geld op de bank.

Tijd was geld. Geld was God. Gloria's praktijk en OSPE NEWS waren om belastingtechnische redenen gescheiden maar in feite waren ze nauw met elkaar verbonden.

Gloria was succesvol. Jaarlijks had ze de vrije keus uit een nieuwe lichting getalenteerde advocaten die bereid waren een paar jaar lang zeventig uur per week te werken, om dan in het beste geval na deze jarenlange goedbetaalde slavenarbeid partner van Gloria te worden.

Als jong, beginnend advocate was Gloria beroemd geworden door het voeren van politieke rechtszaken in de tijd dat de dictatuur van Franco ten einde liep. Ze verdedigde socialisten, communisten, liberalen, vakbondsmensen, studentenactivisten en ETA- of GRAPO-terroristen. Ze vocht als een leeuwin in de rechtszaal en de media. De tv hield van de jonge, mooie, zwartogige advocate met haar weelderige haardos en intense betrokkenheid. Ze deed nog steeds af en toe een spectaculaire strafzaak zonder honorarium of voor het bescheiden bedrag dat de overheid een toegevoegd verdediger betaalde. Bij voorkeur zaken waarbij de verdachte arm en een vrouw was. Haar grote voorliefde ging uit naar vrouwen die een gewelddadige echtgenoot hadden vermoord om zichzelf en hun kinderen te beschermen. Vaak won ze deze zaken en bereikte ze dat de verdachte vrijgesproken werd of hooguit een erg lage straf kreeg. Haar zaken werden altijd uitvoerig besproken in de media. Ze nam ze aan omdat ze hield van het juridische gevecht in de rechtszaal met mannen die haar minderen waren en omdat ze op televisie wilde komen. Op die manier werd ze niet vergeten en door haar *exposure* trok ze cliënten aan zoals een pot stroop mieren aantrekt. Het geld stroomde ook binnen dankzij onroerendgoedzaken, copyrightvetes, schadevergoedingszaken en de verkoop van mijn foto's en die van anderen. Ik had een flink aandeel in ons bedrijf. We waren alledrie zo met elkaar verbonden dat we, ook al hadden we zo onze ups en downs, bijna gedwongen waren om bij elkaar te blijven in een soort eeuwig menage-à-trois, totdat de dood ons zou scheiden.

OSPE NEWS had acht vaste werknemers in Madrid om de praktische zaken af te handelen en een netwerk van freelancers over de hele wereld om foto's te leveren en te controleren of onze rechten werden gerespecteerd. Sinds een paar jaar maakten we ook video's. We hadden een succesvol facility-house ingericht op de benedenverdieping, waar we zowel techniek als personeel verhuurden aan rondreizende tv-reporters, maar we verdienden vooral geld aan de explosieve markt van de tv-reclame. Jonge, kortgeknipte mannen achter snelle montagecomputers manipuleerden met geluid, woord en beeld. Ze riepen een moderne variant van de sirenen in het leven: de lokkende, leugenachtige boodschap van de tv-reclame luidde dat het kopen van juist dat ene product geluk zou brengen.

We stonden bij het raam van Oscars grote kantoor dat ingericht was met moderne lichte Scandinavische meubels. Ik dronk cola. Oscar en Gloria dronken water. De droge koelte van de lucht stond in schril contrast met de roetige flikkerende hitte die buiten over de stad hing. Mijn kantoor lag tegenover dat van Oscar, met het kantooreiland van de secretaresses in het midden. Ik had een oud bureau, een nieuwe computer, een telefoon, een versleten Børge Mogensen-bank die ik gevonden had op de rommelmarkt Rastro in Madrid, en een oude 20-inch-tv van Spaanse makelij. Ik had geen twaalfpersoonsvergadertafel, geen nieuwe meubels, noch moderne Spaanse kunst aan de muur of een hightech bureaustoel voor een groot bureau en evenmin een Deense B&O-stereo-installatie zoals Oscar, als tastbaar bewijs van zijn succes. Voor het voorval, zoals ik het noemde, zat ik slechts sporadisch in mijn kantoor. Ik had er de voorkeur aan gegeven thuis te werken. De laatste paar maanden was ik er bijna helemaal niet geweest.

We waren welgesteld, ja, rijk zelfs. Ik luisterde maar met een half oor toen Oscar uiteenzette hoe goed en efficiënt onze zaken draaiden. Ze waren blij me weer te zien en hadden meteen hun secretaresses opdracht gegeven de vergaderingen van die ochtend te annuleren en de constante stroom telefoontjes af te houden, maar de lunchafspraken konden blijven staan. Ze wisten dat ik toch niet zo lang zou blijven. Zoals gewoonlijk vertroetelden ze me, omhelsden me en zeiden aardige dingen. Hun goedbedoelde bezorgdheid ergerde me. Ik had liever gehad dat ze weer de oude sarcastische, ironische toon hadden aangeslagen waarmee we elkaar met snelle replieken de loef afstaken, maar toch hield ik van ze. Op de een of andere manier waren ze familie van me. De enige die ik nu nog over had.

Ik sloeg mijn oude vrienden gade. We waren alledrie bijna een halve eeuw oud, maar dat was ons niet aan te zien. We waren gebruind, goedverzorgd en uiterlijk een en al arrogantie en zelfverzekerdheid. We hielden onszelf slank en in vorm. We stonden dichter bij het graf dan bij de wieg, maar dat zagen we alleen onder ogen tijdens nachtmerries. We gingen ervan uit dat we de man met de zeis zouden overwinnen zoals we tot dan toe bijna alles wat op ons pad was gekomen overwonnen hadden. Oscar droeg een van zijn lichte Armani-kostuums, Gloria een luchtige elegante zomerjurk die de bovenkant van haar boezem benadrukte en terloops haar kanten bh toonde en de fraaie sandalen aan haar voeten showden haar roodgelakte nagels. Ik droeg een T-shirt en een spijkerbroek die net zo veel kostten als het maandloon van een landarbeider. Ik was nonchalant gekleed, maar voor kwaliteit moet je nu eenmaal betalen en dat was niet alleen te zien aan mijn handgemaakte laarzen maar ook aan mijn dure T-shirt.

We hadden veel bereikt, wij oude linkse oproerkraaiers die elkaar jaren terug in deze stad hadden leren kennen. We waren arm en idealistisch geweest. We hadden in de toekomst geloofd. In onze jeugdige onkwetsbaarheid hadden we alles zwart-wit gezien. Dáár waren de anderen. En hier waren wij. We hoorden bij de generatie die een nieuwe wereld wilde bouwen op de ruïnes van de oude. De eerste stappen naar een socialistische, democratische republiek werden genomen toen de oude verdroogde caudillo wegkwijnde in zijn ziekbed. Wanneer zijn we veranderd? Niet op een bepaalde dag. Niet plotseling, maar beetje bij beetje was het leven anders geworden en waren we niet langer in de twintig, maar in de dertig en konden we alleen verlegen en maf grijnzen wanneer we met Bob Dylan zeiden dat we niemand van boven de dertig vertrouwden. Het was gewoon absurd om nog steeds te beweren dat we ons tegen het establishment verzetten nu we zelf deel uitmaakten van de elite van de moderne samenleving. De advocaat die leefde van onrechtvaardigheden, belastingontduikers, ondoorzichtige wetten, de cryptische paragrafen van het moderne leven, de jungle van de op vele manieren te interpreteren EU-bepalingen – en dan de fotograaf die voor wat amusement bij de koffie zorgde met zijn onthullende foto's van de misstappen die rijkelui en beroemdheden begingen. De fotograaf die ervoor zorgde dat er altijd nieuwe schandalen en tragedies waren, maar ook gelukkige liefdesrelaties om zich over te verheugen.

We waren geslaagd en welgesteld, maar waren we gelukkiger dan toen we jong waren? Een belachelijke vraag. Jong zijn betekent dat je geen verantwoordelijkheid voelt en ook geen angst voor de dood. We waren gelukkiger omdat we nog niets te verliezen hadden. Pas toen we leerden dat verlies pijn doet, ontdekten we dat we niet onsterfelijk waren. Toen we beseften dat we op een dag zouden sterven, verloren we onze onschuld en werd het leven nooit meer hetzelfde.

Ze vonden het een slecht idee dat ik naar Baskenland zou vertrekken. Ze vonden het een slecht idee dat ik privé-detective ging spelen.

'Dat wil ik ook helemaal niet', zei ik. 'Ik moet er alleen even uit. Ik ga gewoon wat met Tomás en een paar andere oude bekenden praten, een poosje in het huis zitten. Dan heb ik het gevoel dat ik iets te doen heb.'

Ik was niet meer in het zomerhuis van Amelia en mij even buiten San Sebastián geweest. De man van de boerderij ernaast hield een oogje in het zeil. Ik was nog steeds bang om het huis terug te zien. De brand had in onze flat effectief alle fysieke sporen van mijn familieleden uitgewist, maar in het zomerhuis waren nog kleren, foto's, speelgoed, boeken, schriftjes, geuren – fysieke en psychische herinneringen.

'Ik heb wel een beter klusje voor je', zei Oscar. 'Ik heb een tip gekregen dat Charles een romantisch weekend heeft gepland met dat paardenhoofd Parker – maar ook met de kinderen. Zie je het voor je? Die arme kinderen samen met de boze fee en de kille prins. De foto die je daar kunt maken zal de wereld veroveren. Je zult wel goed moeten plannen om er dichtbij te komen, maar dat is jou wel toevertrouwd. Dan kun je eens lekker je zinnen verzetten. Dan kun je eens doorgaan met je leven. Dan kun je…'

Hij stopte. Dat deed hij normaal nooit. Misschien kon hij aan mijn gezicht zien dat hij zich op gevaarlijk terrein begaf. Ik antwoordde niet. Gloria zond hem een van haar veelbetekenende blikken en lachte lief naar mij.

'Misschien is het toch wel een goed idee, Peter', zei ze. 'Je vliegt zeker?'

Ze was een meester in het doen van dubbelzinnige uitspraken. Wat was er nu een goed idee? Dat van Oscar of dat van mij? Ik gaf de voorkeur aan het laatste.

'Nee, ik ga met de motor', zei ik.

'Ik haat dat gevaarlijke ding. En je zet niet eens een helm op.'

'Je bent te oud om easy rider te spelen', zei Oscar.

'Ik gooi mijn horloge niet weg, maar verder lijkt het er

aardig op. Ik heb niets meer. Ik sta er eigenlijk net zo voor als toen we elkaar leerden kennen. Geen materiële bezittingen. Een rugzak met kleren, één camera. Een heleboel herinneringen.'

Oscar lachte.

'Ouwe gek', zei hij. 'Er is een heel groot verschil. Je hebt drie of vier verschillende creditcards, behoorlijk wat geld op de bank en een aanzienlijk aandeel in een bijzonder winstgevende onderneming die je deelt met twee goede oude vrienden. Je bent gewoon een ouwe luxehippie. Het is echt niet te vergelijken met toen we elkaar voor het eerst ontmoetten en jij en ik niet meer dan een duro op zak hadden. Toen wisten we niet waar we de volgende maaltijd vandaan moesten halen en dat kon ons nog geen biet schelen ook.'

Dat was de Oscar van vroeger weer. Ik kon het niet laten te lachen. Gloria keek even alsof ze vond dat hij te ver ging, maar hij zei het op zo'n ontwapenend charmante manier dat ik wel om mezelf, hem en ons moest lachen. Zijn brede gezicht en hoge voorhoofd hadden rimpels gekregen, maar je kon makkelijk de jongen herkennen in deze volwassen man. Dat was altijd al een van zijn sterke kanten geweest. Die gave van hem om met woorden, lichaamstaal en een brede lach de sfeer te bepalen. Wat hij eigenlijk bedoelde, het onuitgesprokene, moest je tussen de regels door lezen. Zoals de ijsberg in het proza van Hemingway.

'Oké, oké', zei ik. 'Ik moet er gewoon uit.'

'En Don Alfonso?' zei Gloria.

'We helpen elkaar.'

'Dat kunnen jullie beter aan de regering overlaten. Ze kammen de stad uit. Ze geven heus niet op. De staat legt zich niet neer bij terrorisme', zei Gloria.

Haar gezicht was glad op een paar charmante kraaienpootjes bij haar ogen na. Ze was een grote vrouw en had altijd goed haar best gedaan om haar voluptueuze figuur onder controle te houden. In het fitnesscentrum en bij de meest competente plastische chirurgen. Grote ingrepen waren tot nu toe niet nodig geweest. Alleen maar een paar kleine correcties in haar gezicht en aan haar borsten om het onrechtvaardige verouderingsproces te stoppen.

Het ochtendnieuws op radio, tv en in de kranten werd overheerst door het bericht dat het om een ETA-aanslag ging. En dat die misdadige Basken het weer hadden gedaan. Bijna dagelijks kon de pers verslag doen van een moord op een of andere onschuldige politicus, maar dit was wel erg gewelddadig. De ergste aanslag in lange tijd. De Madrilenen steunden geïrriteerd. Nu hadden ze niet alleen last van de hitte, maar ook weer van wegversperringen, controles, opsporingen, speurhonden en waarschuwingen. Maar ik kende ze goed genoeg om te weten dat ze deze kwestie over een paar dagen weer vergeten zouden zijn. Ik had die ochtend al verschillende journalisten aan de lijn gehad. Ik was liever de jager dan het opgejaagde wild. Dagelijks belden weekbladen en talkshows naar mijn secretaresse, die ze stoïcijns afwees. Ze wilden me ook al interviewen in merkwaardige programma's over rouwverwerking. Hebben fotografen een morele verantwoordelijkheid? Is God een deel van je dagelijks leven? Wil je dat de doodstraf weer wordt ingevoerd voor terroristen? Wat vond ik het beste boek van het jaar? Mijn mening was interessant omdat ik interessant was. Ik had geleden. Ik was een mediafiguur. De eeuwig malende molen van de amusementsindustrie draaide op oppervlakkige meningsuitingen.

Ik zei op alles nee.

'Ze hebben de verantwoordelijkheid niet opgeëist. Dat doen ze anders altijd', zei ik.

'Niet als ze een vreselijke vergissing gemaakt hebben.'

'Ik ga met Tomás praten. En een paar van de anderen. Jullie kennen ze toch! Grote kans dat we het alleen maar over vroeger zullen hebben', zei ik.

'Neem dan in elk geval dit ding mee. Je moet een beetje in de moderne wereld blijven leven', zei Oscar. Hij overhandigde me mijn mobiele telefoon en de oplader. Ik had hem niet meer gebruikt sinds de politie hem had geconfisqueerd. Oscar had hem kennelijk mee naar zijn kantoor genomen. Ik pakte hem aarzelend aan.

'We willen je kunnen bereiken', zei Gloria. 'We houden van je, Peter.'

Ze werden weer sentimenteel. Ik toetste mijn pincode in, de telefoon kwam tot leven en piepte nijdig. Natuurlijk waren er veel ingesproken berichten. Ik ging zitten en luisterde ze af. Een paar waren van informanten, een paar van zakenrelaties en van verre vrienden die me condoleerden en eentje van Clara Hoffmann. Daarna was het antwoordapparaat vol. Haar beschaafde, goedgemoduleerde stem in het ongewone Deens kwam goed door. De zachte achtergrondgeluiden zouden heel goed van de Plaza Santa Ana kunnen komen als ze vanaf het balkon van Hotel Victoria had gebeld en ik probeerde me haar voor de geest te halen zoals ze die dag in Cervecería Alemana was geweest.

Ze zei: 'Peter Lime. Ik vind het zo erg wat er gebeurd is. Ik voel met u mee en ik wil u hierbij mijn oprechte deelneming betuigen, maar wat betekenen woorden nu op zo'n moment? Ik vertrek vandaag naar Denemarken. Ik zal u niet langer plagen met mijn gevraag, maar ik ben genoodzaakt u te zeggen dat we nog steeds geïnteresseerd zijn in de vrouw en de man van de foto. Als u op de een of andere manier – wanneer de tijd rijp is natuurlijk – contact met mij kunt opnemen, bel me dan in Kopenhagen. Anders probeer ik het misschien een keer. Nogmaals: Ik vind het heel erg voor u. Meer dan woorden kunnen uitdrukken.'

Ze gaf me twee telefoonnummers en gewoontegetrouw gebaarde ik met mijn arm in de lucht om een pen en schreef ze

140

op een papiertje dat ik in mijn zak stopte. Daarna wiste ik ook haar bericht.

'Wat was dat?' vroeg Gloria. Ik moet afwezig gekeken hebben.

'Een zaak die ik vergeten was. Het was een vrouw van de Deense inlichtingendienst die al contact met me opgenomen had voor, ja, je weet wel waarvoor. Het ging over een foto van vroeger.'

'O, die', zei Oscar.

'Waar hebben jullie het over?' zei Gloria.

'Nergens over. Laat maar zitten', zei ik.

'Die is zeker verbrand, net als de rest', zei Oscar.

'Of hij ligt in mijn koffer', zei ik.

Ze keken me aan.

'Welke koffer?', zei Gloria.

'Niks', zei ik. 'Vergeet het maar.'

Gloria werd nu zakelijk, ze zette haar advocatenstem op met die geslepen, spitse toon waarvan haar mannelijke tegenstanders in de rechtszaal altijd buikpijn kregen.

'Heb je negatieven en foto's die het hebben overleefd? Want als dat zo is, wil ik dat als jouw advocaat graag weten. We zijn met een fiks schadevergoedingsproces bezig tegen jouw verzekeringsmaatschappij. We gaan ervan uit dat je de basis van je werk, je hele kapitaal bent kwijtgeraakt en dat dat gecompenseerd moet worden. Ik ga niet voor de rechtbank jouw zaak staan bepleiten, Peter, als de tegenpartij plotseling waardevolle foto's kan laten zien. De zaak berust op het feit dat alles, en dan bedoel ik ook alles, verloren is gegaan tijdens de brand. Dus waar heb je het over?'

Oscars secretaresse stak haar hoofd om de hoek van de deur.

'Londen', zei ze alleen maar. Oscar keek me lang aan en verliet het kantoor.

'Nou, Lime?' zei Gloria.

141

'Ik heb de afgelopen jaren een paar negatieven en foto's apart bewaard.'

'Waarom?'

'Dat weet ik niet. Sommige mensen houden een dagboek bij. Mijn dagboek bestaat uit foto's. Anderen verzamelen postzegels. Ik verzamel momenten.'

'Wat zijn het voor foto's?'

'Professionele, privé, belangrijke, onbeduidende, lelijke, mooie. Mijn foto's.'

'Lime's foto's, hè? Het negatief van Jacqueline Kennedy bijvoorbeeld?' zei ze.

'Bijvoorbeeld.'

'Dat kan ik niet maken bij de rechtbank. Alleen dat is al een miljoen waard. Waar zijn ze? Ik wil ze laten taxeren.'

'Dat is uitgesloten.'

'Peter!'

'Vergeet het nou maar! Het stelt niets voor.'

'Waar zijn ze?'

'Dat doet er niet toe, zeg ik toch!'

'Je maakt het me moeilijk, Peter.'

'Laat de zaak dan rusten.'

'Onder geen beding. We maken een grote kans om die arrogante kerels van die gierige verzekeringsmaatschappij te grazen te nemen.'

Het ging haar om de strijd. Het gevecht op zich. Ze werd niet zozeer gedreven door het geld als wel door het verlangen die arrogante kerels eens flink een lesje te leren. Ik zei niets en er viel een ongemakkelijke stilte, iets wat anders nooit voorkwam tussen ons. Tabak biedt altijd uitkomst, dus we staken alle twee een sigaret op, bliezen de rook langs elkaar heen en lieten elkaars ogen los zonder dat het al te opvallend was, maar Oscar voelde de spanning toen hij het kantoor weer binnenstapte.

'Zo, zo', zei hij. 'Welke dominee is hier in mijn afwezigheid voorbijgegaan?'

'Doet er niet toe. Dat vertel ik je later wel', zei Gloria. 'Vertrek, Peter. We praten erover als je weer thuiskomt. Er gebeurt toch niets voor oktober. Ga op reis met dat helse ding van je. Reken af met de pijn.'

Oscar wilde kennelijk nog iets zeggen, maar Gloria's ogen weerhielden hem daarvan. Gewoontegetrouw stelden ze voor dat we met ons drieën zouden gaan lunchen, ze hadden een plekje in hun agenda vrijgemaakt, maar ik maakte het ze makkelijk. Van mij mochten ze naar een Amerikaans geïnspireerde powerlunch of naar een minnaar of minnares. Ik reed in de middaghitte naar de Deense ambassade om mijn nieuwe pas te halen en toen naar huis om Don Alfonso gedag te zeggen. Madrid voelde ineens aan als een dwangbuis die me dreigde te pletten. De huizen helden over de overvolle straten heen alsof ze spoedig zouden omvallen. Het leken net vlammende grafstenen en ze werden zwart voor mijn ogen.

Gloria en Oscar hadden me, vrolijk pratend over hun vakantieplannen, uitgelaten. Die vreselijke maand augustus stond voor de deur. Gloria wilde naar haar geliefde Londen. Oscar wilde een paar weken golfen in het koele Ierland en zou zich daarna bij Gloria in Londen voegen. Ik beloofde halverwege hun vakantie te komen. Plicht en plezier. Want als we toch in Londen waren, konden we net zo goed onze Britse afdeling even checken. Ook daar liepen de zaken goed, het bedrijf spon tevreden als een kat die de melk afroomde. Zo was het met alles waar Gloria en Oscar hun handen oplegden. Ik had het gevoel dat ze terugverlangden naar hun goede ouwe Peter Lime en dat ze wilden dat het ongeluk nooit gebeurd was, maar aangezien het wel gebeurd was, kon het maar beter vergeten worden. Het leven kon niet teruggespoeld worden. Het was live en spijt hebben was zinloos, dat hadden we toch altijd gevonden. In elk geval ooit.

Don Alfonso was niet thuis. Er lag een handgeschreven briefje van hem. Hij was naar de stad gegaan en wilde een paar dagen in een hotel verblijven om onze zaak te bestuderen, schreef hij en hij wenste me een goede reis. Naast het briefje stond een van zijn mooiste orchideeën in een klein blauw vaasje. Ik wist wat hij hiermee bedoelde, hij wist dat een bezoekje aan het kerkhof mij geen troost schonk, maar op deze manier zette hij me aan om ze toch gedag te zeggen.

Ik vergat vaak te eten, maar Doña Carmen had een salade met serrano-ham klaargezet, die ik op de veranda in de schaduw opat, terwijl ik naar de trillende hitte boven de bergen keek. Ik voelde me zoals gewoonlijk leeg en ongelukkig en miste mijn vrouw en kind met een heftigheid die ik niet voor mogelijk had gehouden en die fysiek pijn deed. Ik miste ze voortdurend. Dag en nacht. Met regelmatige tussenpozen stak het monster zijn kop op met een kracht die zo pijnlijk was dat ik vreesde mijn verstand te zullen verliezen.

Ik zette koffie, pakte een rugzak in met reservekleren en bond die op de motor. De sprinkhanen sjirpten en de trillende lucht was als een afspiegeling van het zoemende gespin. Het rook naar stof en de bloeiende tomaten van Don Alfonso. In de hitte steeg een milde koelte op uit zijn tuin, die hij vast voor zijn vertrek nog besproeid had. Ik sloot het huis af, zwaaide mijn been over de Honda en reed langzaam naar het kerkhof, met de orchidee tussen mijn benen op de tank.

De witte kruisen en de hoge marmeren grafstenen kleurden rood in het avondzonnetje. We hadden een eenvoudige steen uitgezocht met hun namen en belangrijke jaartallen erop: hun geboorte- en overlijdensdatums. Meer niet. Don Alfonso's orchidee stond rechts. Ik zette de mijne links van de zijne, rustte even op een knie en ik verlangde er hevig naar om te kunnen bidden of huilen, maar er gebeurde niets. Er waren geen stemmen, er was geen God en geen openbaring, geen verklaring en geen innerlijke gesprekken met de achterblijvers. Er was alleen maar een knagend schuldgevoel en een smeulende, irrationele woede die tegen hen gericht was omdat ze weggegaan waren en mij eenzaam en alleen hadden achtergelaten. De woede had gericht moeten zijn op hun moordenaars, maar die dag voelde ik het niet zo.

Ik volgde het verkeer rond Madrid en gaf gas zodra ik op de oude weg naar het noorden kwam. Die nam ik liever dan de snelweg. Ik kende hem op mijn duimpje. Ik had deze weg al honderden keren gereden. Eind jaren zeventig, toen ik als reportagefotograaf naar de grote demonstraties voor Baskisch zelfbestuur ging, en later, als ik met Amelia en María Luisa naar ons zomerhuisje bij San Sebastián ging.

De avond viel en links van me ging de zon onder in een rode vloed die over de bergen kwam aankruipen en die als opkomend water over de hoogvlakte gleed. Zoals gewoonlijk was het een betoverende en vreemde ervaring om een grote Spaanse stad te verlaten en het platteland binnen te rijden. Midden in Madrid dreigde je weleens te vergeten dat Spanje een groot leeg land is, met aan de verre horizon bergen, golvende heuvels en door de zon geteisterde velden. Er was steeds minder verkeer op de weg. Het waren hoofdzakelijk kleinere auto's en walmende oude vrachtwagens die geen tol wilden betalen voor de snelweg, maar de Honda slingerde in zachte bochten om hen heen. De zon ging onder en ik voelde de steeds aangenamer wordende koelte in mijn gezicht, terwijl het zachte avondrood overging in dieprode vlammen die me het gevoel gaven dat ik door een zee van bloed reed.

8

Ik reed door de lichte, zwoele duisternis en stopte alleen om te tanken. 's Nachts rijden is reizen in stilte met alleen het monotone geronk van de motor in je oren, en bij verlaten benzinestations de eenzaamheid delen met bleke jongemannen die je over de bar zwijgend een bekertje koffie aanreiken. Als je niet zo in beslag was genomen door je eigen ellendige leven, zou je tal van verhalen kunnen lezen in de eenlettergrepige antwoorden die ze geven op bestellingen als 'één koffie, één mineraalwater en achttien liter super'. Ze stonden daar in de eenzaamheid van de nacht omdat ze gescheiden waren, geen ander werk konden krijgen, niet konden slapen, aan liefdesverdriet leden. Maar eigenlijk dacht ik niet aan ze. Ik reed alleen maar. Ik groeide aan mijn Honda vast. Hij snorde tussen mijn benen, eerst begonnen mijn billen te slapen en daarna deden ze pijn. Toen de heldere sterrenhemel na middernacht de warmte van de aarde begon op te zuigen, zette ik mijn helm op. Het enige gezelschap dat ik had waren de walmende vrachtwagens, een enkele verdwaalde toerist die noordwaarts jakkerde met een snorkel en handdoeken voor de achterruit en verder een paar andere eenzame reizigers die, om God mag weten wat voor reden, de gratis oude weg hadden gekozen in plaats van de anonieme, verlaten, efficiënte snelweg. Ik was oververmoeid en daardoor erg wakker. Ik vond het eigenlijk erg jammer toen ik twintig kilometer voor San Sebastián de weg moest verlaten, om vervolgens door de ruime bochten van de bergen omhoog naar het kleine toevluchtsoord van Amelia en mij te slingeren. De reis, de beweging was het belangrijkste. Het doel was eigenlijk een teleurstelling.

Het huis lag in de ochtendnevel alsof we het een week geleden nog vaarwel gezegd hadden. De bergen in de verte welfden als massieve olifantenruggen in de heldere ochtendschemering. Ons huis lag weliswaar op een heuvelrug maar de groene hellingen deden meer denken aan een Oostenrijkse bergweide. Het was een oud huis, gebouwd van zwerfstenen, dat ooit eigendom was geweest van een middelgrote schapenboer die ten onder was gegaan in de moderne tijd. Ik had het begin jaren tachtig gekocht in een vlaag van verliefdheid, maar er nooit iets aan gedaan. Toen Amelia het huis voor het eerst zag, en ik er nog niet helemaal zeker van was of ze ook van me hield, was ze er meteen helemaal weg van. Ze kwam uit de stad en hield daarom van het platteland. Ik kwam van het platteland en hield van de anonimiteit en het ritme van de grote stad.

Ze liet de grote rechthoekige buitenmuren van grijs-beige Baskisch graniet staan en brak binnenin bijna alles af, alleen het oude fornuis mocht blijven. Toen bouwde ze het van binnen weer helemaal op en schiep een warm huis met de ouderwetse keuken als natuurlijk middelpunt en met genoeg kamers om wel twintig mensen te herbergen. Er werd stromend water, elektriciteit en verwarming aangelegd en alles was uitgevoerd in rustieke, natuurlijke materialen. Oscar zei dat het een huis was dat alle Madrileense architecten zouden willen showen in *Hola* of een ander tijdschrift. Wij hadden het er naar onze zin. We hadden het samen opgebouwd. Het lag hoog en door het dal kon je de Golf van Biskaje zien, terwijl de achterliggende bergen voor beschutting zorgden als de wind uit die richting kwam. Het huis had twee verdiepingen en een grote kelder voor wijn en kaas, maar als we met ons drieën waren gebruikten we alleen de benedenverdieping en woonden we min of meer in de keuken. Het grote zwarte vertrouwde fornuis verspreidde zijn warmte in de koude Baskische winter of in de verraderlijke zomer waarin de warmte van de zon soms gesmoord werd in een koude mist die ontstond als de wind zeedamp van de Atlantische oceaan mee-voerde.

Ik was doodmoe toen ik de laatste paar honderd meter naar het huis reed, waarbij het grind onnatuurlijk luid onder mijn banden knarste. Het buurhuis lag een paar kilometer verder tegen de berg op. Het werd bewoond door Arregui, een Baskische schapenboer. In strijd met alle eu-bepalingen en -verordeningen en alle rationalisaties hield hij nog steeds schapen, maakte hij kaas van de melk en rookte hij bouten die hij verkocht met genoeg winst om ervan te kunnen leven. Hij zou meer verdienen als hij er gewoon de brui aan gaf en zijn huis zou verhuren aan toeristen, maar schapen waren zijn lust en zijn leven, nu al zestig jaar lang. Dat gold ook voor de Baskische zaak en voor alle twee zou hij zijn leven geven. Als jongetje van tien was hij begonnen als herder en in datzelfde jaar was een oom van hem doodgeschoten tijdens een confrontatie met de Guardia Civil. Bij hem gingen scha-pen en nationalisme hand in hand. Ik stuurde hem iedere maand een enveloppe met geld omdat hij op ons huis paste, voor droog brandhout zorgde en inbrekers weerde. Hij wilde er eigenlijk niets voor hebben, maar toen ik zei dat ik het van de belasting kon aftrekken en dat ik daarmee de Spaanse staat een paar centen afpikte, accepteerde hij het geld. Hij dacht dat het mij niets, maar de Castilianen des te meer kostte en dus was hij tevreden. Hij was katholiek, conservatief, een fel aanhanger van het Baskisch nationalisme en hij sprak liever geen Spaans. Maar omdat ik een buitenlander was en hij voor Amelia viel en later ook meteen voor María Luisa, accep-teerde hij dat we nooit Baskisch zouden leren. Hij was een anachronisme in het moderne Europa, een dinosaurus die ondanks zijn leeftijd nog zwerfkeien tilde, boomstammen kliefde en tijdens de jaarlijkse zomerwedstrijden pelota speelde met blote vuisten. Zijn oudste zoon was in 1972 tij-dens het regime van Franco door wurging ter dood gebracht.

Zijn tweede zoon Tomás, die mijn vriend was geworden, wachtte drie jaar in de dodencel tot hij in 1977 amnestie kreeg. Zijn dochter, zijn jongste kind, zat levenslang uit in een gevangenis ten zuiden van Sevilla, veroordeeld wegens de moord op een kapitein van de Guardia Civil vijf jaar geleden. Arregui vond dat hij goede Baskische kinderen had voortgebracht die hem tot eer strekten. Het vraagstuk van de Basken was nog steeds een onoplosbaar probleem.

Ik parkeerde de motor en stapte af met stijve benen en een kont die in brand stond. Ongeveer net zoals de opkomende zon die tevoorschijn kroop op deze vochtige, in mist gehulde ochtend. Het enige geluid dat te horen was in het toenemende ochtendlicht, waarin de mist als een grauwe lappendeken over de gehooide bergweiden lag, was het klikkende gesis van de motor die begon af te koelen. De sleutel lag als altijd onder de kruik bij de achterdeur en ik deed de deur van het slot. Het huis was nog warm van de hitte van overdag. De hitte kon de Baskische bergen als een deken bedekken. Het was er doodstil, maar ik voelde dat ik Amelia en María Luisa kon ruiken. Op de tafel in de keuken lag een breiwerkje. Alsof Amelia alleen maar even naar boven was of naar Arregui. In een hoek stond María Luisa's poppenhuis en op de tafel bij de open haard lag een stapel kinderboeken. Ik zag hun regenkleren en favoriete paraplu's en de eeuwkalender waarop Amelia verjaardagen en andere vaste feestdagen had genoteerd. Op de koelkast waren ansichtkaarten, boodschappenbriefjes, een tekening van María Luisa en een foto van haar beste vriendin uit Madrid vastgezet met magneetjes. Magneetjes in de vorm van speelgoeddiertjes uit een sprookje. We hadden ze de afgelopen zomer samen in een kiosk in San Sebastián gekocht.

Ik ging weer naar buiten, haalde mijn slaapzak van de motor en rolde hem uit op de houten veranda die we rondom het huis hadden laten bouwen. Ik viel meteen in slaap met een gevoel van gemis. Mijn hoofd vol zwart asfalt en motor-geraas dat me deed denken aan een motorzaag in een ter dood veroordeeld bos.

Ik ontwaakte midden in een nare droom. Amelia en ik lagen als zilveren lepeltjes in een foedraal toen haar zachte, warme huid langzaam veranderde in een vloeibaar skelet, maar ik kon mezelf er niet toe bewegen haar los te laten, ook al was ik met afgrijzen vervuld.

Arregui zat op zijn hurken voor me. Naast hem zat een van zijn grote, pluizige honden. De andere paste op de kudde, die op de helling aan het grazen was. Ik hoorde de bel van de ram klingelen. Arregui had een breed, bijna vierkant gezicht vol kleine rimpeltjes. Zijn huid was bruin als leer en zijn korte haar was wit en dik. Zijn ogen waren bijna helemaal zwart net als zijn tanden die verkleurd waren door de shag die hij de hele dag rookte.

'Hola Pedro', zei hij met zijn diepe, krakende stem.

'Buenos dias, Arregui', zei ik en ging overeind zitten. Ik was nog steeds in de war door de droom.

'Er zitten geen geesten in het huis', zei hij.

'Misschien.'

'De doden doen geen kwaad. Ik heb een nacht in het huis gewaakt. Hun zielen hebben godzijdank rust gevonden.'

'Misschien.'

'Kom, we gaan koffiedrinken', zei hij en ging naar binnen. Ik hoorde hoe hij het fornuis aanstak. We hadden wel een waterkoker, maar hij was een ouderwetse man. De hond kwam bij me, ik kriebelde hem afwezig achter zijn oren en ik zag hoe de zon opkwam boven de bergen in de verte en een warm gouden licht wierp op de zwarte en witte schapen die vredig graasden. De dauw glinsterde op het chroom van de Honda en parelde op de grassprieten.

Hij kwam naar buiten met twee grote mokken koffie met suiker en warme melk en brood met zijn eigen schapenkaas.

We aten terwijl hij wat praatte over zijn beesten en het weer dat nooit was zoals hij het zich wenste. Zijn geklets werkte kalmerend en bracht mijn getergde zenuwen tot rust. Ik vroeg naar zijn zoon Tomás en zijn gevangen dochter. Ze leefden, zo zei hij, het leven dat God voor hen bestemd had. Zijn zoon had zijn strijd gestreden en hij begreep dat hij niet meer wilde strijden. Zijn dochter was gewoon een van de vele martelaren die voor een vrij Euskadi hadden gevochten. Ik had nooit met hem gediscussieerd over deze kwestie en was niet van plan dat nu te gaan doen. Beide kinderen, zei hij, waren gezond en als hij maar geduld had en als God het wilde dan zou hij ze ooit weer bij zich hebben. Hij zei waardig gedag en pakte de rugzak die hij op de veranda had gezet. Daar zat brood, wijn en kaas in en ik ging ervan uit dat hij hoger op de berg ergens zou blijven slapen, dat deed hij wel vaker als hij zijn schapen en honden naar het hogergelegen malse gras bracht. Hij floot naar de honden en was weg. Ik bleef zitten en zag ze als kleine stipjes tegen de groene berghelling verdwijnen. De bergen werden steeds hoger en eindigden in de grote bergmassieven van de Pyreneeën.

Toen verbrandde ik alles wat me aan Amelia en María Luisa deed denken in de tuin. Hun kleren, foto's, de eeuwkalender, het breiwerk, het speelgoed, de pop, de foto van het vriendinnetje. Ik kon hun geur en de herinneringen niet verbranden, maar ik kon het niet verdragen in een huis te moeten slapen met zoveel tastbare herinneringen. Wat Arregui zei interesseerde me niet. Hij had geen gelijk. Er waren wel geesten in het huis.

Ik reed naar San Sebastián om Tomás te ontmoeten. Toen ik in een rustig tempo de slingerende weg afreed, dook de stad aan de baai van La Concha steeds op, om daarna weer uit zicht te verdwijnen. Het was een warme dag en de boulevard en het strand waren vol mensen. Ik hield veel van deze mooie witte stad. Door het terrorisme verkeerde Baskenland in een economische crisis, maar in San Sebastián zag je daar niets van. De mensen gingen goed gekleed en de cafés en restaurants in de binnenstad werden druk bezocht. De Basken hielden van eten. De zee heeft veel te bieden en de Baskische keuken is een mengeling van de Franse en de Spaanse.

Tomás was er nog niet dus ik at staande aan de bar wat tapas en dronk een cola. Er waren stukjes inktvis, garnalen met ei, sardientjes en ham op pasgebakken stukjes brood. Ik stond in een hoek vlak bij de open deur en zag Tomás al voordat hij mij in de gaten kreeg. Hij was maar iets jonger dan ik, maar de tijd was mild voor hem geweest. Hij zei altijd dat het kwam doordat het gezond was om in de gevangenis te zitten. Daar kreeg je veel beweging, vetarm eten en geen alcohol. Hij had het brede gezicht van zijn vader, maar zijn lichaam was slank en zijn handen waren fijn en lang. Zijn kortgeknipte dikke haar was hier en daar een beetje grijs en door zijn subtiele titaniumbril leek hij een keurige welgestelde bankemployé hoewel hij zijn brood verdiende met het maken van computersoftware voor financieringsmaatschappijen en grotere bedrijven. Hetzelfde stel hersens dat van hem in de jaren zeventig een meesterlijke organisator binnen de ETA had gemaakt, verschafte hem nu een goed inkomen als probleemanalist. Ik had hem voor het eerst ontmoet in 1972, een paar jaar voordat hij wegens terroristische activiteiten gevangen werd genomen en later ter dood veroordeeld door het Franco-regime. We hadden elkaar hier in San Sebastián toevallig op straat ontmoet en het had meteen geklikt. Hij was een goede bron, maar pas toen ik over zijn arrestatie las, besefte ik hoezeer hij bij de ETA betrokken was. Ik had hem verschillende keren in de gevangenis opgezocht en hem later geholpen toen hij samen met de andere politieke gevangenen werd vrijgelaten.

Vanaf die tijd waren we vrienden. Hij had mijn ups en downs meegemaakt. Zodra hij me zag, brak zijn brede gezicht open in een lach en we omhelsden elkaar stevig. Daarna gingen we achter in de zaak zitten lunchen.

Ik dronk cola. Tomás dronk wijn en terwijl ik alleen maar wat in mijn eten prikte, at hij met smaak. Eerst een flinke salade en daarna merluza a la vasca – heek in een fijne, gekruide saus met groente. We praatten over van alles en nog wat en meden het bekende onderwerp zo lang mogelijk. Daar hadden we het een tijd geleden al uitgebreid over gehad door de telefoon. Hij begreep mijn verdriet, ook al was hij zelf vrijgezel. Hij had veel dierbaren verloren tijdens het verzet. Maar hij had de juiste keus gemaakt toen hij besloot de wapens neer te leggen en een nieuw leven te beginnen. Ik wist dat hij de nieuwe generatie ETA-activisten verachtte, maar hij was een Bask in hart en nieren en dus zou hij ze nooit veroordelen of aangeven. Hij vond hun politiek en methoden verkeerd. Maar het waren in de eerste plaats landgenoten en daarna pas terroristen. Ik wist dat hij, ook al was hij lange tijd niet meer actief, nog wel contacten en bronnen had. Je kon hem vertrouwen. Ik wist dat hij, om tot een oplossing te komen, ingezet was geweest als een officieuze, geheime bemiddelaar tussen de oude socialistische regering en de ETA. Hij had de situatie verkend en de eerste contacten gelegd. In ruil voor een wapenstilstand zouden de gevangen ETA-leden vanuit Andalusië en andere verre streken naar gevangenissen in Baskenland overgeplaatst worden. Daarna zou er toegewerkt worden naar een vredesovereenkomst met de mogelijkheid voor gedeeltelijke amnestie. De nieuwe conservatieve regering wilde echter onder geen beding onderhandelen met terroristen. Het geweld was weer opgelaaid. De eeuwige negatieve spiraal van het geweld. Maar in Noord-Ierland waren ze op de goede weg, zei Tomás, daar zouden ze misschien tot een oplossing komen. Hij koesterde niet veel hoop, maar als de Ieren het konden, waarom de Basken dan niet?

De koffie werd geserveerd.

'Tomás. Waren zij het? Was het een verschrikkelijke vergissing?' vroeg ik.

Hij frummelde aan het stoffen servet, terwijl ik rookte. Hij was, net als zo vele anderen, lang geleden gestopt met roken, maar in plaats daarvan was hij een frummelaar geworden.

'Zij waren het niet, Peter', zei hij. 'Zij waren het niet. Ik wil niet zeggen dat ze zoiets niet zouden doen, maar ze waren het niet. Ze wisten niet dat de verraadster in dat huis woonde.'

'Wie dan?'

'Ik weet het niet. Ik begrijp het niet. Zie geen enkel verband.'

'Waarom hebben ze de verantwoordelijkheid dan niet ontkend? Waarom hebben ze niet gezegd dat zij het niet waren?'

Hij keek weg en nam een slok van zijn café solo, ook al zat er alleen nog maar een beetje drab onder in het kopje. Toen sprak hij zacht, maar met woede in zijn stem, een woede die tegen hemzelf gericht was, voelde ik.

'De kern van het terrorisme is het creëren van angst. Ze krijgen een incident cadeau dat de angst weer aanwakkert. Waarom zouden ze daar geen gebruik van maken? Verder is er afgerekend met een verrader. Anderen zullen zich wel twee keer bedenken nu ze gezien hebben hoe ver de wrekende arm reikt. In de tijd van Franco gebruikten we geen terreur. We hadden het gemunt op militairen die de politie onderdrukten, op de hoogste bestuurders. We waren soldaten in een smerige oorlog. Maar we waren soldaten, geen moordenaars van onschuldige burgers.'

Nooit eerder had ik hem in moreel opzicht afstand zien nemen van zijn opvolgers. Er zat een kern van waarheid in zijn woorden. In 1968 begon de ETA geweld te gebruiken – de zogenaamde gewapende strijd – toen hij een jaar of zeventien à achttien was. Als cowboys die over de Rio Grande vluchtten, zochten zij na hun acties hun toevlucht in Frankrijk. Evenals andere Europese landen, beschouwde Frankrijk ze als vrijheidsstrijders die voor een rechtvaardige zaak vochten: het omverwerpen van de dictatuur van Franco.

'Ik moet er een zin aan geven. Ik moet het uitzoeken', zei ik.

'Dat begrijp ik. Maar misschien zit de staat erachter. Misschien was het een poging de foto's van de minister te elimineren. Misschien was het gewoon een wraakactie. Dat hebben ze wel eerder gedaan tijdens de vuile oorlog. En toen was er een socialistische regering aan de macht! Heb je er ook aan gedacht dat het de Spanjaarden goed uitkomt om te zeggen dat de ETA het gedaan heeft? Dat ligt voor de hand, want de ETA voert weer allerlei acties uit. Misschien is de ETA alleen maar een rookgordijn. Hoe zeggen ze dat in het Engels... *a red herring.*'

De sociaal-democratische regering uit die tijd stuurde doodseskaders naar Frans en Spaans Baskenland om vermeende ETA-leden te liquideren. Ze werden zonder enige vorm van proces geëxecuteerd. Uit geweld komt geweld voort. De zaak wordt momenteel behandeld door de rechtbank die tot nu toe tevergeefs heeft geprobeerd erachter te komen wie er uit de Spaanse regeringen van de jaren tachtig van deze doodseskaders heeft geweten.

'Ik wil het graag uit hun mond horen', zei ik. 'Dat ze het niet gedaan hebben.'

Hij zweeg.

'Dat is erg riskant, Peter. Riskant voor mij, voor jou, voor hen. Ze zitten op alle fronten in het nauw. Ze zijn verdeeld, bang, nerveus, agressief.'

'Ik wil het graag uit hun mond horen.'

Hij dacht na. Toen nam hij een besluit en vertrok. Ik bleef zitten, bestelde nog een koffie en betaalde de rekening. Na twintig minuten kwam hij terug. Ik wist niet waarvandaan hij getelefoneerd had of wat hij precies gedaan had en ik peinsde er niet over het te vragen.

Hij ging zitten. Hij zweette alsof hij te hard gelopen had in de middaghitte, maar het zou ook van de zenuwen kunnen zijn. Hoewel hij nu een vrij en gehoorzaam burger was moest hij er rekening mee houden dat de inlichtingen- en veiligheidsdiensten hem de rest van zijn leven in de gaten zouden houden. Wie weet kreeg hij een terugslag of was zijn legale bestaan slechts een façade. Hij moest ook altijd op zijn hoede zijn voor de andere partij, dat die hem er niet van zou verdenken dat hij dubbelspel speelde en dus eigenlijk een verrader was, waarmee hij vervolgens zijn eigen doodvonnis zou tekenen. Welbeschouwd leidde hij het pijnlijke, zenuwslopende en gestreste leven van een dubbelagent. Als hij niet oppaste werd hij nog bang voor zijn eigen schaduw.

'Op het bankje. De parkeergarage onder Londres, 20.00 uur. Zorg dat je de avondeditie van *Diario Vasco* bij je hebt', zei hij zacht en gespannen.

'Dank je, Tomás', zei ik alleen maar. 'Ik sta bij je in het krijt.'

'Vrienden staan nooit bij elkaar in het krijt', zei hij. Maar ik kon aan hem zien dat ik onze vriendschap hiermee zeer onder druk had gezet. Verder kon hij echt niet gaan. Misschien was het toch een vreselijke vergissing geweest en misschien had hij een slecht geweten. Misschien deed hij het voor María Luisa. En voor Amelia. Of omdat we elkaar al zo veel jaren kenden. Of omdat hij begreep dat het een onderdeel van mijn rouwtherapie was. We namen een beetje koeltjes afscheid met een stevige handdruk. Bij een fotowinkel met traliewerk ervoor zag ik hem om de hoek verdwijnen. De straat was verlaten vanwege de siësta.

Ik zwierf een paar uur door de stad. Het lopen deed me goed. De op elkaar lijkende smalle straatjes in de binnenstad stroomden na vijf uur langzaam vol mensen. De rolluiken voor de winkels schoten ratelend omhoog alsof er iemand castagnetten speelde. De boulevard bij het park voor het gemeentehuis gonsde na de siësta van de mensen en het verkeer brulde er weer flink op los. Ik kocht een exemplaar van de krant *Diario Vasco* en ging om kwart voor acht op het bankje zitten voor de voetgangersingang van de ondergrondse parkeergarage. Rechts voor me lag het gemeentehuis en links Hotel Londres, waar ik vroeger vaak overnacht had op kosten van de een of andere krant. Op de Monte Urgull troonde een Christusfiguur. Het was eb en het grauwgele strand lag droog. Er waren mensen in het water. Jongemannen zwommen naar een houten vlot dat verankerd lag in de baai die zijn naam te danken had aan zijn mosselvorm. Het houten vlot deed me aan Hemingway denken. Andere jongelui tekenden een voetbalveld in het zand en speelden onder luid geroep tot de zon onderging in een orgie van rood en de duisternis verder spelen onmogelijk maakte. Het strand liep leeg en werd steeds smaller door het opkomende water.

Een jonge moeder met haar kindje in een buggy ging naast me zitten. Het was een milde, zwoele avond en ze hield het kind een ijslollie voor, waar het verrukt aan likte. Ze babbelde in het Baskisch tegen het kind. Het kind schudde met zijn handjes en sloeg naar een mutsje dat op zijn buikje lag. Ik boog voorover, pakte het mutsje en gaf het aan de jonge moeder. Alleen haar mond lachte. Haar ogen waren bruin en keken een beetje angstig.

'Dank u. Loop naar de haven als ik weg ben', zei ze in het Spaans, draaide haar hoofd en hield het blije kindje het ijsje weer voor.

Mijn hart ging tekeer. Ze bleef rustig zitten wachten tot het kind het ijsje op had, maar ik zag dat haar handen licht trilden toen ze het mondje van het kind met een papieren servetje afveegde. Toen stond ze op en liep met de buggy in de richting van de kruising bij Hotel Londres. Ik bleef nog vijf minuten zitten, een toerist als zovele en liep toen langzaam in de richting van de kleine vissershaven waar de blauwe kotters aangemeerd lagen onder de grijze stenen muur die aan het centrum grensde. Ik probeerde niet om me heen te kijken, maar mijn handpalmen waren klam.

Ook in de haven waren veel mensen aan het wandelen. Ik ging bij het bolwerk staan en keek naar de brede kotters. Naast me dook een jongeman op. Hij keek naar me en ik volgde hem op een paar meter afstand. Ik begreep waarom we, net als andere wandelaars op deze avond, doelloos een poosje door het centrum van San Sebastián slenterden. Anderen zouden kijken of ik niet gevolgd werd. We liepen terug naar de haven. Uit een kroeg kwam harde rockmuziek. De jongeman ging er naar binnen. In zijn plaats stapte een andere jongeman in dezelfde kleren, spijkerbroek en een overhemd met korte mouwen op me af, hij greep mijn arm stevig beet en wees op een witte BMW die met draaiende motor halt hield langs het trottoir. Ik ging achterin zitten en de auto reed rustig weg.

Er zaten twee mannen in de auto. Ondanks de nachtelijke duisternis droegen ze donkere zonnebrillen en baseballpetten en ze keken niet om. We reden weer wat doelloos rond, net als zoveel andere jongemannen dat deden in hun glimmende auto's. De moderne gemotoriseerde uitgave van de Spaanse *paseo*, de pantoffelparade. Zien en gezien worden, dat was waar het om draaide. We maakten een rondje langs de boulevards, reden de kaap op en weer af en vervolgens reden we naar de arbeiderswijk Rentería. Hier hield het mondaine San Sebastián op. Kale muren van huurkazernes in het licht van de koplampen, uitgebrande auto's doken op langs de kant van de weg als modernistische sculpturen en ik zag dunne menselijke schaduwen tussen het afval en het puin in elkaar duiken. Drugsverslaafden en drugshoertjes gingen op pad in de donkere nacht. Ook hier kon de ETA zich veilig voelen.

Niet omdat de mensen in Rentería de jonge felle terroristen zo geweldig vonden, maar alleen omdat ze de politie en andere autoriteiten nog meer haatten.

De BMW draaide een verlaten bouwplaats op. Twee grote ratten renden over de puinhopen van wat eens ook zo'n armzalige huurkazerne was geweest voor de Andalusische arbeiders die hier onder Franco naartoe waren getrokken om te profiteren van het Spaanse economische wonder. Ergens in een hoek lagen een oud fornuis en een roestige koelkast, zag ik in het schijnsel van de koplampen. De lantaarnpalen in de buurt waren al eeuwen geleden kapotgegooid.

'Eruit, Lime!' zei de chauffeur.

Ik stapte uit en de BMW reed onhoorbaar weg. Mijn hart bonsde enorm. Ik hoorde vlakbij de auto's op de uitvalsweg die als een oplichtend litteken door dit stadsgedeelte sneed. Ik had het gevoel dat er iemand in de ruïne was. Zonder de lichten van de BMW was het pikkedonker, dus het was vooral een gevoel. De adrenaline joeg door mijn lichaam, ik ademde een paar keer diep in, balde mijn vuisten en nam een vechthouding aan. Klaar om tot actie over te gaan, zoals ik dat geleerd had op de karateschool in Madrid.

Maar ze kwamen niet uit de ruïne. Er kwam een andere auto het terrein op draaien die een paar meter van me vandaan stopte. Dus ik stond met mijn rug naar de ruïne. Het was een zwarte Seat en er stapten twee mannen achter uit de auto, terwijl de chauffeur bleef zitten. De motor draaide en het licht verblindde me, maar dat was ook de bedoeling. Ze stonden naast de auto zodat ze er snel weer in konden komen. Ik werd belicht en kon alleen hun silhouet zien. Het waren stevige jonge kerels met donkere jacks aan. Ze hadden de kraag omhooggeslagen en de pet diep over de ogen getrokken.

'We hebben weinig tijd, Peter Lime', zei een van de jongemannen.

159

'Waarom hebben jullie mijn gezin vermoord?' zei ik hees en deed een stap naar voren. Mijn mond en gehemelte waren droog.

'Blijf staan, Lime', zei dezelfde man.

'Waarom?'

'Wij hebben het niet gedaan. We snappen dat je dat uit onze eigen mond wil horen. Je hoort het. Ik zweer je, op de aarde van Euskadi en het bloed van de martelaren, dat we er niets mee te maken hebben. We wisten niet eens dat die smerige hoer, die verraadster daar woonde. Wij hebben het niet gedaan.'

Ik wist niet wat ik moest zeggen. Ik twijfelde geen seconde aan hun identiteit. Ze ademden gevaar en wanhoop uit en dat Tomás mij zou bedriegen was totaal uitgesloten. Kennelijk was het voor hen ook belangrijk om vast te stellen dat zij niet achter de aanslag stonden. Ze wilden het mij vertellen – misschien omdat ze Tomás iets verschuldigd waren.

'Bedankt voor de informatie', zei ik mat.

De een stapte weer achter in de auto, maar de ander bleef staan en zei: 'Als je erachter komt wie het gedaan heeft, dan kunnen we je misschien helpen met wraak nemen, wat je zo te zien graag wilt.'

'Waarom zouden jullie mij helpen?'

'Omdat je ooit een van ons hebt geholpen.'

'Dat is lang geleden.'

'We vergeten nooit, Peter Lime. Denk daaraan. We vergeten nooit.'

Hij nam weer plaats in de auto en nog voordat hij het portier had dichtgeslagen, liet de chauffeur de koppeling los en gaf zoveel gas dat gruis en zand in een straal omhoog spoten. Het was weer volkomen donker en ik zag niets. Ik raakte in paniek en rende hijgend het bouwterrein af, sloeg een zijstraat in en kwam uit op een hoofdweg. Ik geloof niet dat er iemand achter me aan zat, maar uit angst bleef ik rennen tot ik bij een goedverlichte weg kwam. Daar kwam ik op adem. Voor me lagen de gouden lichten van San Sebastián, ik begon langzaam te lopen en keek steeds even achterom om op tijd een vrije taxi te signaleren, die me weer naar mijn motor kon brengen.

Ik liet me afzetten bij Hotel Londres, waar ik mijn Honda had geparkeerd. Langzaam reed ik naar huis. Ik was dood-moe en mijn hoofd zat vol tegenstrijdige gedachten en gevoelens. Ik had dit antwoord eigenlijk wel verwacht, maar misschien had ik toch gehoopt dat ze de schuld op zich zouden nemen, zodat ik mijn woede op een duidelijk doel had kunnen richten.

Het huis lag er donker en stil bij. Het rook nog zwakjes naar het gedoofde vuur. Ik wendde mijn blik af en haalde de voordeursleutel tevoorschijn. Ik liet mezelf binnen. Hij moet zich in een hoekje vlak bij de deur verscholen hebben, toen hij de motor hoorde aankomen, want hij sloeg me precies in mijn nek met een ploertendoder. Er volgde een explosie van licht.

9

Toen ik weer bijkwam, zat ik op een van onze keukenstoelen met de smalle rugleuningen. Ze hadden hem tegen het lage tussenmuurtje in de keuken gezet en mijn handen strak op mijn rug gebonden. Ik had pijn in mijn nek, maar het was draaglijk. De dader kende het effect van zijn ploertendoder. Hij had niet te hard en niet te zacht geslagen, maar wel krachtig genoeg om me buiten bewustzijn te slaan zonder me een schedelbasisfractuur te bezorgen. Het waren professionals en van pure angst begon mijn hart onregelmatig te kloppen. De drie mannen waren eind dertig. Ze waren niet gemaskerd en dat beangstigde me nog meer. Twee waren van gemiddelde lengte en compact als een rugbyspeler. Nummer drie was langer en forser. Ze droegen spijkerbroeken en overhemden zonder stropdas. Twee hadden korte open leren jacks aan, de grootste was in hemdsmouwen. Hij hield de ploertendoder vast, een kleine dikke worst van rubber, en sloeg er bijna liefkozend mee tegen zijn handpalm. Hij had een smal, sluw gezicht onder een hoog wijkend voorhoofd vol acnelittekens. De twee anderen stonden tegenover me, een beetje links van onze eettafel. De een had een dunne snor en achterovergekamd, vettig haar, de ander had blond stekeltjeshaar, waarschijnlijk volgens de laatste mode geknipt. Het verbaasde me dat ze Engels met een duidelijk Iers accent spraken.

'Well, mate. Welkom in het rijk der levenden', zei de grote man met de ploertendoder. 'Laten we eens even gezellig een babbeltje maken. Sorry, dat ik me niet eerst heb voorgesteld, maar we kennen die Japanse trucjes van je, dus het leek ons beter je eerst even netjes neer te zetten. Vóór ons babbeltje, wel te verstaan. Hè, mate? Je moet er altijd even lekker voor gaan zitten als je een goed, vriendschappelijk gesprek wilt voeren, nietwaar?'

'Drie clowns in mijn huis', zei ik.

Ze reageerden snel. Snorremans deed drie stappen, ging achter me staan en trok hard aan mijn ijdele paardenstaartje zodat mijn hoofd naar achteren klapte. De stekelkop gaf me twee goedgemikte stompen tegen mijn lever, mijn lichaam werd een en al pijn en het duizelde me opnieuw.

'Well, well, well, Mr. Lime. Mr. fucking funny name Peter Harry Lime of the movies', zei de grote met de ploertendoder. 'Brutale fratsen midden in de nacht kun je beter laten.'

'Wat doet de IRA in Euskadi?' vroeg ik, toen ik weer kon ademhalen. Uiterlijk leek ik vast tamelijk onbewogen, maar ik was doodsbang.

'We hebben veel gemeen met onze Baskische kameraden', zei de ploertendoder. 'Het zijn goede nationalisten en marxisten. Ze worden net als wij onderdrukt en zitten ook vastgeklonken aan zo'n vervloekte koning die ze niet erkennen. Het zijn net als wij in de eerste plaats nationalisten en in de tweede plaats marxisten. Ze dienen net als wij een rechtvaardige zaak in een onrechtvaardige wereld.'

De IRA en de ETA hebben altijd al samengewerkt. Ik wist van hun samenwerking op het gebied van wapenleveranties en de inkoop van het Tsjecho-Slowaakse semtex. De IRA kon altijd op Amerikaanse sympathisanten rekenen als het om geld en wapens ging. De ETA kon wapens van de IRA kopen met het geld dat ze onder andere binnenhaalden door vergoedingen te eisen voor persoonlijke bescherming, wat ze dan vast en zeker belasting ten bate van de revolutie noemden, maar het kwam op hetzelfde neer. Ik begreep waarom Tomás zo zenuwachtig was geweest. Vriendschap was één ding. De kwestie waar het om draaide kennelijk een ander. Als hij tenminste niet voor de keus had gestaan, verraad of de dood. Ik zag geen enkel verband. Ik begreep gewoon niet wat hun bedoeling was. Als ze me niet wilden dwingen tot spionage, hadden ze me net zo goed meteen kunnen liquideren. Een kogel door mijn mond kunnen schieten en me op een parkeerplaats langs de weg kunnen neergooien. Dan hadden ze nóg een duidelijk signaal afgegeven.

Zo kon het natuurlijk nog wel aflopen. Misschien waren ze niet gemaskerd omdat ze ervan uitgingen dat ik het niet zou overleven en hun signalement dus toch nooit zou kunnen geven.

'Fuck off', zei ik en spande mijn spieren, maar desondanks deed het afschuwelijk pijn toen de stekelkop me eerst tegen mijn kaak ramde, zodat er een tand begon te bloeden, en me daarna hard en weloverwogen in mijn zij sloeg.

'Mr. Lime', zei de ploertendoder opnieuw. 'Dit heeft geen zin. Ik weet wel dat je een keiharde bent, maar dit heeft geen zin. We kunnen eindeloos doorgaan.'

'Ik weet niet wat jullie willen', zei ik hees.

'Mr. Lime. Neem me niet kwalijk. Dat was ik totaal vergeten. Wat we willen? We willen graag weten waar u de koffer verstopt heeft waar een paar foto's in zitten die we liever in ons eigen fotoalbum plakken.'

'Ik heb geen idee waar je het over hebt', zei ik en ik spande nogmaals al mijn spieren, maar het hielp natuurlijk weer niets.

Toen ik weer bijkwam, proefde ik bloed, deden mijn zij en buik zeer en had ik het gevoel dat ze een rib verbogen hadden. Mijn ene oor was opgezwollen en mijn lippen en een wenkbrauw waren kapot. Eerst dacht ik dat mijn T-shirt doorweekt was van het bloed, maar het was gewoon water dat ze over me heen hadden gegooid toen ik het bewustzijn verloor. Er dansten lichtjes voor mijn ogen en ik was misselijk als gevolg van een lichte hersenschudding. De ploertendoder was aan de tafel gaan zitten en ze hadden mij met stoel en al aangeschoven. Ik voelde dat de twee anderen achter me stonden. De kleinste hield me overeind. Mijn armen waren losgemaakt, maar ze waren bijna gevoelloos en mijn ellebogen prikten. Ze hadden me waarschijnlijk omgegooid. Ik legde mijn slapende armen op tafel. Mijn enkels waren nog aan de stoel vastgebonden. Maar mijn blik was vooral gericht op de fles whisky en de twee waterglazen die voor de man stonden die ik in mijn hoofd de ploertendoder of de grote Ier was gaan noemen. Hij schonk een centiliter of vier, vijf in voor zichzelf en vulde het andere glas tot aan de rand. De gouden, bruine drank bewoog bijna wellustig in het licht. De geur van mout en turf riep een mengeling van prachtige herinneringen en afschuwelijke nachtmerries in me op.

'Kom, zullen we vrienden worden, Mr. Lime? Zullen we een borrel drinken?' zei de ploertendoder. Hij lachte, maar zijn vreemde kleurloze ogen in zijn pokdalige gezicht waren volkomen dood.

'Nee', zei ik.

'Jawel, Mr. Lime. Vrienden onder elkaar drinken altijd een borrel.'

'Ik drink niet', zei ik.

'In Ierland is het erg onbeleefd, ja bijna beledigend om nee te zeggen als een vriend je iets te drinken aanbiedt. Dan ben je gewoon een slappeling. Alleen nichten en slappelingen houden niet van borrels. Echte mannen willen hun whisky zoals ze hun vrouwen willen – puur. Neem toch een glaasje, Mr. Lime!'

'Ik drink niet', zei ik en ik veegde het volle glas van de tafel. Het vocht stroomde over het bruine hout en het glas spatte op de stenen vloer in duizend stukjes uiteen. Ik verwachtte dat ze er weer op los zouden slaan, maar ze deden het niet. Hij schudde alleen maar zijn vreemde smalle gezicht dat in geen verhouding stond tot zijn grote lijf. Hij kwam overeind, pakte een nieuw glas en vulde dit half. De stekelkop greep mijn armen en trok ze op mijn rug zodat ik muurvast zat. Nummer twee trok met zijn ene hand mijn hoofd aan die vervloekte paardenstaart van me achterover en greep met de andere mijn neus beet, terwijl de ploertendoder langzaam, als in slowmotion, met het glas in zijn hand opstond. Hij kwam dichterbij, het glas werd groter en groter en ik hapte naar adem. Ten slotte vulde het glas met de klotsende, gouden, verleidelijke vloeistof mijn hele gezichtsveld. Ik rook de eikenhouten vaten, de mout en het turf. Het was een goede Ierse malt. Het was verleidelijk en afschuwelijk tegelijk. Hij goot een slok in mijn keel. Het smaakte als vuur en ik moest bijna overgeven maar hij wachtte geduldig tot ik weer op adem was gekomen en sneed toen weer pijnlijk met de rand van het glas in mijn kapotgeslagen lippen. Het meeste stroomde over mijn kin, maar het beetje dat ik naar binnen kreeg had meteen effect. Toen de druppels sterke drank zich een weg baanden naar mijn longen, kreeg ik hevige hoestaanvallen, maar desondanks was het onmogelijk om niet te slikken. Het was alsof iedere cel van mijn lichaam jubelde en huilde en zich als een dorstige bloem opende en de alcohol in zich opzoog. In mijn hersenen ontstond een wit, mooi licht en de pijn in mijn lichaam werd verzacht alsof ik een dosis morfine had gekregen.

Ik had al bijna acht jaar geen drank aangeraakt. Daarvoor had ik twintig jaar lang stevig gedronken. Meestal had ik mezelf wel onder controle gehad, maar er waren toch heel wat periodes uit mijn geheugen gewist omdat ik soms dagenlang in een alcoholroes had verkeerd. In het begin tolereerde Amelia dat, hoewel ze zich de eerste keer dat ze me zo zag lam was geschrokken. Na de geboorte van María Luisa stelde ze me voor de keus. Zij beiden of de fles. Ze hield van me maar wilde geen getuige zijn van mijn langzame dood en zelfdestructie, en wilde evenmin dat onze dochter dat zou meemaken. Oscar en Gloria hebben nooit een woord vuil gemaakt aan mijn probleem. We leefden in een alcoholcultuur, maar ze stonden achter Amelia. Voor het eerst las ik op hun gezicht hoe ze mij zagen. Het lijkt zo makkelijk om over die tijd te schrijven maar het was een hel. Het was een van de moeilijkste beslissingen uit mijn leven om naar de Anonieme Alcoholisten te gaan. Tijdens de eerste bijeenkomst bewoog ik me met onwerkelijke stappen tussen de rijen stoelen door naar het spreekgestoelte en zei tegen de aanwezigen: 'Goedenavond, ik ben Peter. Ik ben alcoholist.' Het werd een zware tijd, maar als ik naar Amelia en María Luisa keek was het welbeschouwd een makkelijke keus. De karateschool was mijn fysieke redding geweest. De sessies bij de AA vooral een belangrijke steun. Door mezelf fysiek tot het uiterste te dwingen, hield ik de duivel op afstand. Maar ik kon nooit meer een café voorbijlopen zonder de lokkende roep te horen, alsof een sirene mij geluk en vreugde beloofde als ik haar zou volgen, mee naar binnen zou gaan en me aan haar zou overgeven. Eén keertje maar. Eén glaasje maar. Dan dacht ik echter aan mijn twee wondertjes en mettertijd werd het eenvoudiger. Sinds hun dood was de verleiding vaak erg groot geweest maar op de een of andere manier leek mijn belofte aan Amelia, nu ze er niet meer was, nog zwaarder te wegen en meer te betekenen.

Hij zette het lege glas voor me neer en schonk weer in. Hij knikte, ze lieten mijn armen en mijn neus los.

'Laten we samen drinken, Mr. Lime. Als echte mannen', zei de grote Ier met zijn speciale, bijna komische accent.

Ik veegde het glas op de grond en het viel met veel lawaai kapot, terwijl de wonderlijke geur van whisky de keuken vulde.

Maar het betekende alleen maar uitstel van executie. Hij haalde een nieuw glas en de procedure werd herhaald. Ze wisten nog een paar slokken naar binnen te krijgen. Mijn lichaam begon te ontspannen. Na de derde keer merkte ik dat ik vrijwillig begon te slikken. De pure alcohol, waaraan ik niet meer gewend was, brandde in mijn keel en maag. Mijn lichaam was het niet vergeten. Mijn lichaam accepteerde de alcohol als een onverwacht geschenk. Het steeg me snel naar het hoofd, ik voelde me licht en zweverig. De welbekende, aangename doezeligheid en ontspanning die ik lang had moeten missen stroomden meteen door mijn lichaam alsof ik gisteren nog *una copa* in een café besteld had. Het was niet de smaak, hoe herkenbaar ook, maar de werking ervan. Alsof er een aangename handschoen over mijn lichaam en ziel gleed die warmte verschafte op een koude winterdag. Alsof je thuiskwam na een lange, gevaarlijke reis. Het voelde zo angstaanjagend vertrouwd en prettig.

De ploertendoder haalde nog een glas. De andere lagen samen met de kapotgegooide fles, die ik kort daarvoor had weten te raken, in een plas whisky op de grond. Mijn keel en neusgaten brandden en mijn verwondingen deden pijn. Mijn hoofd gonsde en ik was duizelig. In de tijd dat ik veel dronk, kon ik onbeperkte hoeveelheden alcohol verdragen maar nu voelde ik me als een jongen van vijftien die zijn eerste pilsje drinkt. Hij haalde een nieuwe fles, schonk mijn glas weer vol en knikte. Ze lieten mijn armen los en ik tilde ongecoördineerd mijn rechterarm op om het glas weer van tafel te maaien, maar mijn arm had een eigen wil gekregen. Alsof hij me niet meer toebehoorde. Ik was een toeschouwer en zag hoe mijn hand naar het glas ging. Ik eiste van mijn hand dat hij zou uithalen en het glas zou wegvegen, maar in plaats daarvan pakte hij het beet, tilde het langzaam op en bracht het op een bijna sensuele manier naar mijn mond. Toen goot hij een slokje naar binnen, dat als een zacht vliesje op mijn tong bleef liggen en toen als een tedere maar toch stevige liefkozing door mijn slokdarm naar mijn maag en via mijn bloed verder naar mijn bewustzijn gleed, als gedragen door een mooi stil riviertje op een zwoele zomerdag. Ik kreeg tranen in mijn ogen, maar dat kwam niet langer door de whisky. Het waren de tranen van zelfverachting. Ik zag er belabberd uit: een gezicht en T-shirt vol snot, bloed, tranen en whisky. Ik nam nog een slok, leegde het glas en zette het hard op tafel.

'Klootzakken', zei ik. 'Smerige klootzakken!'

'Proost, Mr. Lime. Gezellig, hè, om samen met een vriend te drinken!' zei de grote Ier. Hij leegde zijn glas en schonk ons allebei nog eens in met zo'n triomfantelijke, verachtelijke uitdrukking op zijn gezicht dat ik hem het glas naar zijn hoofd had moeten slingeren, maar ik zag mijn hand naar het glas gaan, het beetpakken en naar mijn lippen brengen. Het licht achter mijn bont en blauw geslagen ogen breidde zich uit.

'Waarom zijn jullie geïnteresseerd in die koffer?' vroeg ik op een gegeven moment. Dat weet ik nog, maar verder herinner ik me alleen flarden van ons gesprekje. Ik zie alleen maar het pokdalige gezicht, de smalle mond en het glas waaruit ik dronk voor me. Er heerste niet langer licht in mijn geest maar een mistige alcoholschemering waarin droom en werkelijkheid samensmolten.

'Wij stellen hier de vragen, jij geeft de antwoorden', zei hij.

'Er zitten alleen maar herinneringen in, stelletje hufters. Mijn eigen armzalige, vervloekte, willekeurige herinneringen aan een mislukt leven', zei ik en begon uit woede en zelfmedelijden in het Deens te vloeken.

Ik kan me niet herinneren wat ik verder zei. Ik kan me niet herinneren wat ik hem verder verteld heb. Op een gegeven moment begon ik ook in het Deens te zingen. Het was een gedicht van Benny Andersen dat alleen Denen maar kunnen begrijpen. *Vogels vliegen in zwermen als er genoeg zijn.* Ik vertaalde het in het Engels en kreeg een hysterische lachaanval toen ze de grap er niet van inzagen. Ik sloeg wartaal uit en kennelijk heb ik me een en ander laten ontvallen over mijn koffer, Amelia, María Luisa en Don Alfonso, over

Oscar en Gloria. En ook over die keer op een Grieks eilandje, toen ik bij toeval Jacqueline Kennedy zag lopen met een badhanddoek over haar arm en in het gezelschap van een vrouw van haar eigen leeftijd. Jacqueline Kennedy Onassis droeg shorts en een dun bloesje en had nog altijd een mooi lichaam. Ze had een grote zonnebril op en een witte hoed en zonder make-up leek niemand haar te herkennen. Of was het onbedorven eiland nog steeds zo idyllisch dat niemand zich met een ander bemoeide? Er waren maar een paar toeristen.

Ik was ernaartoe gegaan om bij te komen van de hel van de burgeroorlog in Beiroet, waarvan de gruwelen in mijn ziel gegriefd stonden. Mijn zenuwen waren kapot. Ik wilde mijn leven niet langer riskeren voor foto's die toch geen enkele krant wilde plaatsen omdat de westerse media allang geen belangstelling meer hadden voor die eindeloze Libanese burgeroorlog. Een jonge correspondent van AP had me het eiland aangeraden. Hij had er, net als ik, genoeg van om artikelen te schrijven die hooguit door een paar redacteuren werden gelezen en die men liever niet in de krant wilde zetten, terwijl wij dag na dag in het stof lagen, gevangen tussen het spervuur van de strijdende partijen. Jacqueline liep met haar vriendin, kwetsbaar en anoniem, in een omgeving waarin ze zich kennelijk veilig voelde. Ik volgde ze tot aan een kleine beschutte baai die op een kilometer afstand van het dorp lag. Ze legde haar handdoek, shorts en bloesje neer. Ze droeg geen bikini, maar smeerde haar naakte lijf in met zonnebrandolie. Ik lag met mijn Nikon achter een uitstekende rots en nam de serie foto's die van Oscar en mij miljonairs maakten en van OSPE NEWS een wereldberoemd fotobureau. Ze ontdekte me pas toen ze zichzelf terugzag in allerlei bladen verspreid over de hele wereld. Het was zo makkelijk en zo dankbaar. Waarom als een gek journalistieke foto's maken die je hooguit wat prestige verschaften bij collega's, maar die amper genoeg opleverden voor boter op je boterham, terwijl de wereld zuchtend smachtte naar foto's van het leventje van beroemdheden en rijkelui? Ik ben bij toeval paparazzo geworden en in de loop van een paar jaar werd ik een van 's werelds beste, snelste en rijkste omdat ik geen genade kende. Ik beschouwde mijn slachtoffers niet als mensen, maar als objecten.

Ik weet dat ik iets losgelaten heb over dit verhaal. Ik herinner me dat de Ier zei: 'We zijn niet geïnteresseerd in de blote tieten van rijke vrouwen, maar in een andere foto, Lime. We willen de hele koffer. We willen zelf kunnen kiezen. Zoals in iedere andere fotozaak. Dus waar is-ie?'

Dat bleef hij maar herhalen. Ik kan me niet herinneren of ik het hem vertelde, maar gezien het verdere verloop zal dat wel het geval geweest zijn. Ik herinner me dat ik kletste en zoop en een enorme knal hoorde toen er een gigantische steen door de glazen tuindeur vloog. De deur sloeg tegen de muur en twee grijsbruine schaduwen met ontblote tanden sprongen naar binnen en gingen de Ieren te lijf. Mijn stoel viel om, ik kwam in de plas whisky en de glasscherven terecht. Ik herinner me dat ik vanuit een vreemde hoek zag hoe Arregui achter zijn honden aan binnenkwam en met zijn herdersstaf de schedel insloeg van de stekelkop die net een pistool uit zijn schouderholster wilde trekken. Er klonk gegrom, geschreeuw en gevloek in het Engels en Baskisch en toen verloor ik weer mijn bewustzijn. Het begon een onaangename gewoonte van me te worden.

Toen ik bijkwam lag ik op de bank waarop we normaal altijd tv zaten te kijken. Ik had nog steeds overal pijn, maar ik was ook erg dronken, dus de pijn leek ver en onwerkelijk. De bank en de kamer begonnen te draaien toen ik probeerde op te staan en ik kon het gezicht voor me niet scherp in beeld krijgen. Het was Tomás die me zachtjes terugduwde. Hij had een glas water in zijn hand en reikte het mij aan. Ik had een vreselijke dorst en leegde het glas in één grote teug. Ik kon mezelf ruiken.

'Blijf stil liggen, Peter', zei Tomás.

'Waar zijn ze?'

'Twee zijn ervandoor. Vader heeft nummer drie naar buiten gesleept. Hij is dood.'

Ineens herinnerde ik me het weer.

'Hufter die je bent', zei ik. 'Jij vuile hufter.'

Hij liet me los en deed een stap naar achteren. Zijn gezicht werd duidelijker. De alcohol raasde door mijn lijf, maar eigenlijk voelde ik me gewoon dronken. Net als vroeger. Mijn geest was helder en de whisky maakte me agressief.

'Het is niet wat je denkt', zei hij.

'Fijn voor je dat je je IRA-vriendjes weer hebt gevonden, smeerlap', zei ik.

'Het is niet wat je denkt', herhaalde hij.

Ik probeerde overeind te komen, maar dat was geen goed idee. De kamer en Tomás stonden eerst op hun kop, maar keerden toen weer terug naar hun normale positie. Ineens kwamen er fragmenten boven.

'Ik moet bellen', zei ik.

'Blijf alsjeblieft liggen. Ze hebben je flink te pakken genomen.'

'Telefoon', zei ik.

Hij overhandigde me zijn mobiele telefoon, maar ik kon de toetsen niet indrukken, dus noemde ik de getallen voor hem op en hij toetste Don Alfonso's nummer in Madrid.

'Geen gehoor', zei Tomás.

'Wat is dat met mijn koffer?' zei ik. 'Waarom willen jullie die koffer hebben?'

'Ik weet niet waar je het over hebt. Het is niet zoals je denkt, Peter.'

'Hoe lang lig ik hier al?'

'Een paar uur.'

'Shit', zei ik.

'Yes', zei Tomás, maar ging in het Spaans verder. 'Wees blij dat vader besloot om met een ziek schaap terug te keren. Ze hadden hun auto beneden in de bocht neergezet. De honden waren onrustig, hij kwam bij je kijken of alles in orde was.'

'Dan had hij jou toch gewoon gevraagd. Jij wist wat er gebeurde', zei ik.

'Het is niet zoals je denkt', zei hij weer.

'Bel dat nummer nog eens', zei ik.

Hij deed het, maar Don Alfonso nam nog steeds niet op. Toen hielp hij me overeind en begeleidde me naar de keukentafel. De keuken stonk, maar was wel schoongemaakt. Een van de honden zat in de deuropening en volgde me waakzaam met zijn gele ogen. Hij was weer zijn vreedzame en wat slome zelf. Ik wist niet waar Arregui was. Op een gegeven moment hoorde ik gefluit en de hond verdween.

'Waar is Arregui?' zei ik toen hij me op een stoel had neergezet.

'Hij ruimt de rotzooi op', zei Tomás kil en onverschillig. Zo had ik hem nog nooit gehoord, maar zonder de nodige hardvochtigheid had hij natuurlijk nooit zo'n belangrijke positie binnen de ETA kunnen bekleden.

Hij zette een grote beker zwarte koffie voor me neer.

'Geef me liever een borrel', hoorde ik mezelf zeggen.

'Later. Drink op.' Het was net een echo van de doorstane nachtmerrie.

'Waarom ben je geïnteresseerd in mijn koffer, Tomás? Waarom heb je me dat niet gewoon gevraagd? Waarom heb je dat IRA-tuig op me af gestuurd? Ik dacht dat we vrienden waren.'

Ik voelde hoe het zelfmedelijden weer toesloeg, mijn oude trouwe metgezel in dronkenschap, maar daar had ik geen boodschap aan. Ik nam een slok van de hete, zoete driedubbele espresso. Ik was nog steeds dronken, maar ik wilde in elk geval een wakkere zatlap zijn.

'Ze waren niet van de IRA', zei een stem achter me. Het was een tamelijk jonge man. Hij kwam de trap af. Hij moest op de overloop hebben staan luisteren. Ik herkende de stem. Het was de man met wie ik op het bouwterrein in Rentería had gesproken. Hij was niet ouder dan een jaar of vijfentwintig en had een scherp, bleek gezicht en kort, steil haar. Hij droeg een zwart, dun leren jack over een grijs T-shirt. Hij had smalle, olijfkleurige handen en uit zijn bleekheid kon je opmaken dat hij veel binnenshuis vertoefde.

'Dus jij bent er ook. Gaan we verder? Maar nu op zijn Spaans?' zei ik.

'Tomás heeft ons gebeld. Wij zorgen ervoor dat die ene schijtlaars in de bergen verdwijnt. Hij zal niet gemist worden. Die andere twee zullen Euskadi niet kunnen ontvluchten. Ze dragen de sporen van Arregui en de honden. Je moet maar bedenken wat je de politie gaat vertellen, in verband met Arregui.'

'Ik ben niet van plan naar de politie te gaan. Wie heeft Arregui vermoord?' vroeg ik.

'Ze hadden geen papieren bij zich. Hij was blond. Vind je het erg?'

'Voor mijn part crepeert hij in de hel. Ik had alleen gehoopt dat het een ander was', zei ik en dacht aan de grote Ier met de ploertendoder. Eigenlijk verbaasde het me dat ik helemaal niets voelde, ook al was er een mens doodgegaan. Ik was alleen teleurgesteld omdat ze niet alledrie dood waren. Beschaving is niet meer dan een laag vernis. Misschien een dikke laag, maar als je genoeg onder druk wordt gezet, bladdert het af en steekt een wrede agressiviteit de kop op.

Hij liep de trap verder af, ging aan tafel zitten en nam het kleine kopje koffie aan dat Tomás hem voorhield. Hij leunde over de tafel naar voren en zei: 'Peter Lime. Ik heb het u al gezegd, maar ik wil het best herhalen. We hebben niets met de dood van uw gezin te maken. Niets. We hebben niets met die drie Ieren van vanavond te maken. Ze zijn niet van de IRA. Ik kan u niet zeggen waar ik mijn informatie vandaan heb. Maar ze waren niet van de IRA. Het waren freelancers. We hebben over ze gehoord. Ze hebben zich hier in Euskadi al vaker laten gelden met de smoes dat ze onze Ierse broeders en zusters steunen in hun strijd, maar het zijn gewone misdadigers. Het zijn *hitmen*. Hun pistolen en vuisten zijn voor iedere bieder te koop. Dus señor Lime, over welke koffer heeft u het toch steeds? Ik weet het niet. U weet het wel, dus u kunt beter aan uzelf vragen waarom iemand er zo in geïnteresseerd is dat hij u ervoor wil vermoorden. En wie weten er allemaal dat u die koffer bezit? Wij wisten het niet. Van wie zouden we het moeten weten? Tomás is je vriend. Hij kwam meteen toen Arregui belde. Het zijn goede patriotten. Over een paar uur zijn alle sporen weg. Alle!'

Dat was een lang verhaal. Ik geloofde hem.

'Wie zegt dat ze me wilden liquideren?' zei ik. 'Ze hebben me geslagen en dronken gevoerd. Dat is me vaker overkomen. Dat was alleen jaren geleden.'

Hij keek me aan en lachte een beetje.

'Iedereen die hen ongemaskerd heeft gezien, heeft dat niet na kunnen vertellen. Jij wel, Peter. Dus ik zou maar uitkijken totdat we ze hebben. En we krijgen ze echt wel. We zullen ook op Arregui letten. Bovendien is hij voor niets en niemand bang.'

Daar zou ik nu niet mijn leven om verwedden. Zijn organisatie was verdeeld, in het nauw gedreven en speelde zich vooral ondergronds af. Maar zoals alle selfmade revolutionairen moest hij wel in de goede zaak en de overwinning geloven om het dubbelleven dat hij leidde, vol te kunnen houden.

'En de blonde?' zei ik.

'Hij verdwijnt. Daar hoef jij verder niets van te weten.'

Ik dronk mijn beker leeg. Mijn lichaam deed zeer en ik voelde me ouderwets dronken, maar ik was nog lang niet ladderzat. In dit stadium ervoer ik altijd een inspirerende helderheid die allerlei associaties in me opriep. De alcohol dempte zowel de fysieke als de psychische pijn. Hij stond op, maar toen ik ook opstond, moest ik meteen weer gaan zitten. Het deed te veel pijn en ik was te duizelig, daarom pakte ik zijn uitgestrekte hand en drukte die.

'Wij waren het niet. Je moet het elders zoeken. Als we iets horen, nemen we contact op met Tomás. We houden de zaken op orde hier in Euskadi. We vergeten onze vrienden niet', zei hij en hij geloofde er zelf in.

'Oké', zei ik alleen maar, en hij loste op in de beginnende ochtendschemering als een schaduw die alleen 's nachts kon leven.

Ik probeerde nogmaals op eigen kracht op te staan en deze keer lukte het. Ik was dronken en het ergste was dat ik ondanks de pijn in mijn hele lijf genoot van het gevoel van alcohol in mijn bloed. Het duizelde me weer. Ik rook mijn eigen braaksel en pies en probeerde mijn smerige T-shirt uit te trekken, maar verloor mijn evenwicht. Tomás legde mijn arm over zijn schouder en hielp me de trap op naar boven. Mijn lichaam deed aan alle kanten zeer, maar we bereikten de slaapkamer van Amelia en mij. Tomás trok mijn T-shirt uit en zonder gêne maakte hij mijn broekriem los en trok mijn natte spijkerbroek uit. Ik hield me aan hem vast terwijl hij een voor een mijn sokken uittrok, maar ik deed zelf mijn onderbroek uit. Ik legde mijn arm weer over zijn schouder, hij liep met me naar de badkamer en hield me overeind toen ik onder de douche stond. Ik kon met moeite mijn evenwicht bewaren, maar hij bleef kalm. Hij had wel vaker gewonde mannen en vrouwen gezien. Hij hield me vast en zeepte me zachtjes in. Mijn hele rechterkant was bont en blauw en in de spiegel had ik een glimp opgevangen van mijn gezicht dat eruitzag als een opgezwollen masker, het gezicht van een bokser die na vijftien vruchteloze rondes heeft verloren.

Hij hielp me met het aantrekken van schone kleren en bracht me terug naar de slaapkamer. De geur van braaksel en whisky hing nog steeds in mijn neus. Door het open raam stroomde koele nachtlucht naar binnen.

Tomás haalde jodium en maakte mijn wonden schoon. Onder mijn rechteroog zat een diepe snee. Het brandde, maar niet al te erg. Ik vroeg Tomás om Don Alfonso nog een keer te bellen, maar er werd weer niet opgenomen. Tomás legde me in het tweepersoonsbed en ging op de rand van het bed zitten alsof ik een ziek kind was dat bang was om alleen in het donker te slapen. Dat klopte ook wel een beetje. Ik vertelde hem over de koffer. Dat de belangrijkste foto's die ik tijdens mijn leven had gemaakt daarin zaten, maar dat ze niet geheim waren. Jacqueline, de minister en snapshots van de hond die ik als kind had gehad. Het was mijn eigen privéwereldje. Waarom waren anderen erin geïnteresseerd?

'Het antwoord ligt in de koffer', zei hij. 'Anders is dit allemaal zinloos.'

'Het spijt me dat…' zei ik.

'Geeft niet', zei hij. 'In jouw geval had ik dat ook gedacht. Het geeft niet.'

'Je neemt een groot risico, Tomás. Dat kan gevolgen hebben voor je nieuwe leven.'

'Jij hebt een keer een groot risico voor mij genomen. Je hebt me verborgen gehouden, me geholpen, je ogen dichtgedaan en je mond gehouden.'

'Dan staan we quitte', zei ik.

Tomás glimlachte. Zijn gezicht was wazig.

'Ik heb het je al eerder gezegd, Peter. Vrienden houden geen boekhouding bij.'

Mijn dronkenschap ging al langzaam over in een kater.

Mijn hoofd bonkte en mijn maag rommelde en ziedde. Tomás haalde rustig een emmer, zette die naast het hoofdeinde en gaf me een paar pijnstillers. Die konden weinig uitrichten, maar ik nam ze zonder mopperen met een glas water in. Ik moest eigenlijk opstaan, maar ik kon het niet.

'Ik kan niet motorrijden. Kun je me morgen naar het vliegveld brengen? Vandaag, bedoel ik. Ik moet naar Madrid. Ik moet met Don Alfonso praten.'

'Natuurlijk. Ik blijf hier. Maar ga eerst even slapen. Dan breng ik je later op de dag naar het vliegveld.'

'Wek me als je Don Alfonso aan de lijn krijgt.'

'Ja, dat doe ik. Wees nu stil', zei hij.

Ik voelde me eerder gebroken en uitgeput dan slaperig, maar viel toch in slaap en droomde over Amelia. Ze lag opgebaard in de slaapkamer van ons afgebrande appartement, dat herbouwd leek met dezelfde nauwgezetheid en piëteit waarmee de Polen het oude centrum van Warschau restaureerden. Alles stond op zijn oude vertrouwde plekje. Onze slaapkamer was een museum geworden. Er liepen heel veel mensen te kijken naar haar kleren, sieraden en de foto's van María Luisa waarmee we een muur behangen hadden. Ik kon niet begrijpen dat Amelia, nu ze dood was, plotseling zo interessant was geworden dat de mensen bereid waren te betalen om haar gemummificeerde lichaam te mogen zien en de voorwerpen uit haar dagelijks leven te mogen bestuderen als waren het zeldzame kunstwerkjes. Er stond een lange rij die begon in de gang, doorliep tot op de trap en vervolgens helemaal de straat in en de Plaza Santa Ana over. Jaren geleden had ik een vergelijkbare rij gezien voor het mausoleum van Lenin in Moskou toen de Sovjet-Unie nog bestond. Naast Amelia lag een man zo zwart als ebbenhout met de armen over zijn borst gekruist. Eerst lag hij helemaal stil en ik begreep niet waarom hij naast mijn slapende vrouw lag. Ik voelde me niet jaloers, maar vond wel dat hij me uitleg verschuldigd was.

Hij tilde zijn hoofd op en keek naar me. Hij had geen ogen, alleen twee gaten die nog zwarter waren dan zijn gezicht. Niemand van de bezoekers schonk zo te zien aandacht aan hem. Hij kwam overeind. Hij was helemaal naakt zonder haar en geslacht. Hij leek een fraai standbeeld dat tot leven werd gewekt door een onzichtbare god. Hij stond op en loste langzaam op in de lucht. Toen begreep ik dat het de Dood was die met Amelia geslapen had.

10

Toen ik wakker werd had ik het gevoel dat er twee schaduwen aan mijn bed stonden. Ik had veel langer geslapen dan ik wilde en verwacht had en ik ontwaakte pas in de loop van de middag. De zon scheen laag door het raam naar binnen en zou spoedig achter de westelijke bergrug verdwijnen. Ik had overal pijn, ook in mijn hoofd. Mijn lichaam deed zeer na alle klappen die het had moeten incasseren, mijn mond was droog en tegelijk slijmerig, mijn hoofd bonkte en mijn maag brandde vanwege het gevecht dat mijn maagzuur voerde tegen het gif dat in me gegoten was. Het kostte me moeite om mijn blik ergens op te richten en de gedachte alleen al te moeten opstaan, maakte me misselijk.

De ene schaduw veranderde in Tomás, de andere bleek een kromme man van middelbare leeftijd te zijn met een grijs snorretje onder een spitse neus en verward, dun haar. Ik probeerde overeind te komen.

'Blijf liggen, Peter', zei Tomás vriendelijk. 'Je ziet er verschrikkelijk uit.'

'Dank je. Wie is die vriend van je?' Mijn stem klonk rauw en rasperig en mijn lippen deden pijn bij het praten.

'Dokter Martinez. Hij is een vriend. Je hebt erg vast geslapen', zei Tomás.

Op mijn boxershort na was ik naakt onder het laken. Eén kant van mijn lijf was rood met blauw gemêleerd.

'Mag ik u even bekijken, señor Lime?' zei Martinez. Zijn stem was helder, bijna als die van een vrouw en zijn slanke, witte handen waren ook feminien zacht en voorzichtig toen hij mij onderzocht. Mijn gezicht was opgezet, onder mijn ene oog zat een lelijke jaap en een rib was gekneusd, maar het leek hem dat ik geen inwendige verwondingen had opgelopen.

Toch wilde hij me het liefst naar het ziekenhuis brengen voor verder onderzoek, maar ik zei nee. Hij zuchtte, maar legde zich erbij neer. Hij had ongetwijfeld vaker gewonden onderzocht die niet geregistreerd wensten te worden.

'Maar ik moet die wond onder uw oog wel hechten', zei hij.

Hij vulde een spuitje, prikte in mijn wang en we wachtten tot de verdoving begon te werken.

'Don Alfonso?' zei ik.

'Hij neemt alsmaar niet op.'

'Probeer het nog eens.'

'Ik doe niet anders', zei Tomás en hij toetste het nummer in. Hij hield het zwarte mobiele telefoontje tegen mijn oor en ik hoorde hem overgaan.

'Ik moet naar Madrid', zei ik als in een waas.

'Vandaag niet. Afgezien van al uw andere verwondingen heeft u een lichte hersenschudding', zei de arts en hij prikte voorzichtig in mijn wang. Deze was zwaar en pijnlijk, maar lang niet meer zo erg als daarvoor. Mijn wang was even gevoelloos als na een verdoving bij de tandarts. Toch deed het zeer toen hij vijf kleine hechtingen aanbracht, die hij bedekte met een pleister. Daarna gaf hij me een handvol pijnstillers en een slaappil.

'U lijkt me iemand die snel herstelt. Rust en slaap bevorderen het genezingsproces meer dan wat dan ook', zei hij, knikte naar mij, drukte Tomás de hand en vertrok. Mijn oude vriend Tomás had nog steeds vrienden in de vreemdste kringen. Ik probeerde overeind te komen, maar het lukte niet. Ik zag dat de emmer bij mijn hoofdeinde geleegd en schoongemaakt was. Ik moet dus een keer overgegeven hebben, maar kon het me slechts vaag herinneren. Ik vroeg Tomás niet nog een keer of hij me naar het vliegveld wilde brengen, waarschijnlijk uit gehoorzaamheid. Hij overhandigde me een groot glas water, dat ik leegdronk. Ik moest bijna weer overgeven. Hij haalde een nieuw glas water en ik nam de pillen in die hij me gaf. Daar zat kennelijk flink effectief spul tussen want ik viel in een droomloze slaap en ontwaakte in een grauwe duisternis waarin vaag wat licht schemerde. Mijn hoofdpijn was over en toen ik opstond om naar de wc te gaan had ik nog wel pijn in mijn ene zij en lendenen, maar het was draaglijk. Het deed me denken aan vroeger wanneer ik met voetballen een dreun had gekregen. Het deed pijn, maar dat hoorde er nu eenmaal bij. Ik wist niet of het schemerige licht betekende dat er een nieuwe ochtend aanbrak of dat ik slechts een paar uur had geslapen en de avondschemering de dag uitluidde.

Ik trok met slechts een beetje moeite mijn badjas aan, liep de trap af en trof Tomás gekleed en wel aan op de bank, in slaap. De keuken was schoon en opgeruimd en de geur van whisky en braaksel was verdwenen. Net alsof ze hier nooit waren binnengedrongen, me nooit in elkaar geslagen hadden, me nooit dronken gevoerd en aan de praat gekregen hadden. Tomás sliep op zijn rug met zijn mond halfopen, hij leek precies een groot kind. Er was nieuw glas in de tuindeur gezet en ik keek naar het ontluikende grauwe licht. Het kwam kruipend uit het oosten en toen ik de bellen van Arreguis schapen hoorde, begreep ik dat ik wel twaalf uur achter elkaar had geslapen. Dat nu dag drie na de overval was aangebroken. Ik keek naar Tomás en voelde me geroerd door zijn vriendschap. Hij had als een vader voor me gezorgd. Toen ik naar de telefoon liep en Don Alfonso's nummer intoetste, nam er nog steeds niemand op, maar Tomás werd wakker van het geluid van de toetsen en schoot verward omhoog.

'Goedemorgen, señor', zei ik. 'Wat wenst mijnheer te gebruiken voor het ontbijt?'

Hij lachte opgelucht en woelde door zijn haar.

'Een douche. Ik wilde je niet wakker maken, dus…'

'Als mijnheer een douche neemt, dan zal het ontbijt daarna klaar staan.'

'Zo te zien gaat het beter met je, al zie je er nog steeds uit als een vechtersbaas', zei hij.

Hij ging naar boven en ik begon meteen in de kasten naar drank te zoeken, maar als die Ierse rotzakken al iets achter hadden gelaten dan had Tomás het zonder meer weggegooid. Mijn handen trilden een beetje en ik had een droge keel, een gevoel dat niet verdween met het drinken van water, hoewel ik drie glazen achteroversloeg. Ik zette koffie, vond een stuk ham dat Tomás waarschijnlijk van zijn vader had gekregen en maakte twee omeletten, waar Tomás zo van hield. Terwijl ik het ontbijt klaarmaakte zag ik Arregui met zijn schapen tegen de heuvel opklimmen. Hij zag eruit als al die andere oudere Baskische herders die er een levenswijze op nahielden die langzaam aan het verdwijnen was en zijn kleine gedrongen gestalte verraadde de kracht die erin huisde niet en evenmin de woestheid waardoor hij gegrepen kon worden. De twee honden dreven opgewekt, maar op die typische luie manier van hen, de schapen naar betere graasgronden. Misschien zou de mens ook zo'n soort hond moeten hebben om hem de weg te wijzen.

Ik dacht aan de afgelopen dagen en wist dat er geen weg terug was. Ik kon de zaak niet meer laten rusten, maar ik wist niet hoe ik genoeg antwoorden zou kunnen vinden om nieuwe vragen te stellen. Ik wist alleen dat ik zelf in de koffer moest kijken, hoewel zijn magie juist daarin lag dat ik er nooit in keek. Hij was er gewoon en bevatte de geheimen, vreugdes en vergissingen van mijn leven. Juist dat ik me niet precies kon herinneren wat erin zat, omdat ik de inhoud nooit bestudeerde als ik er een enveloppe met een nieuwe foto of aantekening instopte, maakte de koffer bijzonder. Dat was nu juist het wezen en de mystiek van de koffer en die geheimzinnigheid zou ik nu moeten verbreken. Ik moest in Lime's foto's gaan kijken.

Tomás kwam beneden, we aten mijn omeletten en dronken koffie en de jus d'orange die hij ook had gekocht. Misschien had Arregui ondertussen over me gewaakt. We zeiden niet veel, maar aten in vredige stilte. Van de twee Ieren was geen spoor te bekennen, ze waren kennelijk uit Euskadi verdwenen, en over de blonde spraken we niet. In de media werd er met geen woord over gerept. Tomás ruimde af en ik nam een douche. Ik leek nog steeds op een bokser die een hard gevecht achter de rug had. Ik trok de pleister van de wond, die er schoon uitzag. Ik plakte er een nieuwe op. Ik zag er gehavend uit, maar voelde me onverschrokken als altijd. Het optillen van mijn armen bij het haar wassen, was pijnlijk. Ik moest het scheerapparaat met de nodige behoedzaamheid hanteren, maar met een schoon blauw T-shirt, een keurige paardenstaart, een schone spijkerbroek en mijn oude leren jack aan was ik er weer helemaal klaar voor om naar Madrid te vliegen. Normaal gesproken zag ik eruit als een stoere bink. Volgens Gloria kleedde ik me als een tough guy en kleedde Oscar zich als een welgestelde dandy ter compensatie van onze jeugd in de jaren zeventig waarin iedereen, mannen en vrouwen, er precies hetzelfde uitzag. Nu zag ik eruit als een bont en blauw geslagen bink en dat gaf me, zou Gloria ongetwijfeld gezegd hebben, een gevaarlijke en geheimzinnig romantische *look*. Sterker nog, ze zou waarschijnlijk gezegd hebben dat het uitstekend paste bij mijn image. Een soort Indiana Jones die huiswaarts is gekeerd na een gevaarlijk avontuur. In deze verwarrende, egocentrische jaren negentig draaide alles om image en rollenspel. Ik voelde me op de een of andere manier een beetje euforisch en in een goed humeur. Alsof ze alle zwaarmoedigheid en verstand uit me geslagen hadden. Sinds de droom had ik niet meer aan Amelia en María Luisa gedacht en op het moment dat ik dat besefte, voelde ik het gemis meteen weer, maar minder hevig. Alsof Amelia me erop wees dat ik niet moest vergeten zelf te leven. En de herinnering aan ons korte leven samen als een geschenk vol vreugde en verdriet moest beschouwen. Vergeten zou ik het nooit, maar ik moest de herinnering diep binnen in me bewaren zodat het niet langer als een geestelijk kankergezwel aan me zou blijven vreten.

Toen mijn vliegtuig werd afgeroepen op het kleine vliegveld van San Sebastián, maakte Tomás er een opmerking over. Ik had geluk. We waren precies op tijd voor de eerstvolgende vlucht en er was nog plaats ook.

'Je ziet er belabberd uit, maar zo te zien ben je in een stralend humeur.'

'Zwarte humor', zei ik alleen maar en gaf hem de sleuteltjes van mijn motor. 'Ga eens een stukje rijden. Een beetje frisse lucht zal je goed doen. Ik haal hem later wel op.'

'Arregui zal wel op je huis letten.'

'Bedank je vader.'

'Dat zal ik doen.'

'En jij ook bedankt voor alles', zei ik en er viel een ongemakkelijke stilte.

'Ik zal je motor wel luchten. Beetje doen alsof ik weer jong ben, hè? Een meisje achterop nemen en door de straten van San Sebastián rijden zoals in vroeger dagen.'

'Ja, dat was een mooie tijd.'

'Eigenlijk niet, in je herinnering lijkt het mooier dan het was', zei hij.

Ik omhelsde hem en hij klopte me voorzichtig op mijn rug. Het deed pijn, maar het deed me ook goed, net als de dubbele wodka die ik met vaste stem en zonder trillende handen bestelde nadat het toestel koers had gezet naar Madrid en de groene Baskische heuvels, de grijze hoge bergen en het groenblauwe, wit schuimende water van de Golf van Biskaje onder de vleugels waren verdwenen.

Madrid dook op als een bruingele, verschroeide steenmassa en in de trillende middaghitte leek het wel een reusachtige vesting in de woestijn. Het was alsof ik een sauna binnenstapte toen ik de vijftig meter aflegde naar de rij wachtende taxi's voor de aankomsthal en voelde hoe mijn T-shirt meteen tegen mijn rug plakte. Het was een drukkende en verstikkende hitte die alle Madrilenen die de kans kregen en er het geld voor hadden de stad uitdreef zodra de maand augustus voor de deur stond. Vanaf het vliegveld had ik Don Alfonso gebeld en de ingesprektoon gekregen. Vanuit de taxi belde ik nog een keer en kreeg weer de ingesprektoon. Voor zijn huis stond een witte patrouillewagen van de Policía Nacional geparkeerd en terwijl ik afrekende begon ik nog meer te zweten totdat ik tot mijn grote opluchting Don Alfonso voor de verandadeur met een van de agenten zag staan praten. Ik had het ergste gevreesd. Hoe ik mijn best ook deed, ik kon me in de verste verte niet herinneren wat en hoeveel ik precies tegen de drie Ieren had gezegd.

Don Alfonso keek me aan en gaf me formeel een hand.

'Je ziet er precies zo uit als mijn huis', zei hij en stapte opzij.

Aan de buitenkant was niets te zien. Binnen was het één grote chaos.

Een agent van de Policía Nacional liep rond in een overhemd met korte mouwen en met een groot pistool en een knuppel aan zijn riem. Hij schreef in een notitieboekje, maar leek al bijna klaar. Voor de politie was dit een banaliteit, weer een van de duizenden inbraken van die dag. Met een werkloosheid van vijfentwintig procent en duizenden en nog eens duizenden drugsverslaafden, daklozen en illegalen, waren inbraken in en rond Madrid net zo gewoon als de zwermen vliegen in de augustushitte. Na de wanhopige jacht van de dieven op contanten of makkelijk verkoopbare goederen, zag het huis eruit alsof er een orkaan gewoed had. Ze hadden de boel lukraak maar doelgericht overhoopgehaald zonder hun opzet te verbergen. Laden waren eruit gerukt, kastdeuren losgetrokken, matrassen van de bedden gesleurd, keukenkastjes pardoes op de grond geleegd en overal lagen kleren, cd's, boeken, prullen en foto's op de grond. Dezelfde destructieve chaos heerste boven. Don Alfonso nam het kalm op, maar onder zijn bleke tere oudemannenhuid schemerde de moeheid. Gelukkig had hij Doña Carmen. Andere vrouwen zouden handenwringend zuchten en jammeren, maar zij was van een generatie die van alles had meegemaakt. Ze stond al klaar, uitgerust met bezem, emmer en dweil, en wachtte ongeduldig tot de politie zou vertrekken en ze aan de slag zou kunnen. Ze had hulptroepen gemobiliseerd en de potige dochters van de buren stonden in roze jasschorten en met de stofzuiger achter haar klaar als een piepklein peloton soldaten dat wachtte op het commando van de sergeant om tot de opruimaanval over te gaan. Don Alfonso had altijd wel iemand die iets voor hem wilde doen. Ik was erg blij dat hem niets overkomen was.

Een van de agenten stond bij de deur. Hij keek net als de vrouwen onderzoekend naar mijn gewonde gezicht, maar Don Alfonso volstond met te zeggen dat ik zijn schoonzoon was die tijdelijk bij hem inwoonde. Ze waren te beleefd om iets te vragen maar ze herkenden me vast wel van de vele tv-reportages over 'mijn geval'. De politie staarde discreet – de vrouwen ongegeneerd.

'We gaan er weer vandoor, Don Alfonso', zei de agent bij de deur. 'We sturen later een rechercheur, maar de zaak lijkt zo ook wel duidelijk. Ze zijn binnengekomen door de verandadeur te forceren. Ja, en verder is het vermoedelijk een gewone inbraak.'

Hij overhandigde Don Alfonso een vel papier.

'Hier is een kopie van het voorlopige rapport. Voor de verzekeringsmaatschappij. U moest maar eens gaan kijken wat er ontbreekt.'

Toen de politie vertrokken was, konden we aan Doña Carmen en haar twee schildknapen zien dat ze popelden om aan het werk te gaan en het huis van de señor weer op orde te brengen. Don Alfonso pakte een biertje en een blikje cola uit de koelkast en liep naar het terras.

'Ik heb liever een biertje', zei ik.

Hij keek me aan, maar zei niets. Hij zette het rood-witte blikje terug en pakte nog een biertje.

We namen plaats onder de parasol. De hitte was drukkend en ik zweette, terwijl Don Alfonso in zijn witte poloshirt met korte mouwen en lichte zomerpantalon zijn gewone, onverstoorbare, koele zelf was alsof de hitte geen enkele indruk op hem maakte. Het bijna lichtgroene koude Alquila-bier smaakte bitter, fris en verrassend anders. Het was mijn eerste biertje sinds acht jaar en het smaakte eerder bijzonder dan aangenaam, alsof het het eerste biertje van mijn leven was. Ik was gewend aan de zoete smaak van cola, leegde de helft van het flesje in één teug en voelde het effect bijna meteen. Het was prettig maar tegelijkertijd verachtte ik mezelf om mijn zwakte. Maar ik verdrong het en vertelde Don Alfonso over de gebeurtenissen van de afgelopen dagen. Ik verzweeg niets en gaf toe dat ik niet wist wat ik die drie vuilakken had verteld, maar dat het duidelijk was dat ik zijn naam had genoemd en iets over de koffer had gezegd.

'Maar hoe wisten ze in vredesnaam van het bestaan van die koffer?' besloot ik.

Hij dronk zijn bier ook op en haalde twee nieuwe.

'Wie weten er allemaal van?' vroeg hij.

'Jij, Oscar, Gloria…' zei ik en stopte nadenkend.

Hij bleef onverstoorbaar en zei met zachte stem, waardoor je voortdurend aandachtig bleef luisteren: 'Je houdt jezelf voor de gek, Pedro. Ik weet al jaren van het bestaan van die koffer af. Allang voordat je me vroeg hem ergens op te bergen…'

'Onmogelijk', zei ik.

Hij hield mijn blik gevangen.

'Dronkelappen hebben weinig geheimen', zei hij toen.

Ik voelde dat ik bijna begon te blozen als een puber die betrapt wordt op het gluren naar de borsten van zijn lerares. Hij had ongetwijfeld gelijk. Ik herinnerde me goed genoeg al die nachtelijke, luidruchtige gesprekken waarin ik met mijn goed verborgen koffer, die in zekere zin mijn levensverzekering was, had gepronkt. Maar ik wist ook zeker dat ik nooit verteld had dat de koffer een soort dagboek was en in mijn ogen zoiets als de doos van Pandora: als ik hem eenmaal opende, zou hij nooit meer gesloten kunnen worden en zouden alle geheimen zijn prijsgegeven. En evenmin dat de koffer bijgeloof was, mijn atheïstische altaar waar geen rationele verklaring voor bestond of gezocht moest worden. Het was mijn mystieke vijfde dimensie in een goddeloze wereld. Een talisman die vergelijkbaar was met een konijnenpootje in je zak.

Ik bedacht dat Gloria verbaasd was geweest toen ze hoorde dat ik een aantal foto's opgeborgen had. Dus ze had al die tijd niets van het bestaan ervan afgeweten? En Oscar? Oscar en ik hadden zo veel tijd samen doorgebracht dat het voor de hand zou liggen dat ik hem er ooit eens in een dronken bui over verteld had. Maar daar in die geurende, warme tuin besefte ik ineens dat ik dat nu juist niet gedaan had. Ik had erover lopen pochen tegen min of meer volslagen vreemden, vooral vrouwen met wie ik naar bed wilde, maar nooit tegen Gloria en Oscar. We kenden elkaar te goed. Zoiets was ondenkbaar. Zoiets vonden we ondenkbaar. Wij hadden geen geheimen voor elkaar, althans dat dachten we. Toch had ik het voor hen verzwegen, maar Don Alfonso had ik erover verteld. Tenminste? Misschien had hij het van iemand anders gehoord. Misschien was ik geschaduwd?

'Ben ik vroeger geschaduwd?' zei ik.

Hij keek me aan met zijn schrandere, bedroefde ogen. Zelfs nu nog had hij er een hekel aan om geheimen prijs te geven.

'We hielden alle potentiële gevaren in de gaten.'

'Was ik dat dan?'

'Je was links en ging om met linkse elementen.'

'Elementen?'

'Elementen is tegenwoordig een goed woord.'

Plotseling begreep ik het.

'Je hebt me doorgelicht toen het serieus werd tussen Amelia en mij?'

'Ik deed wat iedere vader met verantwoordelijkheidsgevoel voor zijn enig kind zou doen...'

'En dat was?'

'Mijn aanstaande schoonzoon aan een nader onderzoek onderwerpen.'

'Dat was in die tijd bepaald geen fraai gezicht.'

Hij lachte nog eens en legde tot mijn verrassing zijn droge, tengere hand op de mijne.

'Pedro, soms zie ik in mijn kas een orchidee die op lelijk onkruid lijkt, maar binnen in de knop zit een bloem, misschien niet van een onbeschrijflijke schoonheid maar wel met een enorme kracht, die ik met liefde en zorg tot bloei kan brengen.'

'Ja, zo is het wel goed, schoonvader', zei ik. Ik noemde hem anders nooit zo.

'Je bent een goede schoonzoon geworden.'

'En jij hebt me eerst gecheckt en toen heb je gehoord wat ik onder andere over mijn koffer zei. Je kwam tot de conclusie dat ik misschien wel een zuiplap was, maar geen communist of armoedzaaier.'

'Uiteindelijk vond ik je geschikt om met Amelia te trouwen.'

'En als je dat niet had gevonden?'

Nu lachte hij luid.

'Dan had mijn verliefde, koppige dochter het toch gedaan. Ook toen was die goede oude tijd allang voorbij.'

'Ja, die goede oude tijd is voorbij.'

We zwegen bij de herinnering. Er viel niets te zeggen. We hadden het al honderden keren gezegd. We kwamen steeds bij hetzelfde uit.

'Hebben ze hem gevonden? De koffer?' vroeg ik toen maar.

'Nee, ze hebben hem niet gevonden.'

'Waar is hij? Waar zijn mijn foto's?'

'Daar hebben we het nog wel over', zei hij.

In het huis werd de stofzuiger aangezet en we hoorden het gerammel en gesop, het gerinkel en gekletter van de drie vrouwen die de boel opruimden, dingen weer op hun plaats zetten of weggooiden. Doña Carmen blafte met luide stem bevelen tegen de twee meisjes en je kon je wel voorstellen hoe die voor haar renden. Het was vermoeiend en knus tegelijk.

'We komen steeds weer bij de minister uit', zei ik. 'De Basken hebben het niet gedaan. Dat weet ik zeker. Maar wie dan wel? En waarom? De minister? De foto's zijn immers gepubliceerd. De foto's van hem en die Italiaanse vrouw zijn over de hele wereld verspreid. Dus waarom zou hij doorgaan? En ik had toch een deal met hem gesloten? Waarom zou hij dan in mijn huis laten inbreken? En mijn vrouw en kind laten vermoorden? Dat lijkt zeer onaannemelijk en toch…'

Ik zweeg. Zodra ik zijn dochter en kleindochter ter sprake had gebracht, gleed er een schaduw over het gezicht van de oude man en ook ik voelde weer de bekende, pijnlijke steek van verdriet in mijn hart. Het ondraaglijke en intense gemis dat fysiek meer pijn deed dan al mijn blauwe plekken bij elkaar.

'Wraak misschien', zei Don Alfonso. 'Misschien de ouderwetse wraak van een trotse Spanjaard wiens eer je bezoedeld hebt.'

Ik moest onwillekeurig om zijn ouderwetse woorden lachen.

'Don Alfonso. Spanje is een modern land. Vroeger is voorbij, dat zei je zelf. Het is hier geen Sicilië.'

'Pedro, het karakter van de Spaanse man bevat nog altijd veel Siciliaanse en Moorse trekjes. En hij beschikte over het juiste apparaat. Als ze geheime troepen op pad konden sturen om Baskische terroristen te executeren, dan kunnen ze zich ook wel op een buitenlandse journalist wreken die de persoonlijke eer van een belangrijk man heeft gekrenkt, zijn gezinsleven heeft verwoest, de regering schade heeft berokkend en Spanje heeft vernederd.'

'Zit de zaak zo in elkaar? Ben je daar de afgelopen dagen achter gekomen?'

'Nee. Dit was aanvankelijk mijn theorie. Ik ben een oude man uit een vervlogen tijd zoals je zegt, in elk geval had het dan een morele betekenis gehad. Ik probeerde de beweegredenen te begrijpen, hoe ik die ook veroordeel. Misschien was ik in de dagen van de caudillo een goede speurder omdat ik de beweegredenen, de motieven van de misdadigers probeerde te begrijpen en door net zo te denken als zij slaagde ik er vaak in een aanslag tegen de veiligheid van de staat te verhinderen.'

'Dus je gelooft niet dat het zo gegaan is?'

'Ik weet zeker dat het niet zo gegaan is.'

'Hoe dan?'

Hij keek me aan.

'Ik ben het eens met die terrorist die zei dat het antwoord in een van jouw foto's moet liggen. Je kunt het ook op een andere manier zeggen. We hebben de verkeerde vragen gesteld omdat we ons op het heden in plaats van op het verleden hebben gericht. Omdat het leed dat ons beiden getroffen heeft in het heden ligt, zijn we ervan uitgegaan dat de oorzaak daar ook ligt, maar klopt dat wel?'

'Ik weet niet wat de oorzaak dan kan zijn', zei ik en ik stak nog een sigaret op.

'Dat weet ik evenmin, maar bij een onderzoek moet je elimineren en als je geluk hebt en goed genoeg bent, kun je tot de kern doordringen. Jij hebt de Baskische terroristen geëlimineerd. Ik heb de regering, de staat geëlimineerd.'

'Dus we hebben geen enkel houvast?' zei ik moedeloos.

'Integendeel, we hebben in korte tijd ongelooflijk veel bereikt.'

'En nu?'

Hij stond op, liep het huis binnen en kwam terug met een blauw toegangsbewijs voor de arena Las Ventas voor het stierengevecht van aanstaande zondag. Hij had voor mij cola en voor zichzelf water meegenomen. Ik had liever een biertje gehad, maar zei niets, mijn respect voor hem was te groot. Of misschien zag ik Amelia's ogen in de zijne weerspiegeld. Ik keek naar het toegangsbewijs. Het was een gewone *corrida*. De namen van de leden van de *cuadrilla* zeiden me niets. Door mijn gedweep met Hemingway en de dromen die ik in mijn jonge jaren over Spanje koesterde, was ik *aficionado* geweest en kende ik de meeste stieren en stierenvechters – *los matadores de toros* – maar sinds enkele jaren zei dit spel met de dood in de middagzon me niets meer. Amelia had er net als de meerderheid van de goedopgeleide Spanjaarden geen belangstelling voor en vond het hele gedoe prehistorisch, grotesk en barbaars, maar er was veel geld mee gemoeid en de arena's waren tijdens het seizoen vooral gevuld met Spanjaarden.

Don Alfonso zei: 'Als de derde stier aan de beurt is, zal er een man van jouw eigen leeftijd naast je komen zitten. Hij heeft de zondagsbijlage van *El País* bij zich. Luister naar wat hij te zeggen heeft.'

'Wie is hij?'

'Laten we zeggen dat hij voor de staat werkt. Dat hij een leerling van me is. Dat hij informatie voor je heeft, die alleen hij je geven kan. Laten we zeggen dat hij ons een stap vooruit kan helpen op de lange weg die we nog te gaan hebben.'

'Waarom zo geheimzinnig?'

'Omdat hij zwijgplicht heeft. Hij bewijst me een dienst. Hij betaalt hier een schuld inclusief rente mee terug. Hij heeft toegang tot een archief dat formeel niet bestaat. Dat volgens een officiële verklaring vernietigd is, maar dat niet is, maar wel gesloten voor iedereen behalve een kleine kring. Het is een archief dat vergelijkbaar is met jouw koffer. Het bevat verhalen en foto's uit het verleden en veel mensen willen niet dat het geopend wordt omdat men de inhoud vreest.'

'Waarom?'

'Omdat mensen op het meest ongelegen moment door hun verleden worden ingehaald en omdat wat gebeurd is in het licht van het heden onbegrijpelijk en zinloos lijkt. Omdat hetgeen vroeger een betekenis had, vandaag de dag niet noodzakelijkerwijs dezelfde betekenis heeft. Later, wanneer we voldoende afstand hebben genomen, zal dit archief de bewogen geschiedenis van Spanje van de afgelopen vijftig jaar belichten. De geheime afspraken die Franco maakte met de vs uit naam van het anticommunisme. Zijn behoud werd gegarandeerd, terwijl Hitler en Mussolini te gronde gingen. De vs vestigden bases in Spanje en legden daarmee een zuidelijk bolwerk tegen het bolsjewisme aan. De smerige oorlog tegen de mensen die de staat omver wilden werpen. De rol van de koning bij de couppoging van 1981. De oprechte gedachten van de militairen toen de leider stierf. Portretten van mensen die onze natie in de loop der jaren bezochten en die hier verbleven.'

Hij was een cryptische, oude man. Dat zat hem in het bloed. Door de vele jaren die hij in de gangen van de geheime dienst had doorgebracht, was hij niet meer in staat om iets direct te formuleren. Informatie was een soort pensioen. Je moest spaarzaam met je middelen omgaan en niet alles in een keer uitgeven voor het geval Onze-Lieve-Heer je een lang leven zou schenken. Je moest informatie niet te grabbel gooien, maar beetje bij beetje verkopen. Informatie diende niet in het bezit te zijn van jan en alleman maar mocht uitsluitend circuleren binnen een ingewijde kring die leefde van de uitwisseling van geheimen. Zo was zijn gedachtegang en niets zou daar verandering in brengen. Hij was te zeer beïnvloed door de jarenlange oorlogsvoering aan een onzichtbaar front waar geheimen bestonden opdat anderen die zouden onthullen om ze vervolgens weer te verzwijgen.

'Waar is mijn koffer?' zei ik alleen maar.

'Kom, laten we naar de tuin gaan', zei hij. 'De zon gaat bijna onder. Voor een oude man is dat een beetje triest, want dan loopt er weer een dag ten einde en ik weet dat er mij niet veel meer resten.'

11

Hij had alle ramen en klepjes in de kas opengezet, waardoor het een beetje kon doorluchten, maar de hitte en vochtigheid waren er nog doordringender dan in de oven buiten. De bloemen verspreidden een zoete geur, die in combinatie met de zware lucht van aarde en compost haast onaangenaam was. In het midden van de grote kas vol verschillende soorten mij onbekende bloemen en citroen- en sinaasappelbomen in een soort miniformaat die Don Alfonso ook kweekte, stond een kist met het gereedschap dat een zorgvuldig tuinier nodig heeft. Don Alfonso verwijderde eerst emmers en gieters, kleine schepjes, een stuk snoer en een schaar, tilde er toen de hele bovenkant af en stapte opzij. De kist, die meer op een tafel leek, was hol en op de bodem stond mijn koffer keurig opgesteld naast een paar lege emmers en een gebroken spade en het cijferslot schitterde in het licht.

'Jij bent sterker en hebt langere armen. Dus als je het zelf zou willen doen', zei Don Alfonso.

Ik bukte en tilde de harde metalen koffer op. Hij was zwaarder dan ik me kon herinneren, of misschien was ik nog steeds verzwakt. In elk geval deed mijn borstkas zeer toen ik hem optilde en naar de veranda droeg. Don Alfonso vroeg of ik bleef eten. Doña Carmen en haar schildknapen zouden het huis zo op orde hebben en dan kon ze wat te eten voor ons maken, maar ik had geen zin. Ik wilde met mijn geheimen alleen zijn.

'Ik vind het maar niks dat die koffer hier is', zei ik. 'Ik breng hem naar mijn bank.'

'Zoals je wilt', zei hij.

'Misschien komen ze nog eens terug.'

'Het is jouw besluit', zei hij, maar ik geloof dat hij een

beetje teleurgesteld was. Ik besefte ineens dat hij zich misschien wel eenzaam voelde in zijn stille vrijgezellenleventje en dat ik misschien de enige was die hij nog had. Het leek me anders een evenwichtige man, maar misschien waren het kweken van mooie bloemen en het zoeken van stukjes tastbare herinnering in de verweerde vergeten loopgraven rond Madrid wel een compensatie voor de afwezigheid van menselijk gezelschap.

Ik belde een taxi, gooide de koffer samen met mijn sporttas met reservekleding op de achterbank, nam naast mijn aardse bezittingen plaats en vroeg de chauffeur me naar Madrid te brengen. Het was een taxichauffeur uit de buurt die me al eens vaker gereden had, een kleine gedrongen Catalaan die zwarte sigaretten rookte, terwijl hij de sportzenders op de radio afzocht. Aan de rand van het dorp lag een *supermercado* waar we vaak boodschappen gedaan hadden voor Don Alfonso. Ik vroeg de taxi te stoppen en kocht een fles wodka en zes blikjes cola. Ik ging weer op de achterbank zitten, opende een blikje cola, dronk er de helft uit en vulde hem bij met wodka. De chauffeur keek in zijn achteruitkijkspiegeltje, maar hield zijn commentaar voor zich. Wat zou hij ook moeten zeggen? Hij wist dat ik altijd betaalde en een goede fooi gaf, dus als ik cola met wodka wilde drinken in zijn taxi, was dat mijn eigen zaak. Ik belde met mijn mobiele telefoon naar kantoor en vroeg naar Oscar, maar zijn secretaresse zei dat hij aan het golfen was. Ze dacht dat hij wel bijna klaar zou zijn met zijn achttien holes. Zijn club lag ongeveer op de route, dus ik vroeg de chauffeur of hij me daar eerst even heen wilde brengen. Hij was blij en tevreden. Het was een flink lange rit. De meter tikte er vrolijk op los, terwijl ik cola met wodka dronk en het effect daarvan voelde. Ik vervloekte mezelf maar was tegelijkertijd volkomen onverschillig.

De afgelopen tien jaar was golf volkssport nummer één

geworden en overal waren banen aangelegd. Het leek wel of er elke dag een nieuwe bij kwam. Oscar had zich bij een van de meer prestigieuze clubs in de buurt naar binnen weten te werken. Het was weliswaar niet de allerchicste, maar wel bijna, begreep ik toen ik zijn triomfantelijke gezicht zag. Het clubhuis met restaurant en bar was gevestigd in een oud wijnkasteel dat aan het eind van een laan met ranke cipressen lag. Het witte huis rees op in de eerste lage zonnestralen die de geelbruine dakpannen van het schuine dak rood kleurden. Het huis had erkers en torentjes en was uit grijswitte steen gehouwen. De witte tafels en de gele rieten stoelen onder kleurige parasols waren druk bezet. De spelers hadden achttien holes gelopen en dronken gekleed in hun poloshirts, petjes en vreemde geruite broeken een aperitiefje, terwijl ze over bogie, birdie, par en handicap praatten zoals vroeger over beurskoersen of liefdesaffaires.

Ik liet de taxi wachten. Mijn koffer en tas waren bij hem veilig. Hij had zijn krantje, zijn radio en sigaretten en beloofde me dat hij de auto niet zou verlaten. Iedere tik van de meter maakte hem blij. Ik zocht Oscar op het terras, maar zag hem niet. Zijn mobiele telefoon was nog steeds uit, want ik kreeg telkens zijn voicemail. Ik herinner me dat hij me verteld had dat het tegen de etiquette was je mobiele telefoon aan te hebben op de baan. Hij was kennelijk nog aan het spelen, maar de duisternis kon elk moment invallen. Ik vroeg aan de ober waar de laatste holes van de baan lagen en na mijn toegetakelde gezicht en mijn ongepaste kleding even bestudeerd te hebben, wees hij naar een plek achter de oude tuin van de wijnplantage. Aan het eind van de tuin had je een groots uitzicht over de baan, die er mooi, golvend en wonderlijk groen bij lag in het verder zo verdroogde landschap. Het was een onechte kleur groen. Alsof de vruchtbare golfbaan een vreemd element was in het kale, door de zon verschroeide Centraal-Spaanse landschap. Een grote speeltuin voor volwassenen, die er in hun moderne hang naar avontuur niet bij stilstonden dat ze op een terrein speelden dat evenveel water verbruikte als een middelgroot dorp om het gras mals en groen te houden in een landschap waarin van nature amper groen, maar vooral vaalgeel en andere bleke kleuren voorkwamen.

De vlag van hole achttien stond recht voor me. Hij wapperde lichtjes in de avondbries die net opstak. Oscar liep met twee mannen mijn kant uit. Ze droegen korte geruite broeken tot op de knie, dure effen poloshirts en baseballpetten en trokken ieder een trolley met een tas met clubs achter zich aan. Oscar weigerde in een golfkarretje te rijden. Dat beviel me wel. Er lagen twee balletjes op de dikke, groene green, maar Oscar bleef staan en ik ontdekte dat zijn bal een paar meter naast de green lag.

Oscar haalde een club uit zijn tas, liep naar de bal en oefende zijn slag. Als we samen op reis waren en hij de tijd nam om te golfen, ging ik geregeld met hem mee naar de baan en droeg dan als een caddie zijn tas voor hem. Zelf speelde ik niet, maar golfbanen zijn mooi en op die manier konden we gezellig een paar uur samen doorbrengen. Dat was voor mij ontspannend en hoewel we meestal niet veel praatten, genoot hij van mijn gezelschap. Zodoende kende ik het spel met zijn regels en begrippen ook. Oscar was een felle speler die de bal met zijn club te lijf ging alsof hij een gevaarlijke slang met een machete doodde. Ik begreep eigenlijk niet waarom het spel hem zo fascineerde, want hij werd vaak woedend op zichzelf wanneer hij de bal topte en die als een verschrikte haas over het kortgeknipte gras stuiterde. Toen ik hem een keer vergeleek met een destroyer die tijdens de Tweede Wereldoorlog konvooien over de Atlantische Oceaan moest begeleiden, was hij dagenlang knorrig. Zoals de destroyer zich zigzaggend voortbewoog om de Duitse onderzeeërs te ontlopen, zo beende Oscar met vastberaden pas over de fairway, op zoek naar zijn bal, die hij met zijn woeste slagen flink uit koers had gemept. Ook deze keer was hij te fel. Hij probeerde de bal met een korte slag in de green te wippen, maar sloeg te hard en de bal vloog, als een muisje dat door een kat achtervolgd wordt, langs de vlag en over de green heen waar hij in een zandbunker vlak voor mijn voeten bleef liggen.

Ik stond achter een boom, sloeg hem gade en hoorde hem vloeken. Ik wist best dat het niet mocht, maar ik kon het niet laten, ik raapte de bal op en zag hoe hij, speurend naar zijn bal, statig op zijn lange benen om de green en tussen de cipressen door liep. Ik kwam vanachter de boom tevoorschijn en hield de bal in de palm van mijn uitgestrekte hand.

'Zoek je deze soms, Oscar?' zei ik in het Engels.

'Fuck you, Lime', zei hij. 'Je weet dat je niet aan de bal mag komen.'

Ik wierp de bal voor zijn voeten.

'Neem hem daarvandaan maar', riep een van zijn medespelers.

Oscar keek me onderzoekend aan.

'Mijn God, wat zie jij eruit!' zei hij.

'Paar probleempjes gehad.'

Hij keek nog eens goed.

'Ben je weer begonnen je cola te verdunnen, Peter?' zei hij. Hij kende me maar al te goed.

'Ik wilde je even iets vragen', zei ik.

'Gloria zal je vermoorden.'

'Het kost niet zoveel tijd', zei ik.

'Je hoeft met mij geen afspraak te maken', zei hij vriendelijk. 'We kunnen samen een borrel nemen, net als vroeger.'

'Ja, dat doen we.'

'Gloria maakt ons een kopje kleiner', zei hij, draaide zich om, nam de goede houding aan en zonder oefenslag of speciale voorbereidingen pitchte hij de bal probleemloos uit de verdorde naalden en met een mooie boog de green op waar hij slechts een halve meter van de hole bleef liggen. Hij keek me voldaan aan, beende weg om zijn putter te gaan halen en liet zich de complimentjes van zijn medespelers over deze geweldige slag welgevallen.

Oscar rondde het spel met zijn golfvrienden af en ondertekende na zorgvuldige controle de scorekaart, waarna we aan een tafeltje aan de rand van het terras gingen zitten. Vandaaruit hadden we een fraai, wijds uitzicht over de golfbaan die, nu de hitte van overdag eindelijk overging in een milde, aangename avondwarmte, door de zon rood werd gekleurd.

De ober kwam en Oscar keek me vragend aan.

'Twee gin-tonic', zei ik.

'Ze vermoordt je', zei hij.

'Dat is mijn probleem', zei ik.

'Oké, Peter. Je bent een volwassen vent. Wie heeft jou zo toegetakeld?'

Ik vertelde hem in grote lijnen wat er gebeurd was en ventileerde een paar van mijn eigen verklaringen. Mijn geteisterde zenuwen ontspanden zich en de onrust in mijn lijf verdween, terwijl ik de koele, parelende drank met de smaak van jeneverbes en citroen dronk. Het was alsof we nooit gescheiden waren geweest. Het was moeilijk om met drinken te stoppen, maar er weer mee beginnen was bijster eenvoudig. Oscar luisterde zwijgend, onderbrak me kort om onze gemeenschappelijke vriend Tomás en de inzet van diens vader te prijzen, vloekte op de Ieren en zei toen: 'Ik heb het je al eerder gezegd. Hou op met dat amateurdetective spelen. Ga weer aan het werk. Luister naar je innerlijke stem. Bedenk wat Amelia gezegd zou hebben: "Verman je, leef je leven en doe wat je goed kunt, namelijk fotograferen."'

Hij had zonder meer gelijk, maar dat maakte het er niet makkelijker op.

'Ik mis ze zo vreselijk, Oscar', zei ik.

'Ze komen niet meer terug, Peter. Ik weet best dat het hard

klinkt en dat het lijkt alsof ik het niet begrijp, maar zo is het niet bedoeld. Ik heb het beste met je voor. Werk het van je af, kerel. Kom bij ons terug. We zijn je vrienden en we missen je.'

'Ik moet eerst iets afhandelen. Als de zomer voorbij is misschien.'

'Oké, we sluiten de zaak toch binnenkort. Het is te warm en iedereen is al weg. Maar we willen je terug. In vorm. Brutaal als altijd.'

We zwegen even. De cicaden sjirpten en om ons heen klonk gezellig luidruchtig geklets. Spanjaarden zijn een lawaaiig volkje, maar daar hield ik wel van.

'Heb ik jou ooit iets over een koffer met Lime's foto's verteld?' vroeg ik vervolgens.

'Gloria had het er onlangs over. Ze zei dat je de beste negatieven en een kopie van een aantal foto's bewaard hebt. Ze vond dat goed en beroerd tegelijk. Goed, omdat je verdorie prachtige foto's gemaakt hebt. Beroerd, omdat het haar zaak tegen je verzekeringsmaatschappij ondermijnt. Ze was van plan ze tot op de laatste peseta uit te melken.'

'Heb ik er ooit met jou over gesproken?' zei ik.

'Je bedoelt of je vroeger weleens uit de school geklapt bent in een dronken bui? Bedoel je dat?' zei hij botweg.

'Ja, dat bedoel ik.'

Hij leunde over de tafel heen en zei: 'Nee, ik heb het pas onlangs voor het eerst gehoord. Je had het er weleens over dat je oude foto's in een doos op zolder bewaarde, maar ik dacht altijd dat het ging om jeugdfoto's. Je weet wel, van die nostalgische onzin die we allemaal met ons meeslepen. Verder ben je altijd zo verdomd zorgvuldig met je foto's geweest. Daar ben ik altijd van onder de indruk geweest. Je sorteerde en catalogiseerde al je foto's in die mooie archiefkasten van je, hoe chaotisch je soms ook leefde. Waarom vraag je dat?'

'Dat over mijn foto's?'

'Ja, dat.'

'Omdat ik denk dat het antwoord daar ligt.'

'Peter, ik denk niet dat er een antwoord is. Waarom zou je jezelf kwellen? Laat het toch rusten. Kom terug bij ons. Je hebt nog vele goede jaren voor de boeg. We kunnen er niet tegen om jou zo ongelukkig te zien.'

'Je bent een goede vriend, Oscar.'

'Luister verdomme dan naar wat ik zeg!'

'Oké, na de zomer.'

Het leek alsof hij nog iets wilde zeggen, maar hij leunde weer achterover in zijn stoel. Toen zei ik, zonder precies te weten hoe ik erbij kwam – misschien riep de alcohol associaties in me op: 'Je kende het meisje van de foto, hè?'

Hij keek me verbluft aan, maar zijn blik was onzeker.

'Welk meisje?'

'Kom op, Oscar.'

'Ik heb het gevoel dat ik haar eerder gezien heb, maar ik kan haar niet plaatsen. Het is dertig jaar geleden.'

'Waarom heb je niet gezegd dat je haar kende?'

'Ik wist het niet zeker.'

'Maar nu wel?'

'Ja, ik denk het. Ze doet me in elk geval aan iemand denken. Maar verdomme… alle wijven zagen er toen hetzelfde uit. Geen make-up en haar onder hun oksels. Goedgebekt en zo rabiaat als wat. Zo ging dat toen, man!'

'Toch vreemd dat we dezelfde vrouw hebben gekend voordat wij elkaar leerden kennen. Vind je ook niet?'

'Ach, we dachten misschien dat wij revolutionairen in de meerderheid waren, maar in feite waren we in de minderheid en dus kwamen we elkaar altijd tegen bij demonstraties, bijeenkomsten en wat al niet meer. We roddelden over elkaar zoals dat altijd binnen een kleine gemeenschap gebeurt. Zo toevallig was het nu ook weer niet dat we elkaar ontmoet hebben. Het zou eerder vreemd geweest zijn als dat niet het geval was geweest. We waren beiden journalist en klant van dezelfde cafés. We waren lid van dezelfde internationale persvereniging van Madrid. Waarom interesseert het je zo?'

'Weet je wie die vrouw op de foto is?' vroeg ik.

Hij schudde zijn hoofd en leegde zijn glas.

'Nooit eerder gezien', zei hij en ik geloofde hem. Hij kon weleens gelijk hebben. Ik had in de loop der tijd veel mensen ontmoet die ik nog uit de jaren zeventig kende en die toen ook allemaal verkeerden in het linkse milieu, dat zich niets van grenzen aantrok. Revolutionaire studenten van de Vrije Universiteit van West-Berlijn, Amerikaanse deserteurs uit Vietnam, schrijvers en andere kunstzinnige talenten die hun geluk wilden beproeven in het goedkope Madrid dat juist op dat moment alles leek te hebben, zoals Praag na de val van de Berlijnse Muur dé plek werd. Grote veranderingen trekken altijd jonge avontuurlijke mensen aan.

'Het is gewoon een bizar toeval, Peter', zei hij, keek op zijn horloge en vroeg of ik met hem mee naar huis ging, dan konden we samen met Gloria uit eten gaan, maar ik zei nee en bedankte ook voor een lift naar de stad. Hij ging er, links en rechts groetend, vandoor. Ik keek hem na, bestelde nog een gin-tonic, waarna ik me naar Hotel Inglés aan de Calle de Echegaray, dat om de hoek van de Plaza Santa Ana lag, liet brengen. Dat ik nu precies een hotel uitzocht dat op een steenworp afstand van mijn afgebrande huis lag, had iets masochistisch, maar het was een klein familiehotel met grote kamers waar ik vaak overnacht had in de tijd dat ik nog geen eigen flat had. Het was een discreet hotel in een wijk waarin ik me thuis voelde en juist hier moest ik opnieuw beginnen, wilde ik voorkomen dat het wanhopige gemis over zou gaan in een zelfdestructieve depressie waarin ik uiteindelijk zelfmoord zou plegen.

Ik had een tweepersoonskamer voor de prijs van een eenpersoonskamer. Ik had het hotel vaak klanten bezorgd wanneer vrienden of zakenrelaties een paar gezellige dagen wilden doorbrengen in Madrid en een goed hotel voor een redelijke prijs zochten. Carlos van de receptie kende me en hoefde geen pas of ander legitimatiebewijs te zien. Behalve het tweepersoonsbed waren er een tafel met een stoel met een hoge rugleuning, een telefoon, een minibar en een tv. Het behang op de muren was verbleekt en er hingen reproducties van etsen van Goya en Picasso met het bloedige zand van de arena. We zaten hier immers in de oude stierenvechterswijk van Madrid. De badkamer was schoon en ouderwets groot met een roze badkuip. Ik zette de koffer meteen bij de deur neer en gooide mijn tas op het bed. Niemand wist waar ik was. Ik had het onbestemde gevoel dat de koffer onaantastbaar was zolang hij zich maar in een openbare ruimte bevond.

Ik ging naar beneden, liep de smalle straat uit naar de school van Suzuki die een klein eindje verderop lag. Ik besefte goed dat ik de confrontatie met de foto's alleen maar uitstelde, maar ik had behoefte aan de rustgevende, troostende handen van de oude man. De lucht was warm en er liepen jonge mensen midden op straat, arm in arm op weg naar *copas* en *tapas* zoals dat al sinds jaar en dag gebruikelijk was in het Madrid dat nooit scheen te slapen.

Ik deed mijn schoenen uit en beantwoordde de buiging van Suzuki's jongste zoon.

'Mijn vader had u al verwacht, Lime-san', zei hij in feilloos Spaans.

Ik trok mijn kleren uit, bewonderde mijn gekleurde borst vol bloeduitstortingen die inmiddels geel en bruin waren geworden, nam een douche, sloeg een handdoek om mijn heupen en ging op de brits in het kleinste binnenkamertje van het huis liggen. Het was net een klein stukje Japan midden in de Spaanse hoofdstad. Dunne, met kalligrafische tekens versierde *shois* deden dienst als muur. De vloer was bedekt met zachte matten en het rook er naar jasmijn. Ik hoorde de geluiden van de training in de grote zaal, het glijdende geluid van blote voeten die in de aanval of verdediging gingen, schijnbewegingen en uitvallen maakten en van de Japanse kreten met het Spaanse accent wanneer de slagen werden gemarkeerd. Mijn gekneusde rib en de gehechte wond deden pijn en ik voelde een hoofdpijn op komen zetten.

Suzuki kwam binnen, gekleed in zijn witte kimono. Hij maakte een buiging, ik stond op en beantwoordde zijn buiging vol respect. Het was een kleine, pezige Japanner van een jaar of zeventig, maar ik vond dat hij in de vijfentwintig jaar dat ik hem nu kende haast niet veranderd was. Zijn haar was erg kort maar nog altijd glanzend zwart.

'Welkom in mijn huis, Lime-san', zei hij in zijn langzame Spaans met het onmiskenbaar Japanse accent.

'Ga liggen en probeer rust in je ziel te vinden. Ik heb gehoord van het ongeluk dat je getroffen heeft en kan de pijn in je ogen zien.'

Ik ging op mijn buik liggen en voelde hoe zijn sterke en toch zachte vingers aan hun magische reis over mijn lichaam begonnen. Hij kneep, drukte, masseerde en streek van mijn voeten naar mijn nek. Het was alsof hij de fysieke en psychische pijn voor zich uit duwde als een sneeuwploeg die sneeuw schuift en langzaam balde de pijn samen tot een klomp in mijn nek. Hij masseerde deze zacht, maar stevig en als door een goocheltruc was alle pijn ineens verdwenen. In het begin kostte het me moeite om me te ontspannen, maar zijn toverkunst werkte als vanouds.

'Je hebt je lichaam weer volgegooid met gif, Lime-san', zei hij. 'Je hebt je ziel met slechte gedachten gevuld. Je moet terug naar je *wa*. Anders ga je eraan onderdoor. Je bent vol slechte geesten en negatieve gedachten. Je moet ophouden je lichaam en geest te mishandelen. Je moet terugkeren naar de diepste kern van je ziel ook al ben je je houvast kwijt. Je moet weer een zin aan je bestaan geven. Dat ben je je gezin verschuldigd, Lime-san.'

Het was misschien oudemannenpraat. Ik weet het niet. Maar het sterkte en ontspande me. Het verzachtte zowel de fysieke als de psychische pijn. Zijn Spaans met het zware Japanse accent had altijd al een rustgevend effect op me gehad. Hij had een diepe, hese stem en ik geloof dat hij heel wat trucjes toepaste die hypnotiseurs gebruiken. In elk geval slaagde hij er altijd in om mij, wanneer ik gespannen en zenuwachtig was, in een lege maar prettige duisternis te laten kijken, waar geen verdriet of vreugde heerste, alleen maar het niets. Het was beter dan pillen slikken. Ook beter dan alcohol, zo was de afgelopen jaren gebleken.

Ik bedacht dat het er eigenlijk niet toe doet wat er helpt, áls het maar helpt en toen voelde ik hoe mijn hoofdpijn oploste in het gedempte licht, waardoor de kalligrafische tekens bijna levend werden. Daarna viel ik als een klein kind in slaap.

Hij liet me een uur slapen en wekte me met sterke, zoete thee. Ik had een kimono geleend en op onze hurken tegenover elkaar gezeten dronken we zwijgend onze thee. Zijn jongste zoon kwam binnen en groette zijn vader en mij respectvol met een buiging, ging naast ons op de grond zitten en dronk thee met ons. Dat was een teken dat we over dagelijkse dingen konden gaan praten. Het was al een poos geleden dat ik er was geweest, dus informeerde ik naar hun werk en familie. Alles ging goed. De karateschool bloeide en Suzuki was nogmaals grootvader geworden van een gezond en welgeschapen meisje.

Ik deed mijn eigen kleren en schoenen weer aan en ze liepen met me mee naar de deur waar we nog een buiging maakten. Het gaat misschien te ver te zeggen dat ik me als herboren voelde, maar ik voelde me gelouterd, de pijn van mijn verwondingen was verzacht en mijn lichaam en geest waren tot rust gekomen. Dat gevoel zou niet erg lang duren, maar het beetje vrede dat Suzuki in me had opgeroepen was toereikend om de moed te verzamelen die nodig was om de foto's te gaan bekijken die ik eigenlijk liever niet wilde zien.

12

Ik bracht een paar dagen en nachten in 'de hotelkamer door, met mijn mobiele telefoon uit. Eén dag lang dacht ik uitsluitend aan mezelf. Een egoïstische dag waarop ik mijn kindertijd, die met een paar liefhebbende ouders eigenlijk tamelijk zorgeloos was geweest, en mijn problematische puberteit herbeleefde. Ik begon me af te vragen of mijn eigen rusteloosheid soms een reactie was geweest op de bezadigdheid van mijn ouders. Ze werden geboren, raakten verliefd en overleden in een dorpje op Fyn en ik geloof dat ze na een stil en burgerlijk leven gelukkig en tevreden zijn gestorven. Natuurlijk kan ik me herinneren hoe ze waren, maar de herinnering vervaagt en verdwijnt in het niets. Er is een wat afwezige vader die naar zijn werk gaat. Dan een vriendelijke moeder die er altijd is als je haar nodig hebt. Het was alsof ze altijd al oud waren geweest en tegelijk leeftijdloos. In de periode voor hun dood waren ze ineens sterk verouderd en in een paar weken tijd weggekwijnd. Ik bekeek ze toen niet langer met de ogen van een kind. Ze waren kort na elkaar overleden.

Het waren dagen waarin ik mijn wonden likte en probeerde de kern van mijn leven terug te vinden. Naar de dieper gelegen lagen van mijn onderbewustzijn afdaalde waar ik aanklager, verdediger en rechter tegelijk was. Daarom kon ik ook op de rem trappen wanneer de pijn te hevig werd, maar het waren uren waarin ik voor het eerst in mijn vijftigjarige leven naar mezelf keek en probeerde uit te zoeken wie ik was en waarom ik was wie ik was. Ik vond minder antwoorden dan ik misschien gehoopt had, maar door al deze overpeinzingen begreep ik mijn leven beter, waardoor ik als een vollediger mens uit dit proces tevoorschijn kwam. Ik drong door tot de kern van mijn verdriet en hoewel ik de wanhoop niet van me af kon schudden, kreeg ik er meer controle over door hem als het ware in te kapselen.

Ik was alleen. Ik kon lachen en huilen zonder dat iemand het zag. Een goed, discreet hotel is de meest anonieme plek ter wereld. Ik kon door mijn kamer ijsberen. Ik kon in kleermakerszit op de grond of op het bed zitten. Ik kon eten en drinken wanneer ik wilde. Ik hoefde me niet te wassen. Ik hoefde me niet te scheren. De Madrileense hitte was enorm, maar het kon niemand iets schelen dat ik er bloot als een baby bij zat of alleen maar een onderbroek droeg. Het enige wat ik misschien niet kon doen was schreeuwen. Het hotel had geen airconditioning en als ik mijn smart uitgeschreeuwd zou hebben, was de politie zonder meer in actie gekomen. Ik hoorde de dagelijkse geluiden van de straat opstijgen, maar de mensen die door de Calle de Echegaray liepen konden mij niet horen, want ik mompelde zachtjes in mezelf, het was een dialoog tussen twee stomme afdelingen van mijn geest die het woordloze probeerden te benoemen.

Room service bracht een paar keer eten, dat ik amper aanraakte, maar de flessen uit de minibar maakte ik tamelijk snel soldaat. Ik werd niet zozeer dronken, als wel weekhartig en sentimenteel toen ik in mijn koffer en mijn verleden begon te graven. Het was net surfen op Internet. Ik wist niet waarnaar ik op zoek was, ik zocht lukraak in de losse notities, oude schriftjes, halve dagboeken en foto's van de afgelopen veertig jaar waarin ik met mijn camera, als een vastgegroeid lichaamsdeel, had rondgelopen. In zekere zin was het een louteringsproces. Ik zag mijn verleden onder ogen en kwam ermee in het reine zodat ik opnieuw kon beginnen. Omdat ik alleen was en geen gezin meer had dat in de laatste beslissende jaren mijn houvast was geweest. Het gemis was voortdurend aanwezig maar af en toe, wanneer er foto's en teksten opdoken die mij terugvoerden naar mijn jeugd en vroegste kinderjaren, vergat ik Amelia en María Luisa even. Je kunt je eigenlijk niet herinneren hoe je toen was, je denkt dat je het kunt, maar herinnering en vergetelheid liggen dicht bij elkaar en een foto helpt niet om je gedachten of gevoelens van dat moment te preciseren. Het zijn hooguit kleine, trillende echo's uit een lang vervlogen tijd. Dat geldt op dit moment, nu ik dit allemaal opschrijf ook: kan ik me eigenlijk wel goed voor de geest halen hoe ik me daar in mijn eentje in Hotel Inglés voelde of denk ik alleen dat ik me de stemming herinner, die mengeling van euforie en diepe melancholie over het verstrijken van de tijd en het naderen van de dood, stap voor stap, dag na dag?

Daaraan moest ik denken terwijl ik de ene na de andere foto uit de koffer pakte. Ik had de zaak keurig op orde. De foto's en aantekeningen lagen op chronologische volgorde. Om te beginnen de lichtelijk vergeelde foto's van een zwerfhond, een boom in een bos waarin ik helemaal bovenin mijn initialen had gekerfd, mijn ouders, jong en vrolijk voor hun eerste kleine Volkswagen. Dat was niet het beeld van hen dat ik in mijn hoofd had. Ze zagen er gelukkig uit, de wereld lag aan hun voeten. Mijn moeder, die op een heldere vorstdag de was ophangt, deed me aan broeken denken die zo stijf als een plank waren en vanzelf overeind bleven staan wanneer je ze van de lijn had gehaald. Oude woorden uit een vervlogen tijd kwamen in me op, zoals wasteil en wasdag, de kolenman, de loopjongen, bakker Bosse die zijn brood met een kleine handkar rondbracht, de vissers die op vastenavond een grote vissersboot door de straten trokken en met hun bekende, als clown geschminkte gezichten, probeerden de meisjes een kusje te ontfutselen, die als dat gelukt was geld in de collectebussen van de vissers moesten stoppen. De opbrengst ging naar de achtergebleven weduwen wier mannen door de zee waren verzwolgen. Ik ben in het midden van de eeuw geboren en heb de tijd waarin ik leefde altijd als modern ervaren, maar terugdenkend wordt het verleden akelig ouderwets.

Het kleine formaat boxcamera met zijn slechte optiek, waardoor de achtergrond onscherp is, en het commentaar dat ik er in grote, ernstige letters bij heb geschreven: ik aan het strand, januari 1958. De twaalfjarige Malene in badpak en vier jaar later naakt op hetzelfde strand, zo te zien op een zomerse dag genomen want het licht is fel. Een jeugdvriendje van wie ik de naam vergeten ben. De eerste foto van Oscar en Gloria. Genomen in Pamplona tijdens het San-Fermínfeest, ze hebben hun armen om elkaars middel geslagen. Hun witte kleren zitten vol wijnvlekken en Oscar houdt een wijnzak boven Gloria's hoofd alsof hij haar wil dopen. Het is een zwartwitfoto, maar ik weet dat ze rode halsdoeken om hebben. Gloria's zwarte haar staat als een wilde krans om haar hoofd. Oscar heeft lange krullen die tot op zijn schouders vallen en de dikke, woeste baard van een viking. Het is een geweldige foto, bruisend van jeugd en leven. Ze lijken ervan overtuigd dat de wereld aan hun voeten ligt en dat het leven goed zal verlopen. Het is een foto waarop dromen realiseerbaar lijken, een foto vol geloof in de toekomst en levensvreugde. De foto symboliseert onze overtuiging dat we de eerste generatie waren die de wereld ten goede kon en wilde veranderen. Dat de oude wereld ineen zou storten en vervangen zou worden door een wereld vol liefde en gelijkheid. In Pamplona waren we voor het eerst samen. 's Ochtends renden we voor de stieren uit en daarna deden we tot diep in de nacht mee met de Navarrezen, Basken en de duizenden toeristen die – met Hemingway's roman *The Sun Also Rises* op zak – joelend en drinkend aan het feest deelnamen dat de hoofdstad van Navarra zeven dagen en nachten in zijn ban hield.

De eerste foto van Amelia in een wit bloesje en een blauwe rok. Ze staat met samengeknepen ogen voor de fontein op de Plaza de Cibeles in Madrid. Bij de aanblik van haar mooie kleine voeten in de goudkleurige sandalen schoot mijn gemoed vol. Haar verwrongen gezicht tijdens de bevalling terwijl het hoofdje van María Luisa met de zwarte krulletjes uit haar schoot tevoorschijn komt. Dan een foto van die twee, naakt in de zon aan een baai bij San Sebastián. Tot slot de laatste foto die ik van hen genomen heb. Ze zitten naast elkaar op een bank duiven te voeren. Ik haat die vliegende ratten, maar María Luisa was dol op ze en ik had precies op het moment afgedrukt dat de vogels een aureool om hun hoofden vormden, terwijl de blik van de toeschouwer naar de lachende mond van het kind en de gelukkige ogen van de vrouw werd getrokken. Ik zat er urenlang naar te kijken en het verdriet deed fysiek pijn.

Zo waren de foto's. Doos na doos. Enveloppe na enveloppe. Foto's die alleen voor mij betekenis hadden en foto's waardoor ik rijk, en in bepaalde kringen beroemd, was geworden. Er was één foto die ik lang bestudeerde. Hij was in 1971 genomen en toonde een groepje fotografen die voor een restaurant in Kensington staan te wachten. Ik sta er zelf ook op. Een collega heeft de foto genomen. We zijn jong en staan bijna als een voetbalelftal opgesteld. Er hangt regen in de lucht. Ik kon de geur van natte kleding en virginiatabak weer ruiken en hun opgewekte stemmen weer horen. We lachen, de meesten hebben een sigaretje in de mond of de hand en bijna iedereen heeft lang haar. We dragen spijkerbroeken en leren jacks. Om onze nek hangt een camera met telelens, het lijkt wel het atavistische, religieuze sieraad van een zeldzame stam. We wachten op het moment waarop John Lennon en Yoko Ono na hun lunch het mondaine restaurant zullen verlaten en dan zal onze lawaaiige, snoeverige vriendschap op slag verdwijnen. Dan zullen we naar voren stormen en onze lenzen op hen richten in de hoop juist die foto te maken die genoeg zou opleveren voor het eten van die avond. We stonden daar in kou en regen, in zon en wind. Als een koppel wolven dat op een buit wachtte. We gingen samen op jacht maar uiteindelijk zou alleen de sterkste de grote buit binnenhalen. We wisten waar de beroemdheden aten, sportten, hun honden uitlieten, hun minnaressen bezochten. We kenden de gewoonten van de koninklijke familie beter dan die van onze eigen familie. We waren roofdieren die hun prooien op bekend jachtterrein najoegen. Ze probeerden ons te ontvluchten, we spoorden ze op en als we geluk hadden legden we ze neer. Ze zochten ons op wanneer ze ons nodig hadden bij een onderlinge machtsstrijd of omdat hun angst vergeten te worden uiteindelijk groter was dan hun angst voor de camera. Ik hoorde bij de harde kern, maar net als anderen van mijn leeftijd verliet ik de groep wanneer ik meende dat er elders betere foto's te schieten waren en er meer geld te verdienen was. In Moskou, Beiroet, Teheran, Oost-Berlijn, New York, Madrid. Reportagefoto's of sportfoto's. De wereld was mijn speeltuin en werkplek. Ik sprak de internationale taal van de foto, die door iedereen over de hele wereld begrepen werd. De twintigste eeuw is de eeuw van de foto, ogenblikken die in een fractie van een seconde werden vastgelegd hebben geschiedenis geschreven, al werden ze vaak twee dagen nadat ze in de krant hadden gestaan vergeten. Maar Jacqueline Kennedy niet. *My lucky break*. Mijn sleutel tot een vette bankrekening.

Ik zat de foto's te bekijken en werd sentimenteel, dronken en wanhopig tegelijk omdat al die jaren vervlogen waren, weggeblazen door de wind zoals de kalenderbladen in een oude Amerikaanse film. Kindertijd, jeugd, volwassenheid. Vastgelegd en toch onherroepelijk voorbij op vergankelijk fotopapier of brosse, ritselende negatieven. Toen ik Amelia en María Luisa nog had, dacht ik nooit na over mijn leeftijd. Ik was niet bang om oud te worden. Met de foto's in mijn hand ervoer ik het fysieke verval van mijn lichaam, het moeizame kloppen van mijn hart, ik begon mijn hartslag te tellen, rekende uit hoe vaak mijn hart de afgelopen vijftig jaar wel niet geslagen had en werd duizelig bij de gedachte aan het gigantische werk dat het verricht had. Dacht aan het dichtslibben van mijn nieren, mijn zwartgeblakerde longen, de knapperige brosheid van mijn botten en het onbarmhartige tikken van de tijd en een enorme doodsangst maakte zich van me meester. Ik werd woedend op de tijd en op God, die toestond dat de tijd ongemerkt verstreek. Zonder dat je begreep dat iedere seconde meteen onherroepelijk voorbij is.

Tot slot keerde ik terug naar de foto die boven in de koffer lag. Ik weet niet waarom ik ernaartoe getrokken werd, maar ik moet het gevoel gehad hebben dat er een geheim in verscholen zat en vooral dat de foto iets te maken had met mijn tragedie. Ik keek naar de foto van de jonge vrouw met het Marianne Faithfull-haar en de man achter haar.

Clara Hoffmann van de Deense inlichtingendienst had me deze foto laten zien in Cervecería Alemana en sindsdien was mijn leven compleet veranderd. Ik legde de foto op de grond, keek ernaar en de herinneringen kwamen vanzelf bovendrijven. Er was nog een foto uit dezelfde periode. Een kleurenfoto genomen in een kamer. Daarop staat een meisje, Lola Nielsen, samen met een andere jonge vrouw van wie ik me de naam niet kon herinneren. Verder waren er drie jongemannen op de foto te zien. Ze zitten aan een lage tafel. Op de tafel staan twee grote aardewerken bekers en naast een ouderwetse pijp ligt gewoon een chillum. Aan de muur hangt de uit die tijd bekende poster van Che Guevara, een zeer geflatteerd portret van hem met een volle baard en zachte ogen onder een baret die de slechte kapitalistische wereld aanschouwen. Een andere poster veroordeelt de imperialistische oorlog in Vietnam, de grote oorlog die mijn hele generatie samenbracht. Inmiddels vergeten, zoals dat gaat, niet meer dan een oorlog uit een ver verleden in een ver land. De stoelen en de bank zien eruit alsof ze van een rommelzolder zijn gehaald. Lola zit met haar gitaar op schoot en de mannen kijken naar haar. Haar blonde haar valt voor haar gezicht en bedekt het half. Een van de jongemannen heette Ernst

Strauss, hij was die zomer samen met twee andere Duitsers uit Berlijn gekomen. Op de foto leken ze op elkaar, jongemannen met baarden en lang haar.

Ik herinnerde me dat ze een paar zomermaanden in onze commune hebben gewoond. Ik zag ze weer voor me: het waren fanatieke en geëngageerde kerels die het vaak over de ophanden zijnde revolutie hadden. In discussies beweerden ze bij hoog en bij laag dat een vreedzame omwenteling van de maatschappij uitgesloten was.

Ze zeiden onbeholpen zinnen als: 'Door kleine gedisciplineerde groepen, georganiseerd in zelfstandige cellen, zal de burgerlijke samenleving gedwongen worden haar echte fascistische gezicht te laten zien. De burgerlijke staat zal door geweld en terreur gedwongen worden zijn repressieve tolerantie los te laten. De Palestijnen hebben bewezen dat de wereldgemeenschap pas luistert als de dreigementen worden uitgevoerd, als de rechtvaardige zaak de voorpagina's van alle kranten over de hele wereld haalt dankzij vliegtuigkapingen en gijzelingen. De burgerlijke samenleving moet door gewapende acties van het volk in het hart geraakt worden.'

Toen besefte ik dat Ernst geen West- maar een Oost-Duitser was. In elk geval was hij in Halle geboren. 'Ben je soms over de Muur gesprongen?' had ik hem toen gevraagd maar hij gaf een ontwijkend antwoord.

Onder de communeleden waren veel Denen die de jonge Duitsers bijvielen, terwijl een aantal anderen zich tegen het gebruik van geweld verzetten. Er werden heel wat heftige discussies gevoerd. Lola en ik hielden ons er meestal buiten. Lola dacht alleen maar aan haar carrière als songwriter en ik dacht vooral aan mijn foto's, aan mijn voornemen om de Robert Capa van mijn tijd te worden, aan Lola en andere meisjes met wie ik naar bed wilde en aan het roken van joints. Ik beheerste de meest noodzakelijke frasen, maar diep in mijn hart geloofde ik niet in al die marxistische en revolutionaire woorden. De Duitsers en de Denen hadden het te goed.

Ik bleef naar de foto's kijken en er kwamen steeds meer herinneringen boven. Ik herinnerde me hoe we allemaal geld verdienden met aardbeien plukken op de uitgestrekte aardbeivelden buiten de stad. We stonden 's ochtends tegen vieren op en fietsten naar een verzamelpunt, waar we opgewacht werden door een tractor met kar die ons naar de plaats bracht waar we die dag moesten plukken. Je kon goed geld verdienen als je hard doorwerkte en geen mens vroeg naar werkvergunningen en sofinummers. Ik kon me plotseling weer van alles herinneren, de natte, zware planten, de smaak van de grote rode vruchten, de koele ochtendlucht, de geur van zout en mist van de dichtbijgelegen zee, de gebogen ruggen en omhoog gestoken achterwerken in de grijze ochtend en ook voelde ik weer de stekende pijn van vermoeidheid onder in mijn rug.

Plotseling herinnerde ik me nog iets.

Ik was een keer 's ochtends vroeg uit de kamer van Lola gekomen. Ze had die ochtend geen zin gehad in aardbeien plukken. Dat was meestal het geval. Ze ging ervan uit dat er altijd wel een man was die voor haar zorgde. Ze hing allerlei feministische ideeën aan, maar zoals met wel meer dingen beleed ze die alleen met de mond. Ze wilde het liefst onderhouden worden en bij voorkeur door mannen.

Toen ik haar kamer, die helemaal bovenin het hoofdgebouw lag, verliet en de trap afging, zag ik een schaduw die zich als het ware terugtrok, toen weer verscheen en zich vervolgens de trap af haastte in de richting van de keuken. In een commune als de onze, die gehuisvest was in het grote, oude hoofdgebouw van een voormalige boerderij, was het komen en gaan van mensen de normaalste zaak van de wereld, dus je kwam wel vaker mensen tegen die je niet kende. In het begin vonden velen dat onze commune een echte commune moest zijn en dat ieder leeg bed meteen door wie dan ook ingenomen kon worden. Ik liep naar de keuken om samen met de andere plukkers koffie te drinken en te ontbijten. Maar ik was te laat opgestaan. Ze waren al vertrokken. Een jonge vrouw stond met Ernst bij de gootsteen. Ze had een mok thee in haar hand en sprak in het Duits, zacht maar indringend, tegen Ernst die ingespannen luisterde. Ik zei goedemorgen, het meisje wendde haar gezicht af en Ernst sommeerde me op een merkwaardig botte toon weg te gaan. Ik gaf geen antwoord, maar pakte een mok koffie en maakte een boterham met kaas. Het was net zo goed mijn keuken. Het meisje had me de rug toegekeerd. Ze had een mooie, tengere meisjesrug onder een wijde sweater die over haar vale spijkerbroek hing. Haar korte haar was recht geknipt en ze droeg geen make-up maar ik herinner me dat ik een glimp opving van een bleek, strak gezicht met een paar uitzonderlijk felle ogen toen ze me ineens even indringend aankeek. Ze bleven staan, ik liep het erf op, ging in de schemering zitten, at mijn boterham, dronk mijn koffie en rookte een sigaretje.

's Avonds vroeg ik Ernst wie dat meisje met die felle ogen was. Hij stond in de oude tuin achter het woonhuis en keek verliefd naar Lola in de avondzon, die naakt was onder een dun gestreept jurkje en haar blonde haar los over haar schouders droeg. Ze liep met een meisje van drie aan haar hand, een kind uit de commune. Ik wist wel dat ze ook met Ernst naar bed was geweest. Dat liet me koud. Ik mocht de luie Lola graag en hield van haar sensuele langzame manier van vrijen maar ik was niet verliefd op haar. In elk geval niet zo erg dat het pijn deed. Niet zo erg dat ik jaloers werd. Woorden als jaloezie en ontrouw kwamen in ons vocabulaire niet voor. Je kon de lust van een ander niet bezitten en ook iemand niet het recht ontnemen deze lust met andere mensen te bevredigen. Ik wist vanaf het begin van haar neigingen. Ze had immers het bed van een ander verlaten om in dat van mij te stappen. Maar Ernst had het moeilijk met deze nieuwe revolutionaire ruimdenkendheid.

Ernst had me aangekeken, hoewel het hem moeite kostte op die mooie Deense zomeravond zijn ogen van Lola met haar sensuele bewegingen af te wenden. De onzekerheid stond op zijn jonge gezicht te lezen en hij bloosde een beetje. Ik zei half spottend en half serieus dat het geheimzinnige meisje uit de keuken lang niet zo mooi was als Lola. Hij keerde zich woedend naar me om, sneerde dat ik me met mijn eigen zaken moest bemoeien en dat ik maar beter kon vergeten dat ik haar ooit gezien had. Hij liep boos de tuin in. Ik heb hem daarna nooit meer gezien. Hij verdween tegelijk met het meisje uit de keuken. Ik weet niet of ze later in de zomer terugkeerden. De week daarop pakte ik mijn rugzak in en liftte naar Kopenhagen om daar, zoals dat heet, mijn geluk te beproeven.

Pas een paar jaar later kwam ik achter de naam van het meisje, toen ik haar gezicht op de opsporingsaffiches in de Bondsrepubliek zag. Samen met Ulrike Meinhof keek ze me indringend vanaf de affiche aan, ze werden gezocht wegens moord, ontvoering, roof en andere terroristische daden. Ik had er sinds die tijd nooit meer aan gedacht. Ik kan me nog herinneren dat ik op dat moment dacht dat mijn argwaan gegrond was geweest. Dat de commune bij Bogense een voedingsbodem was geweest voor terroristische ideeën, wat in die tijd overigens geen uitzondering was. De meeste mensen gingen toch niet over de schreef. Kijk maar naar Oscar en mij. Of naar andere bewoners uit die tijd. Eentje is tegenwoordig een succesvol reclamemaker. Een ander is een hoge ambtenaar bij een of ander ministerie geworden en heeft bekendheid verworven door het voeren van een hardhandig, maar effectief personeelsbeleid tijdens de conservatieve regering in de jaren tachtig.

Ik keek nog een keer naar de groepsfoto uit de commune

en bestudeerde met name een van de drie jongemannen nauwkeurig. Ineens schoot zijn naam me te binnen, Karsten Svogerslev. Hij zit helemaal links, heeft dik kroeshaar en een baard en kijkt naar Lola. Hij is de enige die zijn opvattingen van toen trouw is gebleven. Ik heb de Deense politiek niet zo erg gevolgd, maar ineens schoot me te binnen dat hij tegenwoordig lid is van het parlement. Hij was lid van een uiterst linksgeoriënteerde partij die bestond uit oude communisten, anarchisten, trotskisten en maoïsten. Al die partijen uit de jaren zeventig die in hun partijnaam woorden als arbeider, communist of partij hadden. Verder hadden de meesten afstand van hun verleden gedaan. Toen de Berlijnse Muur viel, waren hun overtuigingen als sneeuw voor de zon verdwenen.

Zowel de commune als Denemarken had ik allang achter me gelaten en Lola was niet meer dan een prettige herinnering uit het verleden. Pas daar in die hotelkamer, dertig jaar later, kwam alles terug omdat ik in de geheime hoekjes en schuilplaatsen van de geest waar de herinneringen wanordelijk liggen opgeslagen, stukjes verleden probeerde terug te vinden.

De nacht voor mijn vertrek bracht ik met Lola door. Ze had een kleine kamer met schuine wanden. Er stond alleen een breed bed, dat ze in de oude slaapkamer van de boerderij had gevonden en dat ze korenblauw had geverfd, en verder stonden er een paar oude houten bierkratjes, die ze dieprood had geschilderd en bekleed met fluweel. De muren waren kaal en wit. De enige versiering was haar gitaar, die ze had opgehangen. Het was erg warm geworden en de lucht van de zwoele zomernacht kwam door het gordijnloze raam naar binnen en zoog de rook van onze joints naar buiten. We waren naakt en hadden gevreeën. Ze lag half op haar zij en tekende abstracte figuren op mijn borstkas. Haar borst raakte mijn arm, ik was warm en licht door de seks en de marihuana en voelde me bij de gedachte aan mijn vertrek zowel verdrietig als blij. Ik had echter een rusteloze natuur en daar gaf ik graag aan toe. Voeten zijn om mee te lopen. De nomade was voor mij een romantische figuur en ik beschouwde mezelf als een moderne nomade die de hele wereld als graasgebied had. Ik wilde nooit meer bezitten dan wat ik in mijn rugzak kon dragen. Anderen konden zingen. Ik kon fotograferen. Foto's kon je overal verkopen. Ik had alleen behoefte aan het hoogstnoodzakelijke. Ik was twintig jaar en hopeloos romantisch. Ik had mijn middelbare-schooldiploma gehaald, een halfjaar bij een autolakbedrijf gewerkt en geld opzijgelegd. Ik had van mijn achttiende tot mijn negentiende mijn dienstplicht vervuld en daarmee een jaar aan de staat opgeofferd. Het was in die tijd en binnen het linkse milieu eigenlijk normaal om dienst te weigeren, maar dat zou me zestien maanden gekost hebben en daar had ik geen zin in. Daarna had ik als landarbeider en bouwvakker gewerkt en geld opzij gelegd. Ik had geld genoeg om op reis te gaan en ik had de andere communeleden niet verteld van de kleine som geld die op een rekening in Odense op me wachtte. Ik noemde dat mijn vrijheidskapitaaltje.

Plotseling herinnerde ik me dat ik die nacht, of beter gezegd 's ochtends vroeg, want het begon al licht te worden, een foto van Lola had genomen. Ik zocht in mijn koffer, terwijl de film van het verleden in mijn dronken kop werd afgedraaid. Ik zag het duidelijk voor me. Ze zat rechtop in bed, naakt, haar handen boven haar hoofd en ze tilde haar haar op zodat haar borsten omhooggingen. Haar lange benen licht gebogen waardoor ze op de kleine zeemeermin leek. Het moet een mooie foto geweest zijn, maar ik had hem niet bewaard. Hij lag niet in de koffer. Even voelde ik me erg teleurgesteld, ik ging weer in kleermakerszit op de grond zitten, keek naar de foto van Lola en Ernst in de tuin in Bogense en herinnerde me de laatste nacht.

'Waar kom je eigenlijk vandaan, Lola?' had ik gevraagd.

'Nergens vandaan', had ze geantwoord.

'We komen altijd ergens vandaan en we zijn altijd onderweg naar iets.'

'Ik ben opgegroeid in Vordingborg, in een officiersgezin, maar ik kom oorspronkelijk uit Engeland. Ik ben geadopteerd. Ik geloof dat ik van adel ben. Volgens mij was er iets met een groot schandaal', had ze gezegd.

Ze zag zichzelf voortdurend als iemand anders en voorzag zichzelf van nieuwe rollen, gezichten, identiteiten en voorgeschiedenissen. Ze was de maker van haar eigen verhaal en het kon haar niet schelen dat ze in haar eigen leugens en tegenstrijdigheden verstrikt raakte. Telkens wanneer ze een nieuwe legende creëerde was ze er stellig van overtuigd dat dát de waarheid was. Ze had ons eerder gezegd dat ze de dochter van een alleenstaande moeder was die in Kopenhagen kapot was gegaan aan de drank. Ernst had ze, wist ik, verteld dat ze de oudste was van zes kinderen en dat ze opgegroeid was in een arm boerengezin aan de westkust. Aan haar Deens kon je niets horen. Ik kwam van Fyn en dat kon je horen, ook al probeerde ik toen algemeen beschaafd Deens te spreken of juist met het accent van de Kopenhaagse arbeiders. Maar Lola had een mooie uitspraak, een beetje zoals in oude zwartwitfilms uit de jaren veertig met een bedeesde, nasale stem en ze sprak de a's uit zoals de betere stand ten noorden van Kopenhagen dat deed.

Ik sprak haar niet tegen. Ze kuste mijn borst, liefkoosde me met haar tong en verder naar beneden met haar vingers en ik voelde hoe de wellust onder haar handen opnieuw groeide.

Ze kuste het puntje van mijn neus, mijn kin en mond en ze zei: 'Je hebt zoveel talenten, Peter. Je bent een begaafd minnaar, je bent een begaafd fotograaf, je bent een begaafd schrijver, je bent een begaafd verleider, je bent een begaafd leugenaar, je bent een begaafd bedrieger. Al die talenten zullen nog eens je ondergang worden en moet je nu echt vertrekken?'

Ik duwde haar zachtjes op haar rug en drong bij haar binnen.

'Peter, ik heb geen enkel talent. Het enige wat ik kan, is mannen verleiden. Ik heb een groot talent om mannen te laten doen wat ik wil. Waarom doe jij niet wat ik wil?'

Haar stem klonk dertig jaar later zo duidelijk dat het leek alsof ze hier in mijn hotelkamer naakt in bed lag. Het klonk zo akelig dichtbij dat ik begon te rillen van de kou en als in trance in mijn eigen wereldje verkeerde.

Herinnering en herhaling tegelijk. Het leek wel of ik een psychedelische trip maakte. Het was moeilijk uit te maken wat werkelijkheid en wat droom was. Alsof ik naar een film zat te kijken zag ik Peter Lime de volgende dag met zijn rugzak over de schouder de boerderij verlaten, over het afgelegen pad in de richting van de grote weg lopen. De geur van Lola's huid en schoot zat nog in mijn neus en op mijn huid. Het was een wonderlijk vroege zomerochtend, het licht viel zo prachtig helder over de kwelders alsof een geniaal kunstenaar het geschilderd had. Er dreven een paar dunne wolkjes voorbij die op de merkwaardigste fantasiefiguren leken, geschapen door 's werelds meest getalenteerde scenograaf. Er kroop een vochtige grauwe ochtendmist over de aarde. In een roes die veroorzaakt werd door de marihuana, maar die toch vooral het gevolg was van een gevoel van absolute vrijheid, liep ik de weg op. Dronken van vreugde over de onvermoede mogelijkheden van het leven en de onkwetsbaarheid van mijn jonge, sterke lijf.

Ik geloof dat ik me nog nooit zo gelukkig en zorgeloos heb gevoeld, ook daarvoor en daarna niet. Ik was volkomen onbezorgd gelukkig omdat ik juist op dat tijdstip van de geschiedenis mocht leven.

De wereld lag aan mijn voeten, klaar om veroverd te worden.

13

Rood, rond en heet lag de arena Las Ventas in de late middagzon toen de taxi mij er op zondag iets voor vijf uur afzet-
te. Voor de arena wemelde het zoals altijd van de mensen en
er klonk een hels lawaai van toeterende auto's, schreeuwende
verkopers en fluitende verkeersagenten die een beetje orde in
de chaos probeerden te scheppen. Snoep- en notenverkopers
naast kraampjes met bier en water, karren met speelgoed en
posters, lelijke speelgoedstieren, nepzwaarden en *capas*. Ik
was vergeten dat je altijd zo vlak voor een stierengevecht de
verwachting in de lucht kon horen gonzen en werd er door
aangestoken. Mijn zintuigen stonden open alsof ik uit een
lange winterslaap was ontwaakt. Ik had weer oog voor het
leven om mij heen en niet meer alleen voor de kilte in mijn
hart. De menigte begaf zich met de kleurige toegangskaartjes
in de hand naar de ingang van de arena, die tegen de hemel
afstak. Zo moet het vroeger in Rome geweest zijn wanneer
het volk naar de gladiatoren ging kijken. De prikkelende
aanwezigheid van de dood, die de mensen met eigen ogen
konden aanschouwen en voelen, terwijl ze zelf buiten gevaar
waren. Ik zag hier en daar een toerist maar het waren vooral
Spanjaarden die bij de ingang samendromden. Ik kende de
stierenvechters die op de aanplakbiljetten stonden niet. Ik
volgde de stierengevechten al lange tijd niet meer, maar uit
de opmerkingen van een paar aficionados maakte ik op dat
een van hen een jonge veelbelovende Andalusiër was. De stieren kwamen van de Miura-farm in de buurt van Sevilla, het
waren grote, sterke beesten. De echte aficionados kwamen
eigenlijk vooral voor de stieren. Ze wilden zien hoe deze beesten, die vaak wel een halve ton wogen, explosief en agressief
de aanval openden op alles wat maar in de buurt kwam. Ik

kreeg er al een beetje zin in. Tot mijn eigen verrassing raakte ik weer enigszins in de ban van het ritueel en bijna vergat ik waarom Don Alfonso me naar Las Ventas had gestuurd. Zodra de derde stier in zon en stof over het zand aan zou komen stormen, een wisse dood tegemoet, zou er een man met de zondagsbijlage van *El País* naast me komen zitten.

Beschermd door het 'Do Not Disturb'-bordje op mijn afgesloten deur, had ik eerst op de grond en later in het onopgemaakte bed geslapen en was met een helder hoofd, maar ook met pijn in mijn gekneusde rib en aan de wond onder mijn oog ontwaakt. Ik had opgeruimd, de koffer op slot gedaan, me gewassen en in het restaurant de eerste fatsoenlijke maaltijd sinds dagen gegeten. Daarna was ik naar Suzuki gegaan en had ik me overgegeven aan zijn aangename, melodieuze stem en weldadige handen. Ik had het gevoel dat ik een crisis had doorstaan, hoewel ik moeilijk kon aangeven in welk opzicht mijn geestelijke toestand veranderd was. Suzuki had gezegd dat mijn lichaam beter ademde en dat hij de contouren van *wa* kon voelen, het evenwicht in lichaam en ziel. Alsof ik gelouterd was. Ik was er weer bovenop en de neiging om te gaan drinken was ver weg, maar ik wist dat hij nog niet verdwenen was. Er was nog steeds weinig voor nodig om me van mijn stuk te brengen. Ik had mijn mobiele telefoon weer aangezet. Er stonden veel berichtjes op van Oscar en Gloria. Ze scholden me uit omdat ze me niet konden bereiken. Het laatste bericht hadden ze samen ingesproken. Ze zouden eerst naar Ierland gaan en vandaar naar Londen afreizen, en ze verheugden zich erop me daarna weer op ons werk aan te treffen. Ze wensten me een fijne zomer. Ze namen hun mobiele telefoons mee en rekenden erop dat ik wat van me liet horen. Ja, ze eisten zelfs dat ik zou bellen!

Don Alfonso's kaartje was een van de duurdere. Ik zat op de vierde rij aan de schaduwkant, vlak onder *el presidente* die de *corrida* van die dag zou leiden. Langzaam raakten de rijen zitplaatsen vol. De tabaksrook steeg, samen met het gezoem van de stemmen, op naar de blauwe hemel boven Madrid. Bijna alle plaatsen waren al bezet. De mis en het stierengevecht begonnen in Spanje altijd precies op tijd. Rechts naast me waren twee lege plaatsen en links naast me was ook een plaats vrij. Voor me zaten vier mannen druk te discussiëren over de verschillende stieren die ze 's ochtends tijdens de loting gezien hadden, waarbij bepaald wordt welke van de zes stieren het gevecht met de drie stierenvechters zullen aangaan en in welke volgorde. Het waren kenners en ze zouden alle aandacht bij het gevecht houden. Achter me zaten vier Amerikaanse vrouwen. Ik kon aan hun stemmen horen dat ze bang waren voor wat ze te zien zouden krijgen, maar kennelijk wilden ze niet naar de vs terugkeren zonder uit eigen ervaring hun afschuw over de dierenmishandeling in de Spaanse arena's uit te kunnen spreken. Ze hadden het steeds over de irritante rook, hoewel we in de open lucht zaten, en dat het absurd was dat er niet eens rookvrije plaatsen in de arena waren. Ze waren het erover eens dat Europa stonk.

Ik legde het gehuurde bruine vierkante kussentje op het cement, ging erop zitten en ademde de geur van dikke sigaren en mannen-eau de cologne en de discrete, dure parfums van de Spaanse vrouwen in. Bier- en waterverkopers liepen langs de rijen, weer anderen verkochten cognac, whisky of wijn. Ik kocht een cola en een zakje pinda's, snoof de geur van zand, hout en dieren op en genoot van het verwachtingsvolle gegons van stemmen. Aan de overkant op de tribune die in de zon lag, werd een synchroon handballet uitgevoerd wanneer de toeschouwers hun waaiers in de stilstaande lucht snel heen en weer bewogen. Op die goedkope tribune zaten de mensen met hoeden en gevouwen kranten voor het gezicht en boven het hoofd om zich tegen de zonnestralen, die het kurkdroge zand goud kleurden, te beschermen.

Het orkest opende met hoorngeschal het gevecht en drie

stierenvechters en hun cuadrilla maakten zich klaar om el presidente te begroeten. Ze sloegen een kruis, het orkest speelde nu de paso doble en ze liepen de arena in om het eeuwenoude spel met de dood te beginnen.

De eerste stier kwam met grote snelheid en een hoog opgeheven kop uit zijn donkere hok. Hij bleef een ogenblik in het scherpe zonlicht staan, zeer verrast door de hoeveelheid mensen, de geuren en het lawaai. Toen zag hij de helper van de stierenvechter, de *banderillero* met zijn grote geelrode capa, die vanachter een hindernis tevoorschijn was gekomen. Hij zou de eerste stappen in deze strijd zetten zodat de stierenvechter zijn tegenstander kon bestuderen, zijn kracht en zwakte kon inschatten. De stier schraapte met zijn poten, schudde zijn kop en brulde, en het publiek begon te fluiten. Dat de stier zijn territorium afbakende was een teken van lafheid. Hij moest gewoon direct aanvallen. De helper lokte hem achter zich aan met zijn capa en *el matador de toros* trad naar voren om de strijd aan te binden. De matador wapperde een paar keer met de doek en de stier viel snel en vastberaden aan, maar stootte links omhoog met zijn hoorns toen *el torero* het grote dier om zich heen liet draaien met een paar mooie *verónicas*. Toen hij voor de derde keer aanviel, en probeerde bij te draaien, stortte de stier op zijn voorpoten en een golf van teleurstelling ging door het publiek. Zwakke poten, het grote probleem van de hedendaagse Spaanse vechtstier. Ze werden te snel opgefokt. Het orkest gaf een teken en de paarden kwamen binnen roffelen. Met hun dikke flankbeschermers en hun bedekte ogen leken ze net prehistorische hagedissen of een stel logge knollen. De *picador* zat rank met de lans in zijn hand op het paard en boog naar voren naar de stier, die door de stierenvechter met zijn capa was gelokt en ineens recht voor het paard stond. De stier viel meteen aan en toen de picador zijn lans in de enorm opgezwollen rugspier zette, sijpelde er bloed uit de wond.

Het publiek begon van minachting te fluiten toen de picador de lans in de rug bleef steken om te voorkomen dat de stier met zijn linkerhoorn in de lucht bleef stoten. Maar de stier gaf niet op en duwde met zo'n kracht tegen de lans dat het zware paard tegen de houten wand werd geperst totdat de stier weggelokt werd door de wapperende doeken. Nu wist het beest dat het een kwestie van leven of dood was. Pas als al zijn vijanden van dit warme zand verdwenen waren, zou hij vrede vinden.

Hij werd nog een keer met de lans bewerkt totdat el presidente gehoor gaf aan het oorverdovende gefluit van het publiek dat protesteerde tegen het onnodig verzwakken en afmatten van de stier, en de picador liet stoppen. De stier stond midden in de arena, hij ademde zwaar en uit de wond op zijn rug stroomde bloed.

De toeschouwers klapten toen de matador persoonlijk het publiek met zijn *banderillas*, de korte, kleurige pijlen, begroette. Het was gebruikelijk dat een van de helpers die aanbracht, maar deze keer zou hij het zelf doen. Hij rende schuin op de stier af, die hem in het oog kreeg, en even later leek het alsof man en dier samensmolten toen de matador lichtvoetig op zijn tenen ging staan, zich met een korte pirouette omdraaide en de twee pijlen precies rechts in de rugspier van het beest stak. De stier brulde en schudde zijn hele lijf heen en weer om de irritante, pijnlijke dingen af te werpen. Het publiek klapte zowel voor de perfect geplaatste pijlen als om de stier die zijn moed herwonnen had. De matador slaagde erin het volgende paar banderillas op dezelfde elegante manier te plaatsen, maar het derde paar viel eraf toen de stier door zijn zwakke poten op de knieën zakte.

Bloedend en alleen stond hij midden in de arena zijn lot af te wachten. Ik keek naar de stierenvechter voor me. Hij nam een slok water, sloeg een kruis, pakte de rode lap – *de muleta* – en stak zijn degen onder de lap om hem uit te vouwen. Zijn gezicht was onder de olijfkleurige huid bleek en zijn donkere ogen waren vol angst, maar hij groette trots toen hij zijn hoed afnam en hem naar een vrouw een paar rijen verderop wierp en droeg de stier daarmee aan haar op. Ik nam snel een paar foto's met mijn Leica. Ik had een telelens moeten hebben. Het enige wat ik wilde vangen was de angst op zijn gezicht, de lege ogen met de kleine pupillen. Dit waren de eerste foto's die ik sinds de dood van Amelia en María Luisa had genomen, afgezien van die van de mieren dan. Ik had met mijn gebruikelijke zekerheid de camera gericht, scherp gesteld, de belichting en de afstand geschat, bijna zonder erbij na te denken, maar met de overtuiging dat dit een goede foto zou worden. Het was een fantastisch gevoel, een onbeschrijflijk moment waarop ik weer handelde en op mijn omgeving reageerde zoals ik beroepshalve altijd deed: ik probeerde het moment vast te houden en vast te leggen. Voor mij was dit, net als voor de stier daar in het bebloede zand, het moment van de waarheid.

De stierenvechter was ouder dan ik dacht. Hij had een jongensachtig, tenger lichaam in een strakzittend geel-rood kostuum, maar zijn gezicht was al wat ouder en wat ik me vooral herinner is de angst die op zijn gezicht te lezen stond toen hij de stier in zijn eentje benaderde. Hij wist dat de woede en argwaan op zijn ergst waren, juist nu het dier door bloedverlies verzwakt was en dat hij de stier binnen een paar minuten zou moeten doden. Hij had zelf de banderillas aangebracht om zijn angst te overwinnen en omdat het moediger lijkt dan het is. De moeilijkste en gevaarlijkste minuten breken aan wanneer hij zich alleen met de stier in de arena bevindt en dat beviel hem niets. Hij lokte de stier naar de schutting zodat zijn helpers hem in geval van nood konden bijstaan, bereidde zich zo snel hij kon voor op het beslechten van de strijd, maar wel zo dat hij niet voor lafaard uitgemaakt kon worden. De stier was onhandelbaar, maaide nog steeds met zijn linkerhoorn in de lucht en zakte door zijn zwakke poten wanneer de matador hem met behulp van zijn capa rondjes probeerde te laten draaien. Het kostte moeite om de stier tot de aanval over te halen. Het beest stond zwaar te proesten, overal zat bloed aan zijn zwarte vacht vastgekoekt en hij leek eerder op een wanhopige koe dan op een vechtlustige stier. De matador moest hem dicht naderen om hem in beweging te krijgen. Zo kon het niet langer, hij pakte zijn degen, maakte zich op voor het moment van de waarheid en doodde het beest zonder al te veel ceremonie. Hij was in elk geval professioneel. Hij groette het publiek, boog voor zijn 'vrouw' en el presidente, en de muildieren liepen de arena in en sleepten de dode stier weg, terwijl er hier en daar geklapt werd. Een gewone zondagmiddag zoals overal in Spanje. Als de dood je niet langer fascineert, dan zegt het schouwspel in de arena je weinig meer. Wanneer de kleuren van de kostuums, de atavistische mystiek van de toneelspelers en de prehistorische esthetiek van het ritueel niet langer aantrekkingskracht uitoefenen. Op het moment dat je medelijden kreeg met de stier, had het stierengevecht zijn magie verloren. Ik begreep waarom ik de zondagse gevechten niet langer volgde. Het zei me niets meer.

Dat gold ook voor de Amerikaanse vrouwen achter me. De hele seance lang had ik hun afkeurende uitroepen aan moeten horen en toen de grote dode stier door het span muildieren door het bloederige zand werd gesleept, was de maat vol en stapten ze onder luid protest over deze dierenmishandeling op. Het was nog erger geweest dan ze gedacht hadden. Ze zouden een brief schrijven naar hun plaatselijke krant. Ze waren er fysiek ellendig van geworden. Nu hadden ze tenminste iets om thuis in Iowa over te praten.

Ik bestelde een cognacje en een biertje en dronk die op terwijl de tweede stier op bijna vergelijkbare wijze aan zijn einde kwam. De stier was beter. Daarentegen was de stierenvechter slechter en hij liet zijn picador het grote sterke beest zo toetakelen dat ook die tijdens de *faena* door zijn poten zakte. De matador deed het slecht en pas na drie stoten wist hij het dier te doden. Het publiek floot vol verachting.

Ik bestelde nog een cognacje en toen het hoorngeschal voor de derde stier klonk, ging er een wat oudere man op de lege plek naast me zitten. Hij had de kleurige zondagsbijlage van *El País*, een heel tijdschrift op zichzelf, in de hand en legde die op zijn schoot.

'Buenas tardes, señor Lime', zei hij.

'Buenas tardes', antwoordde ik en keek naar hem.

Het was een kleine man met een hoog gewelfd voorhoofd. Zijn nog zwarte, gepommadeerde haar was naar achteren gekamd en hij had een dun snorretje boven een kleine mond. Hij rookte een grote Cubaanse sigaar. Ondanks de hitte droeg hij een licht kostuum en een zorgvuldig gestrikte stropdas. Hij sprak met een wat droge, rasperige stem en bewoog zijn mond amper, alsof hij bang was dat iemand zijn woorden zou liplezen.

'Geniet u van ons *fiesta brava*?' vroeg hij.

'Niet zo erg. De stieren zakken steeds in elkaar en *los toreros* lijken meer aan hun bankrekening te denken dan aan hun kunst.'

'Zeer goed opgemerkt. Dat geldt voor bijna alles tegenwoordig. De mensen denken meer aan geld dan aan de kunst of aan de tradities die van Spanje een geciviliseerd land maken. Maar dat weet u uit eigen ervaring. Don Alfonso heeft me verteld dat u ons land kent, begrijpt en het alle goeds toewenst.'

'Dat klopt, zei ik.

'Maar dat is niet altijd zo geweest', zei hij.

'Wat bedoelt u daarmee?'

'Ooit maakte u deel uit van een groepje mensen dat de geciviliseerde orde omver wilde werpen.'

'Als u daarmee bedoelt dat ik tegen de dictatuur van Franco was, dan heeft u gelijk.'

'Dat is een versimpeling, señor Lime. *El caudillo*, God hebbe zijn ziel, was een vooruitziend man. Hij kende ons wilde bloed, onze wreedheid, ons vermogen tot moorden, onze fascinatie voor de dood waarvan de corrida maar één voorbeeld is, ons gebrek aan tolerantie, ons machismo en onze onbuigzame trots. Hij beschouwde het als zijn taak om de wonden van de burgeroorlog te genezen en om van Spanje een moderne Europese natie te maken. Zijn project is geslaagd.'

'Ik ben ervan overtuigd dat de gemartelden en geëxecuteerden hem dankbaar zijn voor zijn inzet. Spanje was het gezwel van Europa. Een merkwaardig fascistisch overblijfsel, waarin het nazisme wist te overleven nadat het in Duitsland ten onder was gegaan.'

Hij werd niet boos, maar ging op dezelfde zachte toon verder.

'Het alternatief was chaos. Er waren sterke krachten die Spanje te gronde wilden richten. Zowel binnen als buiten Spanje. De leider had het goed gezien. Spanje moest eerst jarenlang zijn eigen weg gaan, voordat het land heelhuids zijn verleden achter zich kon laten.'

In mijn oren klonken zijn woorden als een echo uit andere dictaturen. Het waren de woorden van Stasi-informanten uit de voormalige DDR en de fascistische beulen uit verschillende Latijns-Amerikaanse landen. Ze hadden alles omwille van de goede zaak gedaan. Ze hadden gewoon de orders uitgevoerd. Ze waren niet verantwoordelijk en ze verdedigden hun daden tot aan hun dood, want anders zou hun leven zinloos zijn. Soms was het moeilijk te begrijpen dat dictaturen alleen konden functioneren omdat duizenden mensen hun ogen sloten en weer andere duizenden aan de instandhouding van de repressie meewerkten.

'Bent u historicus?' zei ik.

Hij lachte.

'Zoiets. Maar het is niet de bedoeling dat we over politiek of geschiedenis gaan discussiëren. Ik ben hier om een man, voor wie ik veel respect koester, een wederdienst te bewijzen.'

Ik wilde eigenlijk nog meer over Franco zeggen, maar het publiek begon zo te joelen en te fluiten dat we elkaar niet meer konden verstaan. Het kwam door de derde stier. Hij was kreupel. Hij stond in het midden van de arena en toen de matador hem met zijn capa in beweging wist te krijgen was duidelijk te zien dat het dier behoorlijk mank was aan zijn linkerachterpoot. De stierenvechter keek vragend naar el presidente en even later liepen een paar ossen de arena in. De grote woedende vechtstier veranderde in een makke koe en liet zich door de ossen, die hij nog kende uit zijn jonge jaren in de uitgestrekte weiden, uit de arena lokken. Vredig als een offerlam verliet het dier de arena en beneden in de gangen van Las Ventas zou een efficiënte slager hem op- wachten om hem vervolgens met een elektrische stoot te doden.

'Je denkt dat er een uitweg is, maar alle wegen voeren naar de dood', zei de man naast me.

'U kent mijn naam. Ik ken de uwe niet', zei ik.

'Noemt u me voor het gemak maar Don Felipe.'

'Don Felipe. Als u geen historicus bent, wat bent u dan wel?'

Hij was net als mijn schoonvader. Hij sprak het liefst in raadselen en draaide voortdurend om de zaak heen. Ik wist dat hij een voormalig officier van de inlichtingendienst onder generaal Franco geweest moest zijn en dat hij vast meer ge- heime missies had gehad dan medailles. Maar hij was spraak- zamer dan mijn schoonvader meestal was. Hij had een onbe- stemd accent, maar het klonk alsof hij ergens uit het zuiden kwam.

'U moet me niet verkeerd begrijpen', zei hij en hij boog naar me toe zodat ik de geurige sigaar goed kon ruiken. 'Ik ben aanhanger van de democratie. Heel ons werk had eigenlijk tot doel om het communisme en anarchisme te bestrijden, waardoor Spanje naar een democratie kon toegroeien. Dat is gelukt. We hadden veel vijanden. Bolsjewieken, terroristen, separatisten. Buitenlandse agenten probeerden de staatsmacht en de samenleving te ondermijnen. In de jaren zeventig, toen de krachten van de leider afnamen, was de druk groot. Onze vijanden zagen een bres in onze verdedigingsmuur en stuurden agenten naar ons land om de krachten die chaos in plaats van orde nastreefden, aan te sporen en te steunen. Ik werkte mee aan de opsporing en het tegenhouden van dit soort ondergravende krachten. Mijn specialiteit was de inlichtingendienst van de sovjets, de KGB.'

'Samen met Don Alfonso?'

'Don Alfonso had zijn taken en ik de mijne.'

'En die waren?'

'De staat en de staatsinstellingen verdedigen. Ervoor zorgdragen dat onze brave burgers 's nachts met een gerust hart konden slapen.'

'Ik dacht dat dat ook de taak van mijn schoonvader was.' Ik zei schoonvader om hem eraan te herinneren dat ik wist waar ik het over had.

'Uw schoonvader heeft zich op binnenlandse vijanden geconcentreerd. Het was mijn taak om de buitenlandse agenten, die ons land infiltreerden, te stoppen.'

'De Russen?'

'Onder andere. De sovjetmacht zette graag Cubanen in. Die pasten beter in, hoe zal ik het zeggen, het milieu.'

'Oké', zei ik en leegde mijn glas. Ik had nog een glas willen bestellen, maar de reservestier was binnengelaten en de verkoop lag even stil, terwijl het ritueel zijn voorspelbare beloop kreeg. Ik begreep dat Don Alfonso bij de binnenlandse veiligheidsdienst had gewerkt en dat Don Felipe een functie in de contraspionage had gehad.

'U behoort tot die mensen die in bepaalde rapporten opduiken', zei hij toen.

'Rapporten?'

'Gewone routine. Afluisteren, schaduwen, onzichtbare huiszoekingen, inlichtingen van informanten. U kent het wel.'

Er ging een gemompel door de arena en toen het orkest de paso doble inzette, richtte ik mijn blik op het zand. Het was een moment van grootse schoonheid, waarop het stierengevecht tot kunst werd verheven en dier en mens in een dodelijke omhelzing samensmolten: de kleding van de matador, die het kostuum van licht werd genoemd, en de donkere bebloede vacht werden één. De matador was een jonge Andalusiër, nog te jong om te beseffen dat hij sterfelijk was. Hij trok de stier in steeds kleiner wordende cirkels naar zich toe met zijn rode capa zodat het bloed zijn strakke kleren rood kleurde. De stier stoof vol vechtlust op hem af, telkens wanneer hij hem met geroep en kleine polsbewegingen uitlokte. Je kon aan hem zien dat hij het moment zo lang mogelijk rekte om zijn macabere, mooie ballet tot in het oneindige voort te kunnen zetten, terwijl de muziek en het ritmische olé-geroep van de toeschouwers hem als een soort drugs opzweepten. Maar ten slotte kreeg het verstand de overhand. Want van iedere pas leerde de stier iets en het zou niet lang meer duren voor hij begreep dat er achter die rode lap een mens stond en je kon aan zijn ogen zien dat hij zich niet langer uitsluitend op de muleta richtte, maar dat hij voelde dat er een zacht lichaam achter zat. Hij maakte, onder groot gejubel van het publiek, een serie van drie pasjes af en pakte zijn degen.

'Dat het maar een mooie dood mag worden', zei Don Felipe eerbiedig. Hij was zeker een kenner, een oude aficionado.

De jonge stierenvechter liep de arena in, maakte een buiging en droeg de stier aan het extatische publiek op. Hij nam de juiste houding aan, lokte het beest vlak langs zich heen met een paar sublieme pasjes die, zo herinnerde ik me ineens weer, *manoletina's* heten naar een legendarische matador de toros uit de jaren twintig. Toen ging hij op zijn tenen staan, greep de kling en bedekte de ogen van de stier met de rode doek. De bloedende rugspier kwam bloot te liggen en ook het kleine stukje waar de degen in de inwendige organen zou moeten doordringen. Het was doodstil in de arena, hij bewoog zijn pols een beetje, het moment stond stil, bevroren, eindeloos. Toen vielen de matador en de stier tegelijkertijd aan, de matador gleed over de hoorns en stootte het zwaard diep in het beest en sneed de halsslagader door. De stier viel op de knieën, bleef even zo liggen, gaf bloed op en viel toen op zijn zij. Een helper kwam aanrennen en gaf hem met een dolk de genadestoot.

Ik kwam tegelijk met de menigte overeind en deed mee met het denderende applaus dat de jongeman, die arrogant en trots in zijn jeugdige overmoed bij zijn gevallen prooi stond, ten deel viel. Zakdoeken werden tevoorschijn gehaald en met toestemming van el presidente werden de twee oren en de staart van de stier afgesneden om als trofee aan de matador te geven, waarna het dappere dier onder oorverdovend applaus door de muildieren de arena werd rond gesleept, zodat hij toch nog in zijn dood voor zijn moed en dapperheid werd gehuldigd. Ik was vergeten hoe dit barbaarse schouwspel plotseling in een sublieme kunst kon veranderen, waardoor je je medelijden met het dier even vergat.

'Laten we God danken dat we dit mochten aanschouwen', zei Don Felipe.

'Of Don Alfonso voor de kaartjes', zei ik.

Hij lachte zijn korte droge lachje.

'Ja, kom we gaan. We hebben geluk gehad. Dit was een van

die zeldzame momenten waarop we kunst voor onze ogen hebben zien ontstaan en sterven. Dat zal ons vandaag niet meer overkomen, of misschien wel nooit meer.'

'Ik dacht dat u iets voor me had.'

'Dat heb ik ook. Maar we hoeven hier niet meer te blijven zitten. Na dit kan het alleen maar een teleurstelling worden en ik heb me ervan verzekerd dat we niet gevolgd worden.'

'Weet u dat echt zeker?'

'U moet me een beetje vertrouwen, señor Lime. Zoals ik u ook vertrouw. Kom mee!'

Hij stond op, we liepen langs de rijen en toen over het middenpad naar het hoofdgebouw van de arena. In de brede gang onder de arcaden waren niet veel mensen aanwezig. Hij voerde me naar een van de vele bars, kocht twee glaasjes cognac en daarna liepen we naar een nis. Vandaar uit konden we door een raam zonder glas of een soort schietgat naar het plein voor de arena kijken waar het nog altijd krioelde van de mensen. Het gegons van stemmen was in intensiteit toegenomen.

'De mensen rekenen erop dat onze jonge Andalusische maestro op de schouders genomen zal worden na de kunst die hij vertoond heeft', zei Don Felipe en overhandigde me de glanzende *El País suplemento*. Vanuit de arena klonk weer muziek.

Don Felipe vervolgde: 'Ik heb een afluisterverslag in de krant gestopt. Het komt uit een archief dat niet bestaat – formeel gezien dan. Ik heb de archiefnummers waardoor het verslag eventueel geïdentificeerd zou kunnen worden weggehaald voor het geval het in verkeerde handen mocht komen, maar u heeft mijn woord dat het verslag echt is. Ik betaal een schuld terug. Ik overtreed de wet, ik verbreek mijn zwijgplicht, ik verbreek de eed dat ik nooit geheimen van mijn werk zou onthullen, een eed die ik afgelegd heb aan onze leider, maar ik voel met Don Alfonso mee en betreur zijn verlies dat ook uw verlies is.'

'Wat staat erin?'

'Lees maar. Het is een gesprek tussen twee mannen. De een is Victor Ljubimov. Hij is officieel jarenlang cultureel attaché geweest, maar zijn werkelijke werkgever was de KGB. De Spaanse communistische partij, PCE, was zijn verantwoordelijkheid. Hij was een koerier die de partij geld bezorgde en een agent die hielp de Spaanse communistische partij te organiseren. Zoals u weet was de partij vóór de periode van overgang illegaal.'

Ik knikte. Hij had het Spaanse woord *transición* gebruikt, waarmee de onbestemde en gevaarlijke jaren vanaf de dood van generaal Franco in 1975 tot aan de eerste vrije verkiezingen van juni 1977 werden aangeduid. Franco had vlak voor zijn dood vijf mensen laten terechtstellen. Het was niet zeker dat de koning of de machthebbers van het oude regime de weg van de democratie zouden inslaan. De jongere krachten uit de enige partij die door Franco was toegestaan, moesten vrijwillig hun machtsmonopolie opgeven en Spanje van een dictatuur naar een democratie voeren, zonder daarbij het leger en het veiligheidsapparaat zodanig voor het hoofd te stoten, dat er een klassieke Latijns-Amerikaanse militaire staatsgreep zou plaatsvinden. Het was een hectische en spannende periode, de ideale tijd om journalist te zijn.

Don Felipe zei: 'Begrijpt u wat ik zeg?'

Ik knikte nogmaals en hij ging door.

'De PCE werd nauwlettend in de gaten gehouden, maar het waren de Amerikanen die Victor voor ons ontdekten. Hij spreekt vloeiend Spaans en Engels. Hij was de meest vooraanstaande contactpersoon tussen de KGB en de PCE.

'Goed', zei ik. 'En wie is die ander?'

'U moet geduld hebben met een oude man', zei hij. 'De PCE, dat staat voor Partido Comunista de España. Veel van haar politieke leiders woonden in Frankrijk of Moskou, maar in de jaren zeventig stond er een nieuwe generatie op die de partij nieuw leven inblies in Spanje zelf. Zowel binnen de universiteit als binnen de vakbeweging was de PCE bijzonder actief en sterk en we raakten onze grip op bepaalde delen van hun ondergrondse beweging kwijt omdat het moeilijk was bij de jonge communisten te infiltreren. We wisten natuurlijk dat Moskou probeerde zijn controle en zijn invloed te bewaren door agenten in te zetten en de partij te financieren. Ik kan me die periode nog heel goed herinneren. Het was een drukke tijd. Spanje verkeerde in een revolutionaire situatie. Er waren veel buitenlandse agenten op Spaans territorium actief. Onze eigen revolutionairen zagen hun kans schoon, maar veel aanhangers van links vonden toch niet dat Franco's regime door het sovjetcommunisme vervangen moest worden. Daar maakte Moskou zich ook zorgen over. Deze achtergronden moet u weten om het afschrift te kunnen begrijpen.'

'Oké', zei ik alleen maar en ik wachtte geduldig af. Hij nam een slokje van zijn cognac en ik deed hetzelfde van de mijne. Mijn vingertoppen tintelden een beetje en ik voelde hoe de alcohol me kalmeerde.

Don Felipe praatte verder.

'We hielden Victor in de gaten en schaduwden hem. We werkten uiteraard nauw met de Amerikanen samen. Waren we soms geen bolwerk tegen het communisme? Hadden we soms geen toestemming voor hun bases gegeven? In hun strijd tegen de bolsjewieken waren de Amerikanen bereid met de duivel zelf samen te werken. We weten trouwens niet wie die andere persoon van het gesprek is. We konden er wel uit opmaken dat hij van Duitse afkomst is. Dat hij uit de DDR komt en medewerker is van de Stasi. Het was zijn taak om in de PCE te infiltreren. We weten niet precies wat zijn functie was – en of hij u rekruteerde.'

Ik staarde hem verbluft aan. Dat had ik niet verwacht.

'Ik? Ik ben nog nooit lid geweest van een partij. Dus dat heeft hij niet gedaan. Ik ben nog nooit door wie dan ook benaderd', zei ik.

'Wat maakt het nog uit, Don Alfonso denkt dat het van belang is.'

'Ik heb weliswaar als fotograaf in de DDR gewerkt, maar hier in Madrid ken ik niemand die uit de DDR komt.'

Oscar kende ik natuurlijk, maar hij kwam uit Hamburg en hij had voorzover ik wist nog nooit een voet in de DDR gezet, behalve toen hij een keer met een dagvisum ging kijken hoe ze aan de andere kant leefden. Ik zag Oscar helemaal niet als een Duitser en hij had al lang geleden alles wat met Duitsland te maken had afgezworen. Hij sprak er al jaren over om Spaans staatsburger te worden en lachte mij altijd uit omdat ik er niet over peinsde mijn Deense staatsburgerschap op te geven. Hij zei altijd dat we een goed leven hadden in Spanje en dat we daarom de stap moesten nemen om staatsburger te worden van een land dat ons altijd goed bejegend had. Was ik Denemarken soms iets verplicht?

Ik keek Don Felipe vragend aan en na een pauze ging hij door.

'Ik heb nog vrienden uit die tijd. Contacten. Sommigen zijn nog actief, anderen genieten net als ik de stille geneugten van de gepensioneerde. Ik weet dat die sovjetagent nog leeft, maar toen de Sovjet-Unie instortte, is hij uit dienst getreden en nu schijnt hij zakenman te zijn in Moskou.'

'Maffia?'

'Hij noemt zich veiligheidsconsulent.'

Uit het gegons beneden voor Las Ventas, de muziek en het olé-geroep binnen in de arena maakte ik op dat de jonge Andalusiër ook geluk had met zijn laatste stier en ik begreep dat Don Felipe, of hoe hij ook maar heten mocht, het zo gepland had dat hij de arena tegelijk met duizenden anderen zou kunnen verlaten. Het was een grote meevaller voor hem dat het ernaar uitzag dat de menigte door de hoofdingang naar buiten zou stromen met de matador op hun schouders, een zeldzame eer – een eer die chaos met zich mee zou brengen en die de verwarring compleet zou maken.

Hij liet zijn *El País* liggen en stond op toen we het wilde applaus van de toeschouwers hoorden.

'Bedankt voor deze boeiende ervaring', zei hij, hief zijn glas en dronk het leeg. 'Don Alfonso moet helderziend zijn. Mij uitnodigen voor de derde stier was een geniale keus. Het komt zelden voor dat *el arte de torear* échte kunst is. Dag señor Lime, het was mij een genoegen.'

Hij liep weg met de sigarenrook als een vlag achter zich aan, een kleine gebogen man met grote geheimen. De opgewekte en tevreden mensenmassa begon van de tribunes te stromen en veegde hem als het ware mee, zodat hij ineens verdwenen was alsof ik nooit met hem gesproken had. Door het raam zag ik hoe de mensenmassa bij de hoofdingang samendromde en even later werd de jonge Andalusiër op de schouders naar buiten gedragen. Hij zag er zowel blij als verschrikt uit, alsof de mensenmenigte een groter gevaar vormde dan de twee stieren die hij die middag met eer en moed gedood had. Hij hield de oren en staarten van de twee stieren trots boven zijn hoofd, schudde ze heen en weer en gooide ze toen naar zijn bewonderaars. Wat was het leven simpel en eenvoudig voor hem. Hij vreesde de dood niet, hij werd op handen gedragen door de kritische aficionados die Las Ventas rijk was, hij stond aan het begin van zijn leven en ging ervan uit dat jeugd, schoonheid en geluk eeuwig zouden duren.

Ik hief mijn glas, dronk het laatste beetje cognac op, wenste hem alle geluk toe en sloeg voorzichtig *El País* op. Ik stond in mijn hoekje, terwijl de mensen voorbij stroomden zonder me op te merken. Tussen de middenpagina's lagen een paar zorgvuldig dubbelgevouwen witte vellen. Ik popelde om ze te lezen, maar stopte ze terug en toen de menigte begon uit te dunnen, ging ik met *El País* onder de arm op pad om een rustig plekje te vinden waar ik in nog een merkwaardig stukje van mijn verleden zou kunnen duiken.

14

Ik ging naar ons kantoor aan de Paseo de la Castellana dat voor de verandering in zondagse rust verkeerde. Normaal gesproken was het er ook op zondag druk. De onstilbare honger van de mens naar foto's van rijke en beroemde lieden kent geen rustdag, maar in augustus zetten we de activiteiten in Madrid op een lager pitje en lieten we Londen de zaken in het weekend waarnemen. De meerderheid van onze werknemers was op vakantie ergens ver weg van de smorende hitte die de vervuilde stad dagelijks teisterde. Tijdens het korte taxiritje van Las Ventas naar kantoor werd mijn T-shirt klam van het zweet, mijn lichaam plakte tegen het imitatieleer van de achterbank alsof ik eraan vastgelijmd was.

Ik opende de deur en werd door de droge koelte van de zwak zoemende airconditioning verwelkomd. Ik trok mijn T-shirt uit mijn broek en wapperde ermee als een klein meisje dat een dansje maakt en pakte een koude cola uit de koelkast in de keuken. Het kantoor was op het zachte gezoem na helemaal stil en de afgedekte computers stonden er roerloos bij. Ik liep door de lege ruimtes en keek in Oscars kantoor. Zijn bureau, dat normaal altijd rommelig was en bedolven onder bergen foto's, glossy magazines, koffiebekers, lange computeruitdraaien en volle asbakken, was opgeruimd en leeg. Zijn telefoon en computer stonden er stil en verlaten bij, alleen het lampje van zijn antwoordapparaat knipperde. In het archief stonden de grote kasten met negatieven en afgedrukte foto's, maar de meest gevraagde foto's zaten in onze grote mainframecomputer. Ze waren op de harddisk gesaved en konden elk moment digitaal verzonden worden in het geval de redactie van een krant of weekblad een bepaalde foto van een bepaalde persoon nodig had. We handelden het meest in bekende personen, maar we konden ook best een goede foto van een Goya uit het Prado leveren als iemand daar belang bij had. In een mum van tijd konden we via de telefoonverbindingen een foto de wereld rond sturen. De magie van het informatietijdperk.

Ik stelde het lezen nog even uit, drentelde wat rond en genoot van de stilte en koelte. Ten slotte ging ik in mijn eigen kantoor zitten. Ik liet de deur open staan zodat ik door de grote gezamenlijke kamer van onze secretaresses en de andere assistenten in die van Oscar kon kijken. Ik voelde me thuis en toch ook een beetje een vreemde die geen toegang had moeten krijgen tot het domein van deze hardwerkende mensen. De kamers maakten nog steeds deel uit van mijn leven en ik was eigenaar van een derde deel ervan, maar toch hoorde ik er niet meer bij. Ik legde de vellen papier voor me neer, stak een sigaret op en begon met toenemende fascinatie en verwondering te lezen, terwijl de kille woorden me terugvoerden in de tijd.

Afluisterverslag PCE/I3/05 maart 1976, 14.45 uur

Opgesteld door (doorgestreept). Vertaald uit het Engels door (doorgestreept).
Gesprekspartners: Victor Ljubimov, ca. 40 jaar, cultureel attaché bij de ambassade van de Sovjet-Unie in Parijs, met een Cubaans paspoort binnengekomen via de Portugese grens op 23 februari 1976, verblijvend in Hotel Victoria (zie bijgevoegde kopie van hotelinschrijving). Onbekende man van midden twintig, lang, lange baard, hippietype. Het gesprek werd in het Engels gevoerd. Hier en daar interferentie, verder uitstekend functionerende technische middelen. Bij het afluisteren ontbreken echter de eerste vier minuten van het gesprek. De afluistereenheid PCE/I3 is van mening dat dit deel van het gesprek heeft plaatsgevonden in de hal buiten de reikwijdte van microfoon 3. Het afluis-

teren werd verder ook beperkt door het tv-toestel in de ruimte, dat speelfilms vertoonde. Na opschonen van de band lukte het om het grootste gedeelte van het gesprek te ontcijferen. Taalexpert A/24 deelt na beluisteren mee dat het Engels van de objecten goed en grammaticaal correct is, maar niet hun moedertaal. De Hippie spreekt Engels met een accent dat taalexpert A/24 definieert als Duits ondanks een poging Amerikaans jargon te gebruiken. Het Engels van Ljubimov is vloeiend en Brits in uitspraak, aldus taalexpert A/24 na beluisteren van delen van de band zonder voorkennis omtrent de identiteit van de objecten.

Victor arriveerde om 15.45 uur op het schuiladres op nr. 12 aan de Calle Princesa. Zoals besloten in richtlijn nummer 11 met toestemming van de geheime rechtbank afdeling 6 was er volgens afspraak met de eigenaar van het belendende pand, een goede patriot die jarenlang lid was van de Beweging, afluisterapparatuur geïnstalleerd.

De flat was in bezit van (naam doorgestreept) wiens banden met de illegale communistische vakbeweging Comisiones Obreras goed gedocumenteerd zijn. Op basis van doorlopend onderzoek wordt aanbevolen arrestatie en verhoor van (naam doorgestreept) na te laten.

Om 15.58 uur kwam gesprekspartner aan op nr. 12 aan de Calle Princesa.

Aangezien de identiteit van het object voorlopig onbekend is, wordt het object in het registratierapport Hippie genoemd vanwege zijn lange haar. Afluistereenheid C/3 is er niet in geslaagd een foto van Hippie te maken, hij heeft de flat waarschijnlijk via een andere uitgang verlaten. Afluistereenheid C/3 wil proberen om via nader onderzoek achter zijn identiteit en zijn officiële opdracht in Spanje te komen. Leek op een toerist maar zag er goed getraind en verzorgd uit ondanks het langharige uiterlijk.

Kennelijk was het niet gelukt om achter de identiteit van Hippie te komen. Groot en langharig. Die beschrijving paste bij duizenden jonge buitenlanders die in de jaren zeventig in Madrid rondhingen en van het leven genoten in een land waarin een dollar en een D-mark nog heel wat peseta's waard waren. Ik keek uit over de daken van Madrid en dacht aan al die bureaucraten van over de hele wereld die in de hoogtij-dagen van de Koude Oorlog het ene rapport na het andere van het soort dat ik nu zat te lezen hadden geproduceerd. Waren dergelijke rapporten eigenlijk wel te vertrouwen? Was het niet altijd zo dat zulke rapporten juist volkomen ongeloofwaardig waren omdat de geheime agenten puur hun eigen belang dienden door van iedere kleine banaliteit iets verdachts, een gevaarlijk onderdeel van een groter geheel te maken. Op die manier zorgden de geheime diensten ervoor dat hun budgetten en daarmee hun werknemersstaf konden blijven groeien. Een politiestaat voeren is duur.

Het gesprek zou best gevoerd kunnen zijn. Of toch niet? Dat wist in werkelijkheid niemand. Ik stak een nieuwe sigaret op en las verder. In elk geval bleef ik nu verder verschoond van de ingewikkelde bureaucratische taal die in de inleiding gebezigd werd. Het gesprek was als een filmscript in dialogen genoteerd. Alleen de regieaanwijzingen ontbraken.

Victor: ...heb je enig idee of Comisiones Obreras de arbeiders op 1 mei de straat op krijgt?
Hippie: Onze kameraden doen hun best en het lijkt erop dat ze de strategie volgen die door het Centrale Comité in Moskou wordt gesteund. Het is belangrijk ze te mobiliseren en de PSOE in de verdediging te duwen.
Victor: Hoe staat het met de stakingen van volgende maand?
Hippie: Alles wijst erop dat er overal in het land gestaakt zal worden. Het kon wel eens een algemene staking worden.
Victor: Hebben ze er de middelen voor?

Hippie: Er is een geldtekort. Dat staat buiten kijf.

Victor: Ik kan voor geld zorgen. Ik heb een paar dagen nodig. Het wordt via Parijs langs de gebruikelijke kanalen overgemaakt.

Hippie: Dan heb je de studentenbeweging nog. De anarchistische groeperingen zijn sterk en dringen de Partij naar de achtergrond. Voor die strijd hebben we ook middelen nodig.

Victor: Moskou is rijk, maar we zijn geen geldautomaat.

Hippie: De strijd moet nu beslecht worden. Het is slechts een kwestie van tijd en dan zal de PCE gelegaliseerd worden, dus we moeten sterk staan. Anders gaan de socialisten er met de stemmen vandoor. We verkeren in een revolutionaire situatie.

Victor: Moskou hecht belang aan zowel de staking als aan I mei. Dan moet de deur van het verrotte systeem ingetrapt worden.

Hippie: Ik ken het milieu. Studenten en arbeiders zullen op I mei samen de straat opgaan. Vertrouw daarop.

Victor: Oké. Spanje zal veroverd worden.

Hippie: Dan hebben we de Basken nog…

Victor: Ja.

Hippie: Mijn contactpersonen zeggen dat ze tegelijk met de demonstraties en stakingen een militair offensief zullen beginnen.

Victor: Ja.

Hippie: Chaos.

Victor: Ja.

Hippie: De fascisten zullen de gelederen sluiten. De repressie zal in eerste instantie hevig zijn, maar het zijn de laatste stuiptrekkingen. Dan zal de situatie pas echt revolutionair worden…

Victor: Volgens Moskou is het strategisch gezien het verstandigst om mee te gaan in de overgangsfase zodat de PCE een legale partij kan worden.

Hippie: Aha.

Victor: Het plan is om Carrillo eerst binnen te smokkelen en hem hier illegaal een symbool te laten zijn en wanneer de tijd rijp is La Pasionaria in het openbaar te laten terugkeren.

Hippie: Dat zullen ze nooit toestaan.

Victor: Wij denken van wel. Wij denken dat revolutie geen haalbare kaart is gezien de huidige situatie in Spanje. Moskous strategie is dat we de arbeiders op de werkvloer en de rest van de bevolking moeten winnen door deel te nemen aan het parlementaire proces, dat volgens ons zal komen. We moeten erbij zijn als het fascisme afgelost wordt door een parlementaire democratie. In elk geval in eerste instantie.

Hippie: Ik ben van mening dat Berlijn de strijd van de Basken in de huidige situatie niet ziet als terrorisme, maar als een legitieme gewapende strijd.

Victor: We zijn het misschien voor een deel met onze kameraden oneens, maar op dit moment beschouwen wij de legale weg als de enig juiste. Er zullen verkiezingen komen. De PCE zal sterk staan in deze verkiezingen. Zo niet, dan moeten we de situatie heroverwegen.

Hippie: Mischa vindt dat ik de contacten met de ETA moet voortzetten.

Victor: Daar zijn we het niet mee oneens.

Hippie: We trainen ze nog steeds en we gaan met onze Tsjecho-Slowaakse kameraden voor een nieuwe zending zorgen, maar daarvoor moeten we de cel in Pamplona activeren.

Victor: Dat is goed, maar ik wil graag dat je probeert meer te weten te komen over het studentenmilieu en ik ben ook geïnteresseerd in namen van persmensen die solidair zullen zijn met de arbeidersklasse als de situatie op de spits wordt gedreven. Wij vinden dat je je op die taak moet concentreren. Karlhorst is akkoord.

Hippie: Ik werk eraan.

Victor: Goed.

Ik stond op, liep naar de koelkast in de gemeenschappelijke keuken, pakte een blikje bier, ging weer zitten en dacht na over hetgeen ik net had gelezen. Wanneer je het verloop van de geschiedenis kende, kon je het patroon goed herkennen. De illegale communistische vakbeweging Comisiones Obreras had in het jaar na Franco's dood op 1 mei opgeroepen tot een algemene staking en tot grote demonstraties. In april 1976 werd Spanje opgeschrikt door de grootste stakingsgolf sinds veertig jaar en mede dankzij de stakingen werd de oude fascistische garde omvergeworpen en werd er een weg gebaand voor een meer hervormingsgezinde macht met Adolfo Suárez in de voorhoede.

De oude communistische leider Santiago Carrillo was later dat jaar anoniem naar Madrid gekomen en in 1977 werd de Spaanse communistische partij gelegaliseerd. Vervolgens was de legendarische aanvoerster in de Spaanse Burgeroorlog, Dolores Ibárruri, genaamd La Pasionaria, in triomf huiswaarts gekeerd. Het was ook typisch voor de communisten dat ze niet alleen de fascisten, maar ook de sociaal-democraten van de PSOE als hun vijanden zagen. Dat was helemaal terug te voeren tot aan de burgeroorlog uit de jaren dertig waarin de communisten zowel de anarchisten, die me altijd na aan het hart hebben gelegen, als de socialisten bevochten. Het democratische midden had bij de verkiezing van 1977 gewonnen; de PCE was ook goed uit de bus gekomen, maar lang niet zo goed als de PSOE. De communistische strategie was mislukt. Spanje was geen communistisch land geworden, maar een parlementaire democratie. Ik kon ook wel bedenken wat ze bedoelden met hun Tsjecho-Slowaakse kameraden. Die moesten de springstof semtex leveren die de ETA voor haar kneedbommen gebruikte. De DDR had terroristen uit heel de wereld getraind en opgeleid. Palestijnen, de Rode Brigades in Italië, de Rote Armee Fraktion in West-Duitsland en de ETA in Spanje. Hoewel ik erover gelezen had, liep het me koud over de rug. Er was een Europese natie geweest die terroristen van over de hele wereld gefinancierd, getraind en onderdak verleend had, terwijl de leiders en de media van de DDR hardnekkig beweerden dat ze uitsluitend de vrede hadden gediend. 'Mischa' was natuurlijk Markus Wolf, die de buitenlandse spionagedienst van de DDR had geleid totdat hij kort voor de val van de Muur besefte waar het heen ging en gauw de geheime dienst verliet om zich bij de democrati- seringsbeweging van Oost-Duitsland aan te sluiten. Ik had gelezen dat hij zijn memoires had uitgegeven en nog steeds weigerde de namen van zijn agenten voor de Duitse recht- bank te noemen.

Ik zette mijn computer aan, zocht op Internet naar Karl- horst en kreeg een hele lijst onderwerpen gepresenteerd. Karlhorst was het oude hoofdkwartier van de KGB in de DDR. Daar werden de besluiten genomen, ook over de Stasi.

Ik las verder in de papieren en dronk mijn bier op. Het was helemaal donker geworden buiten en het leek alsof de warme nachtlucht de auto's beneden op de drukke Avenida in wat- ten hulde. De man die in het afluisterverslag Hippie werd genoemd, noemde een lijstje Spaanse namen. Ik kende er maar eentje van. Hij was tegenwoordig een bekende quizmas- ter bij een commerciële omroep, maar de andere namen zei- den me niets. Daarna ging het verslag verder.

Hippie: Ik heb iets gehoord over een Deense journalist en foto- graaf die goede contacten met de Basken en de ondergrondse beweging schijnt te hebben.
Victor: Ja...
Hippie: Hij is zeer bereisd. Een beetje een vagebondtype, maar bekwaam. Zegt men. Libanon, DDR, Moskou, Baskenland. Hij reist overal naartoe waar foto's te maken zijn.
Victor: Is hij links?
Hippie: Progressief, liberaal. Hij flirt zoals zovelen met het socia- lisme of meer nog met de naïeve Spaanse versie van Durruti's anarchistische ideeën...
Victor: Maar dat is toch reactionair.
Hippie: ...maar ik geloof niet dat het erg diep gaat. Hij kan ge-

vormd worden. Ik vind hem progressief. Ik zou hem niet reactionair noemen.

Victor: Is hij geschikt om in dienst te nemen?

Hippie: Misschien. Misschien is hij meer een persoon die informant kan spelen zonder dat hij het zelf weet. Hij heeft altijd geldgebrek… drinkt te veel… houdt van vrouwen… dus geld zou later misschien een motief zijn dat waard is om te gebruiken. Hij heeft veel contacten, ook al is hij nog maar midden twintig.

Victor: Dat klinkt goed. Hoe heet hij?

Hippie: Lime. Peter Lime.

Victor: (lacht) Zoals Harry Lime. Dat is anders wel symbolisch.

Hippie: Het schijnt zijn echte naam te zijn.

Victor: Goed. Ga door met die zaak. Je hebt immers al eerder goede resultaten gehad met een Deen. Het zijn doorgaans naïeve en goedgelovige mensen. Ze zien vaak in dat onze opvattingen juist zijn, ook al steunen ze de zaak van de arbeidersklasse niet op alle fronten. Maar vergeet de Spanjaarden niet. Die hebben eerste prioriteit.

Hippie: Oké.

Victor: Het geld zit in het bekende potje. Verdeel het.

Hippie: Oké.

Victor: Wees voorzichtig. We leven in een beslissende tijd.

Hippie: Is dat niet altijd zo?

De objecten verlaten de kamer en sluiten het gesprek in de hal af waar de afluisterapparatuur niet werkt.

De afluistereenheid beveelt aan dat het onderzoek wordt voortgezet en dat Peter Lime geschaduwd zal worden en eveneens dat er middelen vrijgemaakt worden om achter de identiteit van Hippie te komen, dat de afdeling in Navarra geadviseerd zal worden en dat de grensbewaking aangescherpt zal worden.

Ik leunde achterover in mijn stoel. Ik las de regels over mijn jonge zelf nog eens over. Het was eigenlijk een zeer rake beschrijving, maar ik voelde me onaangenaam getroffen door de gedachte dat ik onderwerp van gesprek was geweest tussen twee agenten. Dat was een inbreuk op mijn privacy, ze waren een gebied binnen gedrongen dat alleen voor mij toegankelijk was. Het was alsof er een grote telelens op me gericht was geweest. Welbeschouwd was het een geweldsmisdrijf om de geheimen van andere mensen te beloeren en te onthullen, of het nu om politieke opvattingen of om een liefdesaffaire ging. Mijn handen trilden een beetje, ook bij de gedachte wie die Hippie nu eigenlijk was. Ik zag Oscar in een jongere uitgave voor me, maar ik heb hem pas, en ook bij toeval, daarvan ben ik overtuigd, in het vroege voorjaar van 1977 ontmoet, een jaar na het afgeluisterde gesprek. Zou hij me anders niet veel sneller opgezocht hebben? De loslippige, charmante en grappige Oscar leek ook helemaal niet op de koelbloedige Oost-Duitse agent die het over de levering van springstof had alsof het om een lading bananen ging. Ik besefte ook dat Hippie geen Oost-Duitse agent was, maar in werkelijkheid misschien een dubbelagent. Zijn eigenlijke werkgever was de KGB. Misschien wisten de Oost-Duitsers niet hoe ver hij ging en mijn kennis van het wereldje van spionnen was niet groot genoeg om het te doorzien.

Ik dacht ook het meest aan mezelf en aan de woorden die over mij gezegd waren. Misschien klopte het, maar wie weet hoe we vroeger waren? We denken dat we ons kunnen herinneren hoe we waren, maar iedere herinnering wordt vertekend en geredigeerd, iedere herinnering bevat veel vergetelheid.

Mijn benen werden onrustig, ik stond op en zocht naar iets alcoholisch, maar Oscar en Gloria hadden al jarenlang geen sterke drank meer op kantoor. Ik pakte nog maar een biertje en belde Don Alfonso. Hij nam meteen op alsof hij op mijn telefoontje had zitten wachten.

'Met mij', zei ik.

'Ja, mijn jongen.'

'Ik wil graag met de man spreken die zich Don Felipe noemt.'

'Dat kan niet, maar je kunt mij vragen.'

'Ik voel me smerig', zei ik. 'Ik weet wel dat het niet rationeel is.'

'Wel menselijk, Pedro, dat je je bezoedeld voelt.'

'Zijn ze er ooit achter gekomen wie die Hippie was?'

'Nee.'

'Waarom niet?'

'Zoals bij zoveel dingen in het leven, heeft het toeval het spel verpest. De Fransen waren Victors streken in Parijs beu, ontmaskerden hem en zetten hem het land uit. Als ontmaskerd agent kon hij niet meer in een land in het Westen terecht. Hij was onbruikbaar geworden als bevelvoerend officier. Hippie kreeg een nieuwe bevelhebbend officier, maar waar die elkaar ontmoetten hebben we nooit kunnen achterhalen. Het schuiladres werd nooit meer gebruikt. We zijn er nooit achter gekomen wie Hippie was. Weet jij het?'

'Misschien', zei ik en ik vervolgde na een kort pauze: 'Wat hebben jullie over Oscar?'

Ik vreesde zijn antwoord en voelde hoe mijn handpalmen, ondanks de kunstmatige koelte in het kantoor, klam werden.

'Ik dacht al dat je daarnaar zou vragen. Niets. Geboren in Hamburg. Linksgeoriënteerd journalist, in zijn jonge jaren erg radicaal. Vandaag een solide en welgesteld burger die op tijd zijn belasting betaald en bijdraagt aan het welzijn van onze natie.'

Ik voelde me ontzettend opgelucht.

'En over mij? Wat is er verder over mij?'

'Ook niets.'

'Niets! Werd ik niet geschaduwd?'

'Misschien, jongen. Maar we hebben niets gevonden. Dat betekent niet dat je niet geschaduwd werd, maar veiligheidsdiensten worden geleid door bureaucraten en bureaucraten maken fouten. Rapporten worden verkeerd gearchiveerd, nummers verdwijnen, schuilnamen worden veranderd en er wordt geen dubbele referentie aangegeven. De verkeerde files worden gewist of op een ander plek neergelegd. Denk maar niet dat veiligheidsdiensten bevolkt worden door onfeilbare genieën. Het zijn grote bureaucratieën vol machtsstrijd, dronkenschap, slordigheden, domheid, ondoorgrondelijke papierbergen, kleine ruzies en liefdesaffaires zoals binnen elke bureaucratie. We hebben jouw gegevens, je bent welkom in Spanje en ontduikt de belasting niet enzovoort, maar verder is er niets.'

Ik hoorde de lach in zijn stem. Het was niet zijn gewoonte om zo lang achter elkaar te praten, maar hij genoot er duidelijk van. Op de een of andere manier nam de druk in mijn hoofd af en ik lachte met hem mee.

'Dus hier houdt het spelletje op?' zei ik.

Zijn stem werd weer ernstig.

'Dat had gekund, als we niet omwille van Amelia en María Luisa...'

'Ja, dat is ook zo', zei ik en ik voelde de bekende knoop in mijn maag.

'Dat maakt de zaak natuurlijk anders. Het is nu wel meer dan een beetje geschiedschrijving, nietwaar?'

'Ja, dat is zo', zei ik, in afwachting van zijn eerste zet. Ik begreep dat hij weer teruggevallen was in zijn rol van gezagvoerend officier en dat ik de agent was die hij opdrachten gaf. Zonder dat ik het merkte, had hij me aangespoord op onderzoek uit te gaan. Ik dacht dat ik daar zelf voor gekozen had, maar ergens had hij dat besluit voor me genomen. En alsof hij mijn gedachten kon lezen, zei hij: 'Je bent zelf tot die conclusie gekomen. Ik ben alleen maar een oude man met ervaring. Het was jouw eigen keus.'

'Wat zegt jouw ervaring nu?' zei ik.

'Bel die vrouw in Kopenhagen.'

'Waarom?'

'Omdat de sleutel misschien in Berlijn ligt en zij kan je sneller toegang tot de archieven in Berlijn verschaffen dan ik. Pas goed op jezelf, Pedro.'

Hij hing op, alsof hij al te veel door de telefoon had gezegd. Oude gewoontes slijten niet gauw. Ik stak een sigaret op en pakte de nummers die Clara Hoffmann me gegeven had. Het was zondagavond, maar ik belde haar toch thuis op.

Ze nam de telefoon op en toen ik haar zachte, beschaafde stem hoorde, zag ik haar duidelijk voor me.

'Met Peter Lime. Ik bel vanuit Madrid.'

'Goedenavond, Peter. Wat een aangename verrassing.'

'Ik heb iets ontdekt met betrekking tot de foto van Lime', zei ik.

'Aha.'

'Ik heb nog een foto gevonden en ook een naam.'

'Dat klinkt erg interessant.'

'Ik vind alleen niet dat we er door de telefoon over moeten praten. Onder vier ogen is waarschijnlijk makkelijker. Misschien heb ik je hulp nodig.'

'De ene dienst is altijd de andere waard', zei ze. Op de achtergrond klonk zachtjes muziek en ik stelde me voor hoe ze in een behaaglijke stoel een boek had zitten lezen, terwijl ze naar de muziek luisterde. Bij de gedachte aan zo veel huiselijke gezelligheid werd ik even sentimenteel. Toen ze in Madrid was, had ze geen trouwring gedragen, dus ik stelde me voor dat ze alleen was. Misschien dronk ze een glaasje wijn of gewoon een kopje thee. De kamer was vast gezellig. Daar waren Deense vrouwen goed in. In het scheppen van een gezellige huiselijke sfeer. Het huis omtoveren tot een veilige, warme en prettige plek. De Denen verbleven zo'n groot deel van het jaar binnenshuis dat ze veel energie en geld stopten in de inrichting van hun huis, om het er zo prettig en aangenaam mogelijk te maken. Hun huis moest een veilig, onneembaar fort zijn. Ik schudde het van me af. Die tijd was voorgoed voorbij. Ik zou nooit meer ergens wortel schieten. Ik wilde niet nog eens het risico lopen zo'n enorm en pijnlijk verlies te lijden. Ik dacht aan een zin uit een oude song van Janis Joplin: 'Freedom's just another word for nothing left to loose.'

'Ben je er nog, Peter?' zei ze, waarschijnlijk al voor de tweede keer. Hadden we elkaar al eerder bij de voornaam genoemd?

'Ja, sorry. Ik was even afwezig. Ik heb niet gehoord wat je zei.'

'Ik vroeg of ik naar Madrid moest komen?'

'Nee, ik kom morgen naar Kopenhagen als ik een ticket kan krijgen. Anders overmorgen. Ik bel je dan.'

'Ik verheug me erop je te zien.'

'Ik ook om jou te zien.'

'En jouw foto.'

'Dat is een andere kwestie', zei ik en ik hing op.

15

Bij een SAS-vlucht, vertrek 15.15 uur uit Madrid en aankomst om 18.25 uur in Kopenhagen, was plaats genoeg. Het was maar goed dat ik pas 's middags vloog, want de dag ervoor was ik behoorlijk dronken geworden. Eerst was ik nog een halfuur op kantoor blijven zitten, had een biertje extra gedronken en was toen naar mijn hotel gegaan, waar ik bijna de hele fles wodka die Carlos voor me had gehaald had opgedronken. Ik had mijn alcoholgebruik tot dat moment aardig in de hand gehad en was zo naïef geweest te denken dat ik net als andere mensen kon drinken, maar natuurlijk was het fout gegaan. Die avond en nacht waren vol drank, zelfverachting, sentimentaliteit en walging geweest. Het was maar goed dat ik die nacht niet over een pistool had beschikt, want in het dieptepunt van mijn dronkenschap had ik beseft dat ik geen zin meer had om verder te leven, maar ik was te dronken geweest om de stad in te gaan om een wapen te zoeken dat een einde aan dit alles kon maken. Bovendien wist ik dat het me waarschijnlijk aan moed zou ontbreken als het er echt op aankwam. Maar het leven was shit. Ik zag mezelf in de spiegel boven het bed en walgde. Warrig haar, bloeddoorlopen, wanhopige en woedende ogen. Het gemis van Amelia en María Luisa was even hevig als op de dag dat ze me alleen gelaten hadden. Op een gegeven moment voelde ik dat ze in mijn kamer waren en ik praatte met ze en ze antwoordden ook. Gelukkig viel ik van ellende in slaap.

De volgende ochtend werd ik wakker met trillende handen, een brandende maag en een knallende hoofdpijn. De kamer stonk naar rook en drank. Beneden, in de Calle Echegaray, klonk het gerammel van de vuilniswagen die door de smalle straat denderde. Het was een gerinkel en gedreun, een metaalachtig gepets en geklets alsof er duizenden bekkens tegen elkaar geslagen werden en het waarschuwende geroep van de vuilnismannen naar de voetgangers, die zich tegen de huismuren moesten aanpersen, rolde door het open hotelraam naar binnen. Ik haalde het bed af en gooide de kleren waarin ik geslapen had in de prullenmand. Hotel Inglés had wel ergere dingen meegemaakt. Ik dronk een paar flesjes mineraalwater en spoelde twee pijnstillers door met wat cola. Ik deed niet de loze belofte dat ik het nooit meer zou doen. Ik kende mijn eigen zwakte, maar misschien kon je zelfverachting toch constructief gebruiken. Zou ik mezelf nog een keer in de spiegel willen zien? Waren Amelia en María Luisa 's nachts echt in mijn kamer geweest? Wat hadden ze gezegd? 'Je mag geen einde aan je leven maken', meende ik gehoord te hebben. 'Je mag ons niet in de steek laten!' Maar dat sloeg nergens op. Ze hadden mij immers in de steek gelaten. Ze waren mij ontnomen. Dat was nu juist het onrechtvaardige van alles.

Ik waste me langdurig, trok schone kleren aan en liep naar een café waar ik een groot glas koffie met melk en bovendien nog een flesje water dronk. De straat gonsde van maandagse alledaagsheid. De herrie was enkele decibellen gezakt. De straat rook fris nadat de reinigingsdienst al het weekendvuil het riool in had gespoten. Ik voelde me beter en groette bekenden en barkeepers die voor hun cafés in het zachte, mooie ochtendlicht stonden. Het stadslandschap rook fris en nieuw en de hitte had zich nog niet vastgebeten en haar klamme deken nog niet over Madrid gelegd.

Toen stopte ik mijn reservespijkerbroek, mijn laatste T-shirt en overhemd, sokken, ondergoed en mijn toiletspullen in mijn tas en droeg de koffer met foto's naar de receptie.

Natuurlijk wilden ze de koffer voor me bewaren. Hij kon wel in de kelder staan, zolang ik maar wilde. Zolang Hotel Inglés bestond, en het hotel had zowel de revolutie als de burgeroorlog overleefd, zei Carlos. Ik belde de SAS, bestelde mijn ticket en vroeg of ze een kamer in Hotel Royal in Kopenhagen voor me wilden reserveren. Daarna had ik nog tijd over om extra kleren te kopen en te lunchen met wat groentesoep, een forel en meer water.

Pas in het vliegtuig nam ik een bloody mary en voelde ik hoe mijn gespannen zenuwen tot rust kwamen. Verder nam ik maar een kwart fles wijn, verdrong mijn slechte geweten en viel in slaap. Ik werd wakker toen het geluid van de motor anders begon te klinken en de druk in mijn oren afnam. Door het raampje zag ik de Øresund liggen, schitterend blauw met kleurige zeilboten als kleine eilandjes in het water. De grootste verrassing was echter de brug die, als een paar handen die naar elkaar reikten, vanaf beide kusten groeide. En de pylonen die als een soort merkwaardige planten vanaf de zeebodem omhoogstaken. Of ze waren in korte tijd vergevorderd of het vliegtuig nam een andere landingsroute dan vorig jaar, toen ik in Denemarken was om te onderhandelen met allerlei nieuwe weekbladen die zwolgen in roddels over leden van het koninklijk huis en andere beroemdheden. Het gelukkige of juist ongelukkige lot van die mensen was nu eenmaal het meest winstgevend van alles.

Kopenhagen was niets veranderd. De stad met de vele kleurige fietsen en de rustig over de weg glijdende auto's lag er mooi bij in de avondzon. De mensen mopperden op de hitte, maar na de wurggreep van de Madrileense hitte was de temperatuur hier aangenaam en door de licht zilte geur van de Øresund rook het er heerlijk fris.

Ik belde niemand, bleef in mijn hotel, meed de minibar, zapte de tv-zenders langs en dacht aan de song van Bruce Springsteen, 'Fiftyseven Channels and Nothing On', toen ik ineens een oud-collega van me met een reportage over Lola in het journaal zag. Tien jaar geleden had ik hem voor het laatst gezien toen hij bij de krant *Jyllands-Posten* werkte. Hij had me een paar keer voor opdrachten in Madrid ingehuurd en ooit hebben we samen met een stel guerrillasoldaten van de bevrijdingsbeweging Polisario dicht bij het front in de Westelijke Sahara gezeten. Het was niet bepaald een ongevaarlijke opdracht geweest om de geharde bedoeïenensoldaten tijdens hun raids tegen het Marokkaanse leger te volgen. Polisario streed voor onafhankelijkheid van de Westelijke Sahara, voormalig Spaans grondgebied. Al twintig jaar lang. De zoveelste vergeten, hopeloze oorlog op deze aarde, maar mijn collega had een paar uitstekende artikelen geschreven en mijn foto's hadden een goede plaats gekregen. Oscar en Gloria waren woedend op me geweest. Ze vonden dat er geen enkele reden was waarom ik dit soort gevaarlijke opdrachten nog langer zou uitvoeren nu het geld dankzij mijn paparazzofoto's binnenstroomde, maar ik wilde af en toe gewoon een paar 'echte' foto's maken.

Hij heette Klaus Pedersen en kwam op me over als een bekwaam tv-journalist. Toen hij aan het eind van de reportage in beeld kwam, zag ik dat hij, net als ik, een dagje ouder was geworden. Ik was behoorlijk wat kaler geworden, hij niet, maar hij daarentegen was minstens tien kilo zwaarder dan toen we in snelle Landrovers over het zand door de woestijn stoven, zonder ooit te begrijpen hoe de vrijheidsstrijders eigenlijk in die grote, lege woestijnzee navigeerden.

De reportage over Lola ging over haar verdwijning. In het journaal werd ze Laila Petrova genoemd, maar het was overduidelijk Lola. Ze rakelden de geschiedenis op omdat haar directeurschap van het grote kunstmuseum de minister van Cultuur kennelijk haar baan had gekost. Na Lola's verdwijning hadden ze de balans opgemaakt. Er was een bedrag van 6,7 miljoen kronen verdwenen. Het was niet helemaal duidelijk hoeveel geld Lola had meegenomen en hoeveel er door de puinhoop in de boekhouding was zoekgeraakt. Kopenhagen was culturele hoofdstad geweest en net als in Madrid hadden een paar creatieve geesten cultuur opgevat als het recht om de kas van de EU, van de Deense staat en de stad Kopenhagen te plunderen. Er werden beelden getoond van het nieuwe museum voor moderne internationale kunst dat ten zuiden van Kopenhagen was gebouwd – een groot, grijswit gebouw dat op een gestrand schip leek. Ze lieten ook beelden zien van Lola, en Klaus Pedersen gaf de kwestie kort en feitelijk weer. De directeur, Laila Petrova, met uitstekende getuigschriften van Londen en het Manegemuseum voor kunst in Moskou, was verdwenen. Onderzoek door onder andere *Jyllands-Posten* had aangetoond dat ze niet over de diploma's beschikte die ze zei te hebben. Noch bij de kunstacademie in Londen noch in Moskou had men ooit van haar gehoord. Een particuliere kunstgalerie in Londen had haar zeker aanbevolen. De minister van Cultuur kwam in beeld en gaf commentaar. Ze was omringd door een woud van microfoons en kleine cassetterecorders en keek alsof ze overal liever wilde zijn dan juist daar. Het was een door het leven getekende vrouw van mijn leeftijd, die zich met samengeknepen mond verdedigde met de woorden dat haar ambtenaren Laila Petrova's referenties hadden moeten checken en dat ze verder geen commentaar had. Het zag er voor deze ene keer naar uit dat de zwartepiet niet naar de ambtenaren werd doorgespeeld. Ze had ook geen commentaar op het besluit van de premier om haar te ontslaan van haar plichten. Nee, ze wist niet of haar een andere post was toegedacht. Ze zou haar toekomst in de politiek heroverwegen. Het was in elk geval niet haar schuld.

Toen kwam Klaus in beeld.

'Laila Petrova werd op aanbeveling van de minister van Cultuur aangesteld, hoewel niemand van de Deense kunstelite haar kende. De premier noemde het toentertijd een moedig en visionair besluit om Laila Petrova uit Londen te halen, maar vandaag legde hij de volle verantwoordelijkheid op de schouders van de minister van Cultuur. De onopgehelderde kwestie is nog niet voorbij – het verhaal over hoe een goedgeklede, charmante vrouw het snobistische Deense politieke systeem wist op te lichten. Het is een nieuwe versie van het sprookje "De nieuwe kleren van de keizer", en de belastingbetaler is weer eens de grote verliezer.'

Klaus Pedersen illustreerde zijn verhaal met beelden. Lola liep in een wervelende, dieprode jurk naast de koningin. Waarschijnlijk tijdens de opening van het museum. Zoals ze daar, steeds een klein pasje voor Hare Majesteit, die er in vergelijking met haar klein en merkwaardig verkeerd gekleed uitzag, door een grote ruimte schreed en zich in de gulden snede van de foto plaatste, herkende ik de jonge Lola in haar. Het was alsof de koningin een te armoedige jurk voor deze grote gebeurtenis had uitgezocht. Ze was underdressed.

'Goed gedaan, Lola', zei ik hardop, belde naar de receptie en liet het nummer van het journaal opzoeken.

De telefoniste wist eerst niet of hij al weg was of niet, maar keerde toen terug met de mededeling dat Klaus Pedersen late dienst had en verbond me door.

'Hoi, Klaus. Met Peter Lime.'

'Peter, dat meen je niet. Dat is lang geleden. Hoe gaat het?'

Ik hoorde het journaal op de achtergrond. Ze waren bij het weerbericht aanbeland, dat kon ik ook op mijn eigen tv zien.

'Goed. En met jou?'

'Ook wel goed. Bel je vanuit Madrid?'

'Nee, ik ben in Kopenhagen. Ik heb net je reportage over Lola gezien.'

'Laila.'

'Ze heet Lola. Het was interessant. Ze heeft ze allemaal een poepje laten ruiken, of niet soms?'

'Nou en of. Ze was ook hartstikke charmant. Als ze die kunstminnende sociaal-democraatjes met haar grote blauwe ogen aankeek, dan smolten ze al. Ze vergaten alleen even haar papieren te checken. Ze had niet één diploma! Kende je haar, Peter?'

'Ja.'

'Je meent het', zei hij en ik hoorde de nieuwswolf in zijn stem.

'Ik zit in Royal. Ga mee iets drinken dan zal ik je over haar vertellen.'

Er viel een stilte aan de andere kant van de lijn. De zomer hield aan, zei de weerman en lachte.

'Dat komt niet zo goed uit, Peter. Ik heb beloofd thuis te komen.'

'Wat?'

Dat was niks voor Klaus Pedersen. Vroeger kon zijn gezin hem geen moer schelen. Hij leefde voor de buitenlandse berichtgeving en greep iedere gelegenheid aan om namens de krant op reis te gaan.

'Ach ja, dat weet je natuurlijk niet. Maar ik ben een paar jaar geleden gescheiden en opnieuw getrouwd. Met een jonge meid. Ik heb met haar ook kinderen gekregen en de jongste heeft darmkoliek en huilt steeds, dus als ik niet thuiskom om het over te nemen, dan is het twee weken hommeles.'

'Natuurlijk.'

'Je kent dat wel. Op mijn leeftijd hoefde ik niet zo nodig nog meer kinderen, maar als je nieuwe vrouw een gezin wil, kun je moeilijk nee verkopen, toch?'

'Nee.'

'Om dezelfde reden ben ik met buitenland gestopt. Al dat gereis heeft mijn eerste huwelijk de das omgedaan. Toen ben ik overgestapt naar de redactie binnenland van het tv-journaal. Vaste diensten en iedere avond thuis. Ik kan me verdomme niet nog een scheiding veroorloven.'

'Het geeft niet hoor, Klaus. Het gaat me niets aan.'

'Heb jij geen kinderen?'

'Nee', zei ik. 'Ik heb geen kinderen.'

'Nog altijd dezelfde eenzame wolf. Hm. Maar goed. Ik kan dus niet, hoe graag ik ook zou willen. Kun je hier morgen niet naartoe komen? Dan heb ik ook dienst.'

'Dat is prima', zei ik.

'Kom maar tegen elven, als je tijd hebt. Vraag maar naar me bij de portier. O, nee, die is wegbezuinigd. Bel me zodra je van Royal vertrekt, dan zorg ik dat ik beneden ben om open te doen.'

'Afgesproken. De groeten aan je nieuwe vrouw.'

'Tot dan. Leuk dat je belde.'

Ik keek naar de minibar, beheerste me en deed push-ups totdat mijn schouders en ribben pijn begonnen te doen. Ik las de *Herald Tribune*, eerst de nieuwsberichten op de voorpagina, vervolgens de hoofdartikelen, de sportberichten, toen 'Casper en Hobbes' en keek tevens naar een late film op een of ander satellietkanaal voordat het me eindelijk lukte een paar uur onrustig te slapen. Ik werd erg vroeg wakker en keek vanuit bed naar *Ontbijt-tv*. Een aantal mensen kwam een studio binnen die omgebouwd was tot een kamer met boeken en een keuken. Ze spraken telkens vijf minuten over verschillende Deense onderwerpen die me niets zeiden en verlieten dan de studio weer. Tussendoor werd er eten bereid, las iemand korte nieuwsberichten voor en vertelde een vrouw met merkwaardige armbewegingen voor de weerkaart van Denemarken dat het zomerse weer bleef aanhouden. Toen begon een jonge vrouw te zingen. Ze had grote opgemaakte ogen en een rode mond, ze droeg een nauwsluitende jurk en een push-up bh die beter pushte dan zij zong. Ze klonk namelijk zo vals als een kraai, maar achteraf vroeg men wat ze ervan vond dat ze tot een van de meest talentvolle popsterren van Denemarken en tot de nieuwe vriendin van de kroonprins was uitgeroepen.

Ik zapte naar CNN en nam een bad voordat ik vond dat ik Clara Hoffmann kon bellen. Ze klonk wakker en fris en zei dat haar flat maar een paar minuten lopen van het hotel lag, dus wilde ze best voor kantoor even langskomen. Over een halfuur.

Ik ging in de lobby op Clara Hoffmann zitten wachten. Ik bestelde een kan koffie en twee kopjes. De anonimiteit van een internationaal hotel heeft iets geruststellends. Ik installeerde me op een hoekbank zodat ik goed zicht had op de ingang. In zo'n hotel ben je zowel alleen als samen met een stel andere mensen, maar iedereen bemoeit zich met zijn eigen zaken. Het is er schoon en opgeruimd en in een efficiënt gerund hotel gonst het van de activiteit. Er stond een groepje Japanse toeristen te wachten en zakenmannen in donkere kostuums met attachékoffertjes en draagbare computers checkten uit, terwijl ze zenuwachtig naar hun horloges gluurden en nog zenuwachtiger naar hun mobiele telefoons. Ik had de mijne in Hotel Inglés in Madrid gelaten. Ik hield ervan om onbereikbaar te zijn en een vreemde in een vreemd land, dat tegelijkertijd even bekend en vertrouwd was als Madrid.

Een slungelige kerel met net zo'n paardenstaartje als ik en gekleed in een licht, verkreukeld colbertje, een blauwe spijkerbroek waarop hij ongetwijfeld een overhemd met korte mouw en een losjes gestrikte stropdas droeg, kwam de lift uit en liep naar de receptie. Hij had een handig formaat koffer in de ene hand en een zware cameratas in de andere. Mijn eerste reactie was te doen alsof ik hem niet zag, maar dat zou belachelijk geweest zijn gezien al die uren die hij voor ons had staan wachten, ook samen met mij, bijvoorbeeld op lady Di wanneer ze naar het fitnesscentrum ging. Hij heette Derek Watson en was Australiër. Hij zat al twintig jaar achter de jetset aan en had één foto die nog altijd geld opbracht. Het was nota bene een foto van Diana met haar kinderen. Ze draagt een lange dunne zomerjurk, buigt lichtjes door haar knieën en tegelijkertijd tilt de zomerwind haar jurk zover op dat één been bijna helemaal bloot is. Het was een lieftallige en zeer gewone foto van een moeder met haar twee kleine kinderen, maar vanwege de persoon was het meer dan dat. Het was een onthulling. Of zoals Oscar zei toen hij de foto in commissie kreeg: 'A lovely piece of thigh is everywhere, but her thigh is nowhere.' Wij en Derek hebben goud verdiend aan die foto. Ook later, toen de prinses net was verongelukt en de media over de hele wereld op hol sloegen en we alles konden verkopen, als het maar met haar te maken had. Vooral Dereks foto was goed verkocht. Hij paste perfect in de serieuze kranten wanneer ze boze koppen en artikelen moesten schrijven over het walgelijke van juist dat soort foto's.

Ik stond op, liep naar hem toe en tikte hem op de schouder, terwijl hij zijn creditcard op stond te duikelen.

'Hoi, Derek. Hoe gaat het?'

'Lime, ouwe jongen. Wat leuk je te zien.'

'Zin in een kop koffie?' zei ik.

Hij keek op zijn horloge.

'Dat zou gezellig zijn, maar ik moet een vliegtuig halen.'

'Oké.'

'Ik heb het gehoord… ik ben Gloria in Londen tegengekomen. Het spijt me vreselijk, Peter.'

'Ja ja.'

Hij kreeg de rekening, wierp er amper een blik op en gaf zijn creditcard aan de receptioniste. Hij hoefde het toch niet zelf te betalen.

'Ik heb gehoord dat je uit de race gestapt bent?' zei hij.

'Ik houd in elk geval een pauze.'

'Dat dacht ik ook na dat gedoe met Di. Je zou haast denken dat iedereen met een camera een moordenaar is. Of nog erger. Pedofiel. Ik geloof zelfs dat wij een paar weken lang hoger op de ranglijst van smeerlappen stonden dan de politici. De man van de kiosk waar ik altijd koop, wilde me een poosje niet eens een krant verkopen omdat hij me persoonlijk verantwoordelijk hield. En dan te bedenken hoeveel geld hij zelf verdiend heeft dankzij de foto's die wij gemaakt hebben en die zijn lezers zo graag willen hebben.'

Hij sloeg zijn armen uit.

'Het was ongelooflijk. De massa. De media. Vrede, liefde, huichelarij en je reinste shit over de hele linie. En dan al die bloemen! Ik kreeg er bijna hooikoorts van! Om nog maar te zwijgen van de BBC en de teddyberen. Ik weet niet wat het ergste was. Maar ik zeg je dit…'

Hij zette zijn handtekening onder de rekening.

'Je kunt maar beter jong sterven, dan word je een martelaar en een heilige tegelijk', zei ik.

'Je moet ook mooi zijn. Als ze twintig jaar ouder en niet zo verdomd fotogeniek was geweest, was het een *non-story* geweest. Mijn God. Een tragisch, banaal auto-ongeluk. En het was niet eens de schuld van onze collega's. Maar dat mag je niet zeggen. Je was toen niet in Londen, hè?' vervolgde hij.

Hoewel ik het gevoel had dat hij dit al vaak aan anderen verteld had, zag ik dat hij ervan genoot zijn hart te luchten tegenover een collega die net als hij de rijkdommen kende die in foto's verscholen lagen en die tevens de intrigerende fascinatie van de jacht kende en het voldane gevoel als de prooi was gevangen.

'Nee, daar was ik niet, maar in Madrid sloeg ook iedereen op tilt.'

'Ook hier in fair Kopenhagen, is me gezegd. Ik vind het allemaal zo ontzettend overdreven. Als je bedenkt waar ze ons niet allemaal voor gebruikt heeft, of niet soms? Wanneer ze die houten klaas en mummy een stoot in hun plexus solaris wilde toedienen of wanneer ze hongerige kinderen geld wilde toestoppen. Ik begrijp nog steeds niet wat iedereen ineens bezielde. Maar ik heb voor het eerst begrepen hoe het moet zijn om in een dictatuur te leven. Je weet wel, in een land als de DDR met overal politie, een grote uniformiteit en al die andere ellende. Als je niet vond dat er na de maagd María geen edeler wezen was geweest dan die troela, dan werd je weggekeken en als het aan de mensen en al die schijnheilige redacteuren had gelegen, dan had Engeland nu een Stasi gehad die jacht maakte op iedereen die lady Di niet als de incarnatie van al het goede beschouwde en dan zouden deze afvalligen voor eeuwig als volksvijanden te boek staan. Jezus Christus!'

'Het is allemaal alweer vergeten', zei ik.

'Juist, dat is nu net het punt', zei Derek.

Hij keek weer zenuwachtig op zijn horloge, dus zei ik dat ik hem niet langer zou ophouden en ik vroeg hem de groeten te doen aan Gloria of Oscar als hij ze ergens mocht tegenkomen in een van de gelegenheden in Londen waar mediamensen altijd heen gaan om te eten en te drinken.

'Goed. Het zou me niet verbazen als ik ze ergens tegenkwam. Hoelang blijf je hier? Voor het geval ze ernaar vragen.'

'Geen idee. Misschien een week. Misschien tot morgen.'

'Uit de race gestapt, hè Lime? Kon ik het maar. Ciao. See you around. Enjoy your rest.'

We gaven elkaar een hand en toen hij wegliep, een bestemming tegemoet die alleen hij kende, tikte hij tegen een denkbeeldige pet. Wat hij in Kopenhagen gedaan had, ging me niets aan als hij het niet uit zichzelf wilde vertellen. Hij had natuurlijk nooit overwogen te stoppen. Hij zou de jacht en de beloning niet kunnen missen, ook niet als hij erin zou slagen een plaatje te schieten van Clinton zonder broek met een jonge vrouw die op haar knieën voor hem zit. Zo'n foto zou hem steenrijk maken, maar dan nog zou hij in de een of andere stad of bij een privé-strand of waar dan ook ter wereld in de regen en de hitte gaan staan wachten met het geduld van een scherpschutter in Sarajevo tijdens de burgeroorlog. Het ging hem puur en alleen om de jacht. Dat gold voor mij ook. De zekerheid dat iedereen op deze wereld voor schut gezet en ontluisterd kan worden op een moment dat hij dat het minst verwacht.

Ik keek hem na en bedacht dat zijn wereldje benijdenswaardig en weerzinwekkend tegelijk was. Ik had maar één keus: terugkeren naar ons bedrijf en doen waar ik goed in was of zoals nu in het luchtledige tussen vergetelheid en herinnering blijven hangen. Ik kon gaan rondreizen, op de loer gaan liggen of terugkeren naar de reportagefotografie en me daarmee in de brandhaarden van de wereld begeven om de gruwelen vast te leggen voor de ochtendbladen. Of ik kon nalaten te kiezen en gewoon meedrijven met de stroom. Ik stond in de lobby, keek Derek na en zag aan zijn rug hoe hij nonchalant een sigaret opstak, zijn koffer terloops op de achterbank van de taxi gooide, de chauffeur vlot en ervaren begroette, zelfverzekerd naast hem ging zitten, het gebruikelijke verzoek deed hem naar het vliegveld te brengen in het besef dat minnaressen en opdrachten nu achter hem lagen en nieuwe partners en jobs hem toelachten en ik herkende zijn eclatante eenzaamheid en de vrees dat de ouderdom hem zou inhalen en hij alleen zou sterven, als was hij een symbool van mezelf. Toen ik hem nakeek, voelde ik zowel verlies als opluchting.

Ik vroeg bij de receptie om de Deense ochtendbladen, ging in mijn hoekje zitten, las de Deense taal en probeerde de merkwaardige Deense verhalen te decoderen en was blij dat ik niet aan een Spanjaard hoefde uit te leggen wat er in Denemarken gaande was. Ogenschijnlijk niet erg veel, hoewel de artikelen over de toenemende vreemdelingenhaat en de beschrijvingen over hoe mijn oude vaderland overstroomd werd door rabiate immigranten, nieuw waren. Toen ik opkeek, zag ik eerst alleen de groep Japanse toeristen en daarna Clara Hoffmann die door de deur naar binnen liep, toen even stil bleef staan en om zich heen keek.

Ze zag er jonger uit dan in Madrid. Ik herinnerde me dat

ze begin veertig was. Ze droeg een spijkerbroek en een beige blouse waardoorheen je de contouren van haar bh kon zien. Haar lichaam was tijdloos jong en slank als dat van Amelia. Ze droeg een grote tas over haar schouder. Dat verpestte de chique uitstraling een beetje. Maar ze was immers op weg naar haar werk. Ze was zo te zien na Madrid naar de kapper geweest. Ze had nu kort krullerig haar. Dat stond haar goed. Haar gezicht leek er jeugdiger door, zonder dat het gekunsteld was. Ze had nog steeds weinig make-up op. Een streepje bij haar ogen en een beetje lippenstift. Haar ogen waren helder en haar lippen glansden wat. Ze kneep haar grijsblauwe ogen samen en tuurde rond. Vooral haar manier van lopen trok me aan. Ze kwam binnen met zelfbewuste pasjes alsof ze een beetje danste. Een sensuele en sportieve manier van lopen. Ze keek met een zelfverzekerde blik de lobby rond en ik merkte hoe een paar mannen die bij de receptie stonden hun ogen op haar richten.

Ik wilde haar net een seintje geven, maar zonder na te denken pakte ik eerst mijn Leica, stelde belichting en afstand in en nam snel vier foto's van haar. Twee daarvan liggen hier naast mijn computer. Ze zouden haar zo voor een reclamespotje kunnen gebruiken over een vrouw die met haar tijd meegaat, een klassieke slanke verschijning met een verzorgd kapsel. Een mooie, koele en efficiënte vrouw, die zelfbewust is en de wereld uitdaagt. Ik legde instinctief een klassieke gulden snede in de foto. Clara in softfocus, voor haar een stuk van een plant en achter haar de receptie en een man in pak die zijn hoofd omdraait om haar te bekijken. Het is een van mijn betere foto's, die een vrouw in de bedrijvige jaren negentig laat zien, rijp maar toch sexy. Ze had genoeg aan zichzelf maar was wel bereid de teugels te laten vieren als de juiste situatie zich voordeed en er een plekje in haar agenda vrij was.

Ik legde de Leica op tafel en wuifde, haar gezicht brak open in een lach en ze liep naar me toe. Ik besefte ineens dat Clara de eerste vrouw was die me raakte, sinds Amelia's dood. Het was voor het eerst dat ik weer op de sekse van een medemens lette. Ze was niet alleen een mens, maar ook een erotisch object. Ik had alleen nog maar aan seks gedacht in groteske dromen die deden denken aan de afbeeldingen die ik samen met Amelia in het Dalí-museum in Figueras in Catalonië heb gezien. María Luisa moest huilen bij het zien van zijn kunstwerken. Ze was ontroostbaar tot we er later bij McDonald's uit kregen wat er aan de hand was. 'Die schilder was ongelukkig', had ze gezegd. 'Ik vond het zo zielig voor hem en toen werd ik bang.'

Dat werd ik niet toen ik Clara Hoffmann zag. Ik voelde me eerder verheugd. Zo herinner ik het me in elk geval. Ik voelde me blij ook al was daar geen enkele reden voor. Mijn geweten speelde even op, maar eigenlijk was het alleen maar prettig om een zomerse vrouw op me af te zien lopen, die me toelachte, me haar hand reikte en zei: 'Peter, wat fijn je te zien.'

'Clara, wat fijn om jou te zien', zei ik.

Ze gaf me een stevige, koele hand en zei 'ja graag' toen ik vroeg of ze koffie wilde. Ze ging tegenover me zitten en we praatten wat over Spanje en Denemarken en net als alle Denen loofde ze het mooie weer alsof Onze-Lieve-Heer precies gedurende deze dagen Kopenhagen zegende met zijn zon en milde wind.

Er viel even een ongemakkelijke stilte, die ik verbrak door koffie voor haar in te schenken, haar een vuurtje te geven en een beetje te kletsen over het weer in Kopenhagen, het weer in Madrid, de krantenkoppen in deze komkommertijd en over de vraag waarom Japanners altijd in groepen reizen.

Toen leunde ze voorover en zei: 'Wat kan ik voor je doen?'

De vraag overviel me. Ik had gedacht dat ze zou vragen wat ik voor haar had, dus misschien zei ik daarom: 'Eerst wil ik jou iets vertellen, maar dat kost wel even wat tijd.'

'Ik heb tijd genoeg', zei ze.

Ik vertelde haar in grote lijnen wat er op het gebied van het onderzoek was gebeurd sinds we elkaar voor het laatst hadden gezien, in een tijd dat mijn leven nog heel anders was. Ik voelde de wonderlijke behoefte om haar meer persoonlijke dingen te vertellen, maar ik was geen twintig meer en ook niet meer zo naïef, hoe graag ik dat ook had gewild. Onder het koffiedrinken vertelde ik haar over San Sebastián, Don Alfonso, de vermoedens van de Madrileense politie, het sectierapport en het afluisterverslag dat ik haar liet zien. Ze luisterde zonder commentaar te geven en las het verslag snel alsof ze gewend was dergelijke documenten te scannen. Ik was haar dankbaar dat ze niet nog een keer haar medeleven betuigde. Dat kon ik niet meer horen.

Ze luisterde aandachtig, terwijl ze me bestudeerde en haar koffie dronk. Toen ik het had over het verhoor in San Sebastián, zonder overigens in details te treden, stak ze haar hand uit en raakte de bijna genezen wond bij mijn oog aan.

'Je ziet er helemaal nogal geteisterd uit', zei ze. 'Ouder en afgemat. De pijn staat in je ogen te lezen.'

'Vreemd dat je zoiets zegt', zei ik. 'We kennen elkaar helemaal niet.'

'Ik heb het gevoel dat ik je al langer ken', zei ze.

'Dat snap ik niet.'

'Nou, misschien doet het je plezier te horen dat ik dat ook niet doe', zei ze.

Ik keek haar aan en ze hield mijn blik vast, maar ik las er niets in en dus ging ik verder met Las Ventas.

Tot slot haalde ik de twee foto's tevoorschijn. De foto die ze zelf mee naar Madrid had genomen en de andere waarop Lola met het groepje bebaarde mannen stond. Ze keek er aandachtig naar.

'Ken je hem?' zei ze toen.

'Ja, zo goed ben ik nog wel op de hoogte van het oude Denemarken. Hij is tegenwoordig parlementariër.'

'Dat klopt, ja. En ken je de anderen?'

'Ja en nee. Ik herinner me de vrouw', zei ik.

'Dat doet iedereen waarschijnlijk. Het is een fabelachtige foto.'

'Eigenlijk niet. Hij is onderbelicht en de compositie stelt ook niet veel voor.'

Ze lachte op een meisjesachtige en tegelijk volwassen manier.

'Ik dacht niet zozeer aan de fototechnische kant, Peter. Het gaat om de personen. Ze hebben me een belangrijke stap voorwaarts geholpen.'

De actuele betekenis van de foto voor de Deense inlichtingendienst kon me geen moer schelen, maar haar lach en gezichtsuitdrukking bevielen me – voor het eerst in lange tijd voelde ik weer een erotische lust en zonder erbij na te denken zei ik ineens: 'Goed. Als het je dan zo blij maakt, ga dan een keer met me uit eten in de tijd dat ik in Kopenhagen ben.'

Ze keek me aan. De rimpeltjes bij haar ogen stonden haar goed en in haar bovenlip zat een bijna onzichtbaar litteken. Haar wenkbrauwen waren een beetje fors voor een vrouw, maar ze gaven karakter aan het fijne gezicht onder de korte krullen en aan de regelmatige, zachte en fraai gewelfde mond. Haar huid was mooi zongebruind, maar eigenlijk erg licht en teer, erg Scandinavisch. Ik kreeg zin om haar een keer op een middag in mijn atelier in Madrid voor de camera te zetten, waar het licht van links binnenvalt en je zou zacht licht van bovenaf op haar voorhoofd kunnen laten vallen en kunnen focussen op haar zachte ogen en haar zo een bepaalde blik ontlokken die de ogen van de kijker naar het midden van haar gezicht zou zuigen, zodat je haar iets te grote oren niet zou opmerken.

'Daar had ik ja op gezegd of je nu een foto voor me gehad

273

had of niet', zei ze. 'Maar eerst moeten we wat meer details weten over die commune waarin je woonde, dan hebben we het later over de rest.'

'Hier?' zei ik.

'Nee, ik heb liever dat je meegaat naar Borups Allé. Ik wil het een en ander graag meer gedetailleerd doornemen onder officiëlere omstandigheden.'

'Waarom?'

'Borups Allé, Peter.'

'Om elf uur heb ik een afspraak met een oude vriend.'

'Mag ik de foto's meenemen?' zei ze.

'Als je maar niet vergeet van wie ze zijn.'

'Die kans lijkt me zeer klein', zei ze.

'Wanneer spreken we dan af?' zei ik als een schooljongen.

'Vanmiddag. Als je kunt.'

'Ik bedoelde ons etentje.'

'Dat spreken we dan af.'

'Borups Allé. Meer hoef ik niet tegen de taxichauffeur te zeggen?' zei ik.

Ze lachte weer.

'Peter. Daar staat het Bellahøj-politiebureau. Daar is de inlichtingendienst ondergebracht. Het is hier geen Spanje of Rusland. In Denemarken staat de inlichtingendienst in het telefoonboek. Vraag naar me bij de portier.'

'Wat geruststellend', zei ik en maakte haar weer aan het lachen.

16

De redactie van het journaal was gehuisvest in een laag be-tonnen gebouw dat tegen de reuzensilo van het televisiecom-plex aanleunde. Sinds de laatste keer dat ik er was geweest, hadden ze boven op de flat een groot rood bord geplaatst met Danmarks Radio erop, maar toch leek het gebouw regelrecht te komen van de Karl Marx Allé in Oost-Berlijn. Klaus stond bij de dubbele glazen deur op me te wachten. Het leek eerder op het onderkomen van de geheime politie dan van een nieuwsredactie. Er zat niemand in het portiershokje. Gasten waren hier zo te zien niet welkom. In elk geval werden ze gezien als verdachte personen die in een intercom moesten praten.

'Dit is vast de enige redactie ter wereld waar de mensen niet direct met een verhaal van de straat kunnen aanklop-pen', zei ik, nadat hij me had binnengelaten en we elkaar een hand hadden gegeven.

'Dien een klacht in bij de directeur', zei hij met een geër-gerde grijns. 'De portier is wegbezuinigd en bezoekers mogen aan de deur staan rammelen tot ze een ons wegen. Ze komen er verdomme niet in. Allejezus. Zo zijn er wel meer dingen. Kom mee naar boven.'

Daar lagen aan een lange gang allemaal kleine kamers. Het was stil in de redactiegang. Ik kende het ritme. De journalis-ten zaten achter hun glazen deuren te telefoneren of ze waren al ergens een reportage aan het maken. De kamer van Klaus was ook klein. Hij ging aan zijn bureau zitten waarop een computer pronkte. Verder heerste er de georganiseerde cha-os van een journalist die onder andere uit kranten, knipsels, tijdschriften en banden bestond. De tv die aan het plafond hing, stond geluidloos aan op CNN. Hij gooide een stapel kranten van een kleine lage leunstoel en verzocht me plaats te nemen. Hij haalde zwarte koffie in een plastic bekertje en ging in zijn draaibare bureaustoel zitten. We kletsten over van alles en nog wat, over gemeenschappelijke collega's, wat ze tegenwoordig deden en over het onverstand van de wereld. Hij zag er gestrest uit en de tien kilo die hij was aangekomen zat zo te zien in zijn gezicht en op zijn buik. Ik vertelde hem over Lola en waar ik haar van kende. Hij maakte aantekeningen en vroeg of ik, mocht hij de zaak verder willen uitdiepen, bereid was een interview te geven. Dat was prima, zei ik. Hoewel ik niet zag wat daar nu voor verhaal in zat. Hij twijfelde zelf ook een beetje omdat de kwestie afgerond leek nu de politieke verantwoordelijkheid ergens gelegd was, zoals hij zei. Ik vroeg hem te vertellen hoe men erachter was gekomen dat ze geen diploma's had. Hij lachte, waardoor hij weer meer op de lefgozer van vroeger leek. Hij haalde een plastic mapje met krantenknipsels uit de stapels tevoorschijn.

'Dáár staat alles in, Peter', zei hij. 'De eer valt mij niet toe. Het was een journalist van *Jyllands-Posten* die gewoon wat rond ging zitten bellen. Hij wilde Laila of Lola of hoe ze ook heten mag, interviewen en dat mens, Laila dus, werd hartstikke pissig toen mijn collega begon door te vragen over haar tijd in Moskou. Jørgensen van *Jyllands-Posten* spreekt Russisch en is gek op de Russische ziel en zo. Hij werd achterdochtig, omdat Laila het kunstenaarsmilieu niet echt van binnenuit leek te kennen. Terwijl ze er in de jaren tachtig toen Gorbatsjov aan de macht was, gewoond moet hebben. Dat was toch een bijzondere periode met glasnost en dergelijke. Laila's kennis vertoonde hiaten. Bepaalde dingen had ze moeten weten, toen hij de namen noemde van bepaalde mensen die gemeenschappelijke kennissen hadden moeten zijn, deden die bij haar geen belletje rinkelen. Toen mijn collega haar het interview voorlas, verbood Laila *Jyllands-Posten* het te plaatsen. Omdat de krant dan zou laten zien dat Laila's kennis van de moderne Russische kunst misschien wel gebrekkig was. Dat was natuurlijk stom van haar. Om toestemming te weigeren het interview te plaatsen. Je weet hoe vreselijk achterdochtig wij journalisten dan worden, nietwaar?'

'Ja', zei ik en begon te lezen, terwijl Klaus naar een of andere vergadering ging. Ondanks de rotzooi in zijn kamer had hij zijn knipsels keurig op orde. Ze lagen op chronologische volgorde en vertelden het hele verhaal tot aan Lola's verdwijning met of zonder geld toe.

Ze was aangesteld toen het nieuwe museum bijna klaar was. Het Deense kunstenaarswereldje was zeer verbaasd geweest. Vooral het wereldje dat van de kunst leeft: bureaucraten, recensenten, docenten en professoren. De minister van Cultuur was enthousiast geweest iemand van buiten, en nog een vrouw ook, gevonden te hebben. Lola's cv was ook indrukwekkend: ze had aan de Sorbonne, de kunstacademie in Moskou en de kunstacademie in Londen gestudeerd, was mede-eigenaar geweest van een prestigieuze galerie in New York en had contacten binnen het internationale kunstenaarsmilieu. Ze had zich een paar jaar jonger voorgedaan, zag ik en had verteld dat ze de dochter was van een Deense vrouw en een Engelse lord. Ze had geen kinderen uit haar vorige huwelijk met de Russische kunstenaar Petrov, aan wie ze haar achternaam had overgehouden. In Sint-Petersburg was ze aan lager wal geraakt, had ze aan een journalist opgebiecht, terwijl ze eerder had gezegd dat ze nooit over haar privé-leven sprak. In het nieuwe materialistische Rusland had ze niet van haar kunst kunnen leven. Om een traantje bij weg te pinken.

Ze was rond 1987 gescheiden. Op de foto's zag ze er aantrekkelijk en goedgekleed uit, in een stijl die zowel klassiek als modern was, ze probeerde een soort Grace Kelly-stijl te imiteren die wat ouderwets aandeed maar misschien ook juist vertrouwenwekkend was. Lola sprak, aldus de eerste beschrijvingen van haar, mooi en een beetje ouderwets, voornaam Deens dat deed denken aan de manier waarop de koningin sprak. Dat was zeker als compliment bedoeld. Op de foto's liet ze zich van haar charmante kant zien en je zag hoe de al wat oudere, mannelijke politici met hun brede, schreeuwerige stropdassen en te kleine colbertjes haar vol bewondering aanstaarden. De pers had haar gunstig besproken. Ze was met huid en haar verslonden.

De opening van het museum had positieve aandacht van de pers gekregen. De eerste tentoonstelling ook, maar daarna waren de eerste kritische artikelen verschenen. Werknemers namen ontslag. Er moest extra subsidie bij. Het reisbudget was overschreden. Een lezing op de kunstacademie werd een farce omdat de professoren vonden dat ze de stof onvoldoende beheerste. Pure afgunst, aldus lieve Lola. Tot slot werd ze ontmaskerd. Een voorpagina-artikel berichtte dat Laila Petrova niet was wie ze zei te zijn en dat de benoemingscommissie haar diploma's nooit had gezien om de doodeenvoudige reden dat er nooit naar gevraagd was. Een paginalang artikel vertelde, nuchter en spannend als een misdaadroman, hoe de journalist van *Jyllands-Posten* erachter was gekomen dat ze heel het establishment bij de neus had genomen. Het was in wezen een simpel, maar grandioos staaltje journalistiek. Uren aan de telefoon hangen, naar Parijs, naar *Le Monde* bellen waar hij te horen kreeg dat Laila nooit als recensent voor de krant had gewerkt. Dan verder bellen naar Londen, New York en Moskou. Overal hetzelfde antwoord: Laila Petrova had zich wel altijd in het kunstenaarsmilieu bewogen en er waren verschillende mensen die aardige dingen over haar wisten te zeggen, maar papieren had ze niet, niet één diploma. Ze had het establishment mooi beetgenomen. Ze had gewoon gebruikgemaakt van de zwakte van mensen die eigenlijk niets van moderne kunst afweten en begrijpen, maar die juist graag doen alsof ze overal verstand van hebben. Omdat ze alles zullen doen om hun onwetendheid te verbergen, zijn ze makkelijk om de tuin te leiden. Lola heeft hoog spel gespeeld en gewonnen. Ze had meesterlijk ingespeeld op de onkunde van de commissieleden, die deze onkunde kost wat kost wilden verbergen, waardoor ze het willige slachtoffer waren geworden van iemand die pretendeerde alles te weten, terwijl dat in werkelijkheid helemaal niet het geval was.

Ik moest onwillekeurig lachen. Lola had nooit anders gedaan dan een of andere rol spelen en in de snobistische kunstwereld, waar de definitie van wat wel grote kunst is en wat niet, even ongrijpbaar is als een sneeuwvlokje, had ze zichzelf een hoofdrol toegedicht. Helaas had ze de voorstelling niet tot het eind kunnen uitspelen. Als ze de boekhouding op orde had gehad, zou ze volgens mij uiteindelijk de onderscheiding van Ridder in de orde van Dannebrog gekregen hebben. Denemarken was een klein landje en als een Deen zich in het buitenland verdienstelijk heeft gemaakt, slaan de media altijd meteen op hol.

Na haar ontmaskering zochten de politici dekking en probeerde ze de zwartepiet door te schuiven naar de benoemingscommissie en de ambtenaren. Ze wilden de kwestie onder het tapijt vegen. De mediastorm zwol aan en op een dag was ze ervandoor met een flinke som geld die, afhankelijk van welke krant je erop nasloeg, varieerde tussen de twee en twintig miljoen kronen. Lola was van de aardbodem verdwenen. De druk op de premier nam toe, maar door het offeren van de minister van Cultuur leek de crisis bezworen.

End of story.

Ik legde de knipsels keurig op volgorde terug. Klaus was klaar. Hij stond, gekleed in een colbertje en met een loshangende stropdas, in de deuropening.

'Het spijt me, maar ik moet een opname maken', zei hij.

'Ik ga er ook vandoor. Bedankt voor het laten zien van de

knipsels. Hoe zit dat nu met het geld? Wordt ze niet door de politie gezocht?' vroeg ik en stond op.

'Officieel wel, maar mijn bronnen in het parlement zeggen dat de politie te verstaan is gegeven energie in andere zaken te steken. Ze heeft immers het hele systeem opgelicht, dus het systeem heeft er belang bij zich koest te houden en de zaak zo snel mogelijk te vergeten. Het ontslag van gisteren was de rituele slachting. Het zuiverende offer. Nu moet het museum met rust gelaten worden. Het idee van een nieuw museum is nog steeds goed. In de toekomst zal het zich alleen concentreren op Deense moderne kunst. We moeten vooruitkijken en niet achterom. Enzovoort, bla bla.'

'Dus ze ontspringt de dans', zei ik.

'Kom, ik loop met je mee', zei hij. 'Zolang ze niet in Denemarken komt, zal haar niets gebeuren.'

'Weten ze waar ze zit?'

'De een zegt Londen. De ander Tokio. Weer anderen zeggen Moskou. Niemand weet echt waar ze is. Ze zal zich wel redden. Ze zal wel in haar cv zetten dat ze eigenhandig een nieuw Deens museum heeft opgericht en dat ze nu dat draait nieuwe uitdagingen zoekt. De wereld wil bedrogen worden', zei hij en liep met me mee naar de uitgang.

We spraken af dat als hij iets met me wilde, hij een berichtje in Royal zou achterlaten. Het zou best gezellig zijn om een avondje samen op stap te gaan en over vroeger te praten, toen de hele wereld nog zijn thuis was, maar ik merkte dat hij al met al toch niet zoveel zin had, dus ik vroeg maar niets. Ik scheen niet langer in zijn leven te passen. Misschien wist ik te goed hoe hij ook kon zijn en wilde hij niet dat zijn nieuwe vrouw daar meer over te weten zou komen. Wie weet? We veranderen allemaal. Ik was misschien gewoon jaloers op zijn huiselijk geluk en omdat hij zijn vrije tijd liever met zijn gezin doorbracht dan met mij.

Ik maakte een wandeling door het zonovergoten Kopenhagen en at een hotdog bij een kraampje, terwijl ik naar de fietskoeriers keek die acrobatisch en met gevaar voor eigen leven tussen de auto's en voetgangers door slingerden. Door de hotdog proefde ik de smaak van mijn kinderjaren en jeugd weer. De klank van die merkwaardige taal vol onuitgesproken nuances, die taal waarin een woord iets anders kon betekenen als het met een stoot werd uitgesproken. Eén broodje hete hond met een beetje van alles, maar niet te veel van het rode. Was het vreemd dat buitenlanders de taal moeilijk vonden? Hoe konden ze een land begrijpen waarin men 'zijn mannetje staat, zijn eigen boontjes dopt en iets fris van de lever vertelt'? Voor een Deen was het misschien logisch, maar hoe kon een buitenlander nu horen of iemand 'hart' of 'hard' bedoelde? Of, om bij mijn eigen werkelijkheid te blijven, dat 'op de fles zijn' iets anders betekent dan 'aan de fles zijn'? Het slappe worstje in een vet velletje met het droge brood en de afschuwelijke combinatie van mosterd, ketchup en rauwe uitjes was eerlijk gezegd tamelijk oneetbaar, maar in de zon met een koel briesje smaakte het naar het Denemarken zoals ik het me graag herinnerde en dat ik ook ergens in mijn hart droeg. Het was een efficiënt, bescheiden land dat het beste wist te halen uit de bronnen die het van Onze-Lieve-Heer had gekregen. Uit de kranten begreep ik dat het land op zijn grondvesten stond te wankelen, dat men vreesde dat de Denen onder de voet gelopen zouden worden door vreemdelingen die moslims en heidenen van ze wilden maken, maar als je om je heen keek, was Kopenhagen niets veranderd. Op een zomerdag als deze vergat je bijna dat er zoiets als november of maart bestond. De stad lachte, in vergelijking met Madrid lag het tempo er laag en was er veel minder lawaai en dat was als balsem voor de ziel. Ik wist dat ik het amper in deze stad zou uithouden als ik hier altijd moest wonen, maar met het worstje in mijn maag, een afgeveegde mond en het geklets van de hotdogverkoper met zijn klanten in mijn oren, voelde ik me beter dan in lange tijd het geval was geweest. Ik kon niet uitleggen waarom – niet eens aan mezelf, maar het was alsof er een klein beetje hoop ontkiemde dat ik de crisis zou doorstaan, en niet alleen zou overleven maar ook weer echt zou kunnen leven.

Misschien kwam het doordat ik me erop verheugde Clara weer te zien. Haar gezicht en haar lach, haar melodieuze stem.

Ze was erg zakelijk toen ik in een kleine vergaderzaal boven in een lelijk betonnen gebouw zat waar de inlichtingendienst resideerde, terwijl de gewone politie zich op de benedenverdieping over de plaatselijke, zichtbare misdaden ontfermde. Het was een praktische en wat kille kamer met witte muren en functionele, lichte Deense meubelen. Er waren geen andere dingen dan mijn twee foto's, een notitieblok en een cassetterecorder. Aan de muur een paar reproducties van vrijblijvend abstracte aard. Ik had net zo goed in een willekeurig modern Deens kantoor kunnen zitten. Behalve Clara zat er, aan het hoofd van de tafel, een jonge vent. Clara stelde hem voor als rechercheur Karl Jakobsen.

De taxichauffeur die me ernaartoe had gebracht, was een Irakese Koerd die snel Deens sprak en een onmiskenbaar accent had. Hij was ergens in de veertig en had de radio ingesteld op een lokale Deense zender die oude popsongs uit de jaren zestig draaide, wat me in een aangenaam nostalgische stemming bracht. Tussen de muziek door vertelde een vrouw hoe je hulp van verschillende instanties kon krijgen als je problemen had. Je kon voor van alles hulp vragen, of het nu om brillen of rolstoelen ging.

'U gaat naar de spionnen?' had de Koerd gezegd toen ik hem het adres van het Bellahøj-politiebureau had gegeven.

'Zeker weten', zei ik.

'Flinke heibel, toch.'

'Heibel?'

282

'Jij Deen, toch?'

'Ja, maar ik woon niet in Denemarken', zei ik.

'O, jij niet weet. De inlichtingendienst politieke partijen van links afgeluisterd en nu gedonder.'

'Dat deden ze altijd al. De communisten, nazisten, terroristen en Russen in de gaten houden. En wat al niet meer. Daar worden ze toch voor betaald?' zei ik.

'Ja, maar nu ze zijn betrapt. Een agent verteld heeft op tv.'

'O, ze zijn op heterdaad betrapt.'

'Nee, niet heet. Politieke partij afgeluisterd en bespioneerd. Namen geregistreerd. Koerden bespioneerd in Denemarken. Koerden legaal in Denemarken, niet? Gedonder.'

'Oké. Ik begrijp', zei ik, hoewel dat eigenlijk niet het geval was.

Ik overwoog het aan Clara Hoffmann te vragen maar de sfeer was nogal officieel dus ik deed het maar niet. Karl Jakobsen droeg een grijsbruin gemêleerd jasje en een discrete stropdas. Hij stond op, gaf me een hand, ging weer zitten en bekeek me met zijn bruine ogen. Hij zou zijn wenkbrauwen eens moeten bijknippen.

Clara stak haar hand uit naar de cassetterecorder en zette hem aan.

'Peter Lime', zei ze. 'Inleidend wil ik opmerken dat...'

Ik stak mijn hand uit naar de cassetterecorder en zette hem uit. Ik zei: 'Clara Hoffmann, voor we ook maar iets opnemen wil ik graag weten waar dit over gaat.'

'Gewoon een paar vraagjes', zei Karl Jakobsen geïrriteerd. 'Dat is alles. Een verklaring afleggen...'

'Ik heb u niets gevraagd', zei ik. 'Clara...?'

'Goed, Peter...'

Karl Jakobsen veerde op in zijn stoel, keek nors en viel haar in de rede.

'Gewoon een paar vraagjes', zei hij. 'Meer niet.'

Ik keek naar hem, negeerde hem en richtte me tot Clara.

'Is hij je baas?' vroeg ik.

'Nee.'

'Dan moet je hem zijn plaats wijzen, vind ik.'

Haar ogen lachten.

'Wat wil je graag weten, Peter?' zei ze en negeerde het beledigde gezicht van Jakobsen. Dat was een zeer elegante manier om die malloot op zijn nummer te zetten. Ik mocht hem niet, maar ik wist niet waarom. Hij zag er erg betrouwbaar uit, maar had de irritante zelfverzekerdheid van een smeris die denkt dat hij door zijn positie oppermachtig is. Zo'n type dat er graag op los mept om een bekentenis af te dwingen, dacht ik zonder enige aanleiding.

Ik keek naar Clara.

'Waar gaan jullie dit voor gebruiken?' vroeg ik.

'Het is de bedoeling dat je mij vertelt wat ik eigenlijk al weet. Dat jij de foto's genomen hebt. Dat het Lime's foto's zijn. Wanneer je ze genomen hebt en of je de personen op de foto kunt identificeren.'

'Dat vroeg ik niet.'

Ze ademde diep in en keek naar Jakobsen die in zijn blauwe stoppelbaard zat te krabben, die hij vast macho vond staan, maar die ik lelijk vond.

'Nee, dat is waar. Jouw antwoorden worden opgenomen in een rapport, in verschillende rapporten eigenlijk. We moeten binnen relatief korte tijd een rapport afleveren over de werkzaamheden van de inlichtingendienst van de afgelopen twintig jaar. Eén rapport zal openbaar gemaakt worden, een uitgebreid rapport is voor de parlementaire controlecommissie en een nog uitgebreider rapport gaat naar de minister van Justitie. Jouw informatie zal in het laatstgenoemde opgenomen worden.'

'Waarom is mijn informatie interessant?' zei ik.

Ze keek weer naar Jakobsen en het werd me duidelijk dat hij haar superieur moest zijn, maar dat ze opzettelijk deden alsof dat niet zo was. Ik wist dat van Don Alfonso. Deze mensen zijn niet meer in staat om iets rechtuit te zeggen.

'Dat is gewoon zo, zei Clara.

'Waarom?'

'Peter, je hebt geen banden meer met Denemarken. Je volgt duidelijk niet wat hier gaande is. Een van onze vroegere informanten heeft openlijk toegegeven dat de inlichtingendienst wettelijke politieke partijen heeft geschaduwd. Wij willen onze politieke opperhoofden vertellen dat wij daar een reden voor hadden. Maar dat hoeft niet algemeen bekend te worden. Wij worden niet gekozen. Wij doen niet mee aan de verkiezingen.'

'Oké, dus jullie hebben een overloper.'

'Prima beschrijving, Peter', zei ze.

'En nu moet ik jullie iets vertellen, zodat jullie de politieke waakhonden kunnen vertellen dat jullie weliswaar onrechtmatig gehandeld hebben, maar dat daar een reden voor was. Want deze Lime hier kan met een foto bewijzen dat een parlementariër in zijn jonge revolutionaire dagen koffie heeft gedronken met Duitse terroristen. Dus was het maar goed dat jullie een beetje opletten, ook al heeft het niets opgeleverd. Zit de zaak zo in elkaar?'

'Wij stellen hier de vragen, Lime', zei Karl Jakobsen.

'Ik ben hier vrijwillig, hoor', zei ik. 'Zit de zaak zo in elkaar, Clara?'

'Min of meer', zei ze.

'Oké. Laatste vraag.'

'Ja, Peter.'

'Zit ik ook in het archief?' zei ik.

Clara keek weer eerst naar Jakobsen voordat ze me antwoordde.

'Nee, je zit er niet in.'

'Zet je cassetterecorder maar aan' zei ik.

'Dank je, Peter.'

Het duurde niet lang. Ze stelde me concrete en directe vragen over wie ik was, hoe ik heette, wanneer ik de foto's genomen had en over de identiteit van de mensen op de foto. Ze was vooral geïnteresseerd in de man die later parlementslid werd voor een linkse partij. Jakobsen maakte een paar notities en staarde me aan. Waarschijnlijk hield hij niet van mijn paardenstaartje of van hetgeen ik representeerde – namelijk alles wat hij zelf niet was.

Het duurde niet lang en toen we klaar waren, stond Jakobsen op en vertrok met een kort knikje. Hij nam de cassetterecorder mee.

'Lekkere knul', zei ik.

'Hij heeft misschien zijn uitstraling tegen', zei Clara en vervolgde: 'Zou je morgen langs kunnen komen voor een handtekening?'

'Misschien', zei ik.

'Hoe bedoel je?' Ze keek bezorgd. 'Er is haast bij.'

'Je moet iets voor me doen', zei ik.

'Ik wil graag met je uit eten. Dat staat hier los van.' Ze legde haar hand op de mijne en keek me aan. Ik raakte in de war en werd een beetje zenuwachtig alsof ik weer zeventien was. Ik wist niet precies wat ik aan het doen was, maar wel dat ik mijn gevoelsleven niet onder controle had.

'Dat bedoel ik niet', zei ik.

'Wat dan?'

Ik vertelde haar over mijn wens om mijn file in Berlijn in te zien, maar dat ik niet wist hoe ik dat moest aanpakken en dat ik hoopte dat ze me wilde helpen.

'Graag, Peter. Ik kan alleen niet veel doen', zei ze.

'Je kunt toch je collega's in Duitsland bellen en ze vragen of ze me toegang willen verlenen?'

'Nee. Ik zou het graag willen, maar ik kan dat niet zomaar voor elkaar krijgen. Je kunt wel zelf toegang vragen. De oude Stasi-archieven zijn openbaar, maar de toeloop is enorm. Er is een lange wachtlijst. Ze hebben honderdtachtig kilometer planken vol dossiers. De Stasi had tweehonderdtachtigduizend werknemers en ontelbaar veel informanten. De DDR was één groot verradersnest. Iedereen rapporteerde over iedereen en veel mensen willen zien wat er over hen geschreven is.'

Clara hield een pauze en haalde haar hand van de mijne.

'Peter, ik kan je het adres geven. Ik kan je helpen met het schrijven van de brief. Ik kan een paar mensen bellen en vragen of ze je aanvraag kunnen versnellen, maar ik kan er niet voor zorgen dat je toegang krijgt vóór al die anderen. Waarom wil je je dossier graag inzien?'

'Misschien ligt daar het antwoord. Misschien ook niet. Maar de kwestie zal me niet loslaten voordat ik daar gekeken heb', zei ik.

Ze scheurde een vel van haar schrijfblok en lachte naar me.

'Het is dus in Duitsland, hè? Spreek je Duits?'

Ik knikte en terwijl ze schreef, zei ze: 'Goed. De instantie heet: Bundesbeauftragter für die Unterlagen des Staatssicherheitsdienstes der ehemaligen Deutschen Demokratischen Republik. Die is ondergebracht in het oude hoofdkwartier van de Stasi aan de Normannenstraße. De Stasi had de beschikking over een gigantisch kantorencomplex dat meer dan een straat lang was. Toen de Muur viel probeerden de Stasi's zoveel mogelijk documenten te vernietigen en te verbranden en boze demonstranten hebben ook heel wat vernield. Desalniettemin zijn er nog miljoenen dossiers over. Maar – en dat is het belangrijkste: ze zijn voor iedereen toegankelijk en de persoon over wie het gaat heeft voorrang. Snap je me? Het is niet zo dat ik, omdat ik toevallig bij de inlichtingendienst van een vriendelijk gezind land werk, kan voordringen. Dat is het democratische en wanhopige van het systeem.'

Ik knikte weer.

'De lange Duitse term heet in het dagelijkse taalgebruik gewoon het Gauckinstituut. Daar moet je naartoe schrijven. Het idee dat de bevolking toegang tot de archieven moest krijgen, komt van Joachim Gauck, een dominee uit de DDR die nu de baas is van heel dit onweerlegbare bewijs van de paranoia die de DDR in zijn greep hield.'

'Wat moet ik doen?'

'Jij schrijft dat je denkt dat er een dossier van je is. Ze onderzoeken of dat klopt en zo ja, dan krijg je een brief waarin staat wanneer je het mag inzien. Zo eenvoudig werkt het. Maar eerst schonen ze je zaak op, zodat het privé-leven van onschuldige derden niet wordt tentoongesteld. Het is uniek in de geschiedenis. Noch de democratische landen noch de socialistische landen hebben hun archieven zo voor iedereen opengesteld als *die ehemalige* DDR. De voormalige DDR. Aan de ene kant verheugt me dat, aan de andere kant schrikt het me af.'

'Je bedoelt, als wij jullie zo in de kaart mochten kijken?' zei ik.

Nu moest ze echt lachen.

'Ja, nou. Dat zou niet prettig zijn.'

Ik boog voorover en zei: 'Heb je het adres en zo?'

'Ik kan de brief voor je schrijven, Peter. Dan hoef je hem alleen maar te ondertekenen. Als je tenminste echt wilt?'

'Waarom niet?'

'De meeste mensen komen niet bepaald gelukkig uit de leeszaal van het oude Stasi-archief terug.'

'Waarom niet?'

'Omdat – en nu weerspreek ik eigenlijk de essentie van mijn werk – het niet altijd nodig is om de waarheid te weten. Je hoeft niet te liegen. Maar soms hoef je de waarheid ook niet rond te strooien. Sommige dingen kunnen beter ongezegd blijven. Net als bij een patiëntendossier. Is het echt nodig om alles te weten?'

Ik zag dat haar gezicht veranderde. Er gleed een schaduw overheen. Ze had een baan waarin ze gewend was haar eigen ideeën te verbergen, maar ik meende irritatie of verwarring in haar ogen te lezen. Ik legde mijn hand op de hare.

'Jij wilt ook graag dat ik ga kijken, hè?' zei ik.

'Het is jouw besluit.'

'Maar je wilt het graag, hè?'

'Het zou interessant kunnen zijn.'

'En als ik iets vind wat interessant voor jou zou kunnen zijn, dan wil je het zeker graag weten.'

'Peter', zei ze. 'Onze verantwoording moeten we over een paar dagen inleveren, de wachttijd bij het Gauckinstituut is maanden. Dus het heeft niet bepaald haast.'

'Maar toch?'

'Maar toch, ja', zei ze en lachte weer.

Ik liet haar hand los en keek haar in de ogen.

'Oké. You've got a deal. Maar op één voorwaarde.'

'Hoe laat en waar, Peter?' zei ze en begon hard te lachen. Dat effect had ik kennelijk op haar. Ik kon haar aan het lachen maken. Want ik had vaag het gevoel dat ze vond dat er al met al niet zoveel te lachen viel in het leven. Achter haar vriendelijke uiterlijk ging een verdriet schuil en ik voelde dat ze alles deed om de nederlaag, die ze op een zeker moment geleden had, te verbergen.

17

Ik ging de stad in en kocht een zomerkostuum, een nieuw overhemd, een stropdas en een paar nieuwe schoenen. Ik liet het hotel een limousine met chauffeur bestellen en haalde Clara op bij haar woning aan de Vesterbrogade. Ze had een lichte zomerjurk aangetrokken, haar ogen en mond een beetje opgemaakt en knikte ironisch maar ook een tikkeltje vereerd toen ik uitstapte en het portier voor haar openhield. Om haar hals droeg ze een eenvoudig gouden sieraad dat eindigde in een kleine slang.

'You look like a million dollars', zei ze.

'And you like a billion', zei ik en ze moest om dit overdreven compliment lachen, maar de zomeravond nodigde uit tot een lichte en luchtige toon.

Ik wist niet meer welke restaurants er in Kopenhagen de moeite waard waren en dacht in eerste instantie aan Tivoli, maar op aanraden van het hotel koos ik voor het Regatta-pavilioen, dat een nieuwe keuken scheen te hebben die zeer aanbevelenswaardig was en door de krant *Politiken* met vier of vijf koksmutsen was bekroond, wat kennelijk zeer goed was voor Kopenhaagse begrippen. Het bleek een goede keus te zijn. Het hotel had een tafeltje in een hoek van het restaurant gereserveerd vanwaar we uitzicht hadden over het meer, dat in de loop van de avond langzaam rood kleurde. Eerst namen we op voorstel van de ober een drankje op het terras. Het was een prachtige avond en als het mogelijk geweest zou zijn om de sfeer, de geur en het licht in beeld en geluid te vangen, had het Deense bureau voor toerisme er munt uit kunnen slaan. Het was een mooie, zeldzaam zwoele avond, waarop de geuren van deze fraaie nazomer uit het water opstegen en zich mengden met de geur van appetijtelijke kruiden uit de keuken. De wind was gaan liggen en Bagsværd Sø was zo glad als een ouderwetse zilveren schaal, alleen een paar roeiers die boten van uiteenlopend formaat door het water lieten glijden, verbraken de tere waterspiegel. Er waren mensen aan het wandelden, met zijn tweeën, alleen of met hun hond en je kon het gelach van een stel jongeren horen, die met kleden en picknickmanden op een helling waren neergestreken. Hotel Royal had zo te zien ook andere mensen naar dit restaurant verwezen, want er zaten opvallend veel serieuze mannen in donkere pakken die business-Engels met elkaar spraken. Clara en ik zaten ongestoord in ons hoekje tegenover elkaar en zetten ons gesprek van het terras voort. We waren een beetje ongemakkelijk begonnen alsof we elkaar ineens niets meer te vertellen hadden en alsof dit de eerste date van ons leven was. De stilte tussen ons was echter helemaal niet pijnlijk. Dat het zo'n mooie zomeravond was, maakte het ook makkelijker. Bovendien hadden we nu een leeftijd bereikt waarop we het niet nodig vonden onze onzekerheid te verbergen achter onzinnig geklets. Toen we met de menukaart in de hand zaten en een keuze moesten maken, babbelden we ongecompliceerd over de gerechten, de wijn en de sfeervolle inrichting van het restaurant en staken we de draak met de donkergeklede zakenlieden.

'Wie weet is het een van de spionnen op wie jij tijdens de koude oorlog ooit jacht hebt gemaakt', zei ik.

'Hoezo ooit?' zei ze. 'Ik ben niet werkloos, hoor. Er zijn bepaalde elementen in ons land – die Russen die nog steeds de ambassade bevolken, de Koerden van de PKK, er zijn andere gevaren voor de staatsveiligheid.'

Bij die laatste woorden lachte ze, alsof die toch een beetje merkwaardig klonken in deze idyllische omgeving.

'Het was niet mijn bedoeling je over je werk uit te horen. Ik loop niet zo erg warm voor baarden en donkere brillen.'

291

'Het is ook niet altijd eenvoudig om daar warm voor te lopen.'

'Hoe ben je eigenlijk bij de inlichtingendienst terechtgekomen?'

Ze brak een stukje brood af, stopte het in haar mond en kauwde voor ze antwoordde.

'Na de Politie Academie werkte ik bij de politie in Esbjerg, maar ik had het geluk een baan in Kopenhagen te krijgen. Er waren in die tijd nog niet zoveel vrouwen bij de politie. Dat heeft misschien wel een beetje geholpen. Ik kon promotie maken bij de rijkspolitie. De baan was interessant en ik kon meteen gratis Russisch leren.'

'Je was mooi op tijd voor de koude oorlog, de glansperiode van de spionnen', zei ik plagend.

'De laatste stuiptrekkingen. De KGB was tot op het laatste moment actief. Ik geloof dat ze als laatste begrepen wat er gaande was en toen ze Gorbatsjov probeerden af te zetten, was het al te laat.'

'Hoera!'

'Ja, zeg dat wel', zei ze zonder al te veel overtuiging.

Er dreigde opnieuw een ongemakkelijke stilte te vallen maar het voorgerecht redde de situatie. We spraken over andere landen en reizen, terwijl we het diner verorberden, een fles wijn leegdronken en er nog eentje bestelden hoewel ik voldoende waarschuwingssignalen voelde. Voor haar werk was ze nooit naar de Oostbloklanden gereisd, maar ze was vaak in de VS en Nieuw-Zeeland geweest, waarvan ze erg hield. Nieuw-Zeeland was een van de weinige landen waar ik nog nooit was geweest. Ze vroeg naar mijn baan. Ze zei het niet direct, maar ze vond het nogal dubieus, merkte ik, om zo op de loer te liggen.

'Ik vervul een behoefte', zei ik.

'Dat doet een prostituee ook', zei ze.

Ik moest onwillekeurig lachen.

'Nou ja, dan is de pers mijn souteneur, want zonder de pers en de mensen die kranten en bladen kopen, zou ik werkloos zijn.'

'Je hebt dus het gevoel dat je gewoon je werk doet?' vroeg ze.

'Ik weet het eigenlijk niet. Zoals met meer dingen in het leven ligt het gecompliceerder dan je denkt. Ik heb altijd erg van de jacht op zich gehouden. Van de voorbereidingen, de verkenningen, de planning tot in details... dat was eigenlijk belangrijker dan de foto zelf.'

'Daar ben ik ook niet helemaal vrij van', zei ze.

'Nee, het jagen zit de mens in het bloed. Bovendien hebben wij een soort ongeschreven overeenkomst met de mensen op wie we jagen. Er zijn ook momenten waarop ze ons gebruiken. Als ze gaan scheiden, geld proberen los te krijgen of gewoon als ze de aandacht willen trekken. Dat doen ze vooral als ze het gevoel hebben dat ze vergeten worden. Vervolgens willen ze weer met rust gelaten worden. Dat willen ze het liefst zelf bepalen.'

'Dat mogen ze alleen niet?'

'Nee, dat mogen ze niet.'

'Ik wil je niet veroordelen.'

'Dat geeft niet', zei ik. 'Ik heb er ook vaak over nagedacht. De laatste tijd, bedoel ik. We zijn maar een klein onderdeel van het mondiale dorp waarin we leven. Wij leveren roddel aan heel het wereldwijde kippenhok. Miljoenen kopen onze foto's en betalen ons er vorstelijk voor. Ik erger me vooral aan de huichelarij.'

Ze lachte weer, een speciaal droog lachje. Ze was een goedlachs type. Ze zei: 'Toen Diana verongelukte, beloofde een redacteur van een Deens weekblad dat hij nooit meer – hoe noem je zoiets – paparazzofoto's zou plaatsen. Dat was een nieuw woord voor ons. Het was je reinste boetedoening. Alsof hij persoonlijk schuldig was.'

'Hij heeft zijn belofte zeker niet waargemaakt.'

'Natuurlijk niet.'

'Zie je wel. De wereld is vol huichelarij', zei ik. 'Er gaat te veel geld in om.'

'De God van de jaren negentig.'

'Geld is waarschijnlijk altijd al een soort god geweest', zei ik.

'Ik lees dat soort bladen alleen bij de kapper', zei ze met gespeelde ergernis.

'Wie niet?' zei ik, en ik hief mijn glas. We toostten.

Ik vroeg haar verder over Nieuw-Zeeland en toen ze begon te vertellen over een huisje dat ze daar gehuurd had, zei ze ineens 'wij' en 'ons' en toen ze mijn vragende gezicht zag, werd ze het zich bewust.

'Dat met 'wij' bestaat niet meer', zei ze.

'Je draagt in elk geval geen ring', zei ik.

'Nee, maar jij draagt de jouwe nog steeds.'

Eventjes werd alles donker, het was of de lucht kil werd, ze zag het en legde haar hand op de mijne.

'Dat was een stomme opmerking, Peter. Neem me niet kwalijk.'

'Het geeft niet', zei ik.

'Ik heb de mijne door de wc gespoeld op de avond dat Niels thuiskwam met de mededeling dat hij bij me wegging, maar daar zal ik je niet mee vervelen.'

'Je mag me er best mee vervelen als je zin hebt erover te praten', zei ik.

'Het is een volkomen banaal en alledaags verhaal. Een van de vele duizenden.'

'De meeste levensverhalen zijn banaal, maar daarom zijn ze nog niet minder origineel en pijnlijk', zei ik.

Ze legde welopgevoed haar mes en vork schuin naast elkaar op het lege bord, waar eerder een stuk ossenhaas op had gelegen. Toen ik ook klaar was, staken we een sigaret op en begon ze zachtjes en bijna zakelijk over zichzelf te vertellen, maar ik zag dat het nog steeds pijn deed.

Ze kende Niels al vanaf haar studententijd. Ze waren getrouwd toen zij eenentwintig was en met de Politie Academie zou beginnen. Ze hadden elkaar leren kennen op een feestje van een vroeger klasgenootje van het gymnasium dat op dat moment in hetzelfde studiejaar zat als Niels. Hij was toen vijfentwintig en studeerde na een mislukte rechtenstudie economie. Dat kon prima, want zij had als aspirant-politieagente een eigen salaris. Ze waren gelukkig geweest, zei ze. Erg zelfs. Ze waren voor elkaar geschapen, waren de woorden die ze gebruikte. Ze hadden natuurlijk hun ups en downs gehad, zoals die in elke relatie voorkomen, maar toen ze in Esbjerg gestationeerd was, had de verhouding standgehouden. Hij was in Kopenhagen gebleven, blij met zijn eerste baan op het ministerie van Financiën. Wanneer ze nu op al die jaren terugkeek, leek het alsof er ontzettend veel gebeurd was en tegelijkertijd eigenlijk haast niets. Ze waren van een kleine flat naar een grotere verhuisd en uiteindelijk was hij er dankzij zijn politieke contacten met de sociaal-democraten in geslaagd een goedkope deftige flat in Østerbro in Kopenhagen te bemachtigen. Ze waren omringd geweest door gelijkgestemden. Ze hadden het meest contact gehad met zijn familie. Clara was enig kind en haar moeder en vader hadden haar laat gekregen en toen ze eenendertig was, waren ze allebei kort na elkaar overleden. Haar vader had heel zijn leven bij de Deense Spoorwegen gewerkt en haar moeder was hulp op een crèche geweest. Niels' ouders hadden allebei lesgegeven op een gymnasium. Ze had altijd het gevoel gehad dat hij haar ouders een beetje saai en kleinburgerlijk vond, ook al had hij dat nooit zo direct gezegd. In het begin hadden ze een paar gemeenschappelijke vrienden gehad, maar in de loop van de tijd kwamen alleen zijn vrienden van het ministerie nog over de vloer. Ze kon niet vrijuit over haar werk praten en had bovendien het gevoel dat Niels de meeste politiemensen maar bekrompen vond. In elk geval vond ze dat hij de collega's die ze af en toe uitnodigde, wat neerbuigend behandelde. Hij hield ervan om over zijn vak te praten, maar zodra zij over haar werk begon, uiteraard in algemene bewoordingen vanwege haar zwijgplicht, verloor hij al gauw zijn interesse. Zelfs toen hij binnen het ministerie opklom en ook aan striktere regels gebonden was, had ze het gevoel dat hij niet naar haar wilde luisteren als ze de behoefte had om moeilijke situaties op haar werk te bespreken.

Toch had ze zichzelf als gelukkig beschouwd. Ze hield van haar man en voelde zich door hem bemind. Ze hielden ervan samen te reizen, maar ze hadden ook hun eigen interesses. Zij las graag romans. Niels las alleen maar vakliteratuur. Ze gingen allebei erg op in hun werk en maakten lange dagen, maar ze probeerden het weekend samen door te brengen. Toen hij de verantwoordelijkheid kreeg voor alle wetgeving die met de EU te maken had, moest hij vaak op reis en overnachtte hij regelmatig in Brussel. Ze vertrouwde hem gewoon, twijfelde geen minuut en het was nooit in haar opgekomen om hem aan de tand te voelen. Hij wist van het vertrouwelijke karakter van haar werk en zij respecteerde dat de ingewijden van de minister bepaalde politieke zaken voor zich dienden te houden. Aan het begin van hun huwelijk, dat ze ook als een diepe kameraadschap beschouwden, hadden ze besloten dat ze geen kinderen wilden. Toen ze nog jong waren, hadden ze er geen geld en tijd voor gehad. Toen ze wat ouder waren, was er geen plaats meer voor in hun leven. Ze woonden prachtig, hadden goede vrienden, geld voor verre reizen, ze omringden zich met mooie dingen, waren zelf knap en fit en hielden van elkaar. Hun vrienden beschouwden hen als het ideale paar. Verschillende tijdschriften hadden geprobeerd hen voor een interview te strikken als ze weer eens het eeuwig terugkerende thema 'trouw in de jaren negentig' behandelden. Natuurlijk hadden ze die verzoeken afgewimpeld – zelfs al hadden ze uiteraard dingen te zeggen die relevant waren voor andere mensen.

Ze dronk haar glas leeg, ik schonk haar en mezelf bij. Het was een lang verhaal geworden en buiten was het al bijna helemaal donker. De ober vroeg of wij een dessert wensten en toen zij haar hoofd schudde, bestelde ik twee koffie.

'Maar Niels en Clara leefden niet lang en gelukkig', zei ik.

'Wat ben je toch scherpzinnig.'

'Zo bedoelde ik het niet.'

'Het geeft niet. Je hebt gelijk. We leefden niet lang en gelukkig. Of in elk geval niet totdat de dood ons scheidde of wat mensen elkaar tegenwoordig ook maar beloven in de kerk. Voor het altaar zijn we er rotsvast van overtuigd, maar ergens weten we wel dat het een reddeloze onderneming is.'

'Hopelijk niet', zei ik.

'Ruwe bolster, blanke pit?'

'Vroeger wel.'

'Soms vergeet ik wat je is overkomen. Het spijt me.'

'Dat hoeft niet. Ik moet verder', zei ik.

'Dat is waarschijnlijk makkelijker gezegd dan gedaan', zei ze en daar had ze gelijk in.

De ober kwam met de koffie. Hij bracht zo'n moderne kan waarin je de koffie naar beneden moet drukken en ineens verlangde ik naar Madrid en een echte café solo, maar Clara leek de wat flauwe smaak die de koffie kreeg nadat de ober het filter aan tafel naar de bodem had gedrukt te waarderen.

'Wat gebeurde er toen?' zei ik.

'Niks bijzonders eigenlijk', zei Clara. 'Hij kwam op een dag thuis, was vreselijk zenuwachtig, nam een verdedigende houding aan en zei dat hij graag wilde scheiden. Dat waren precies de woorden die hij gebruikte: "Ik wil graag scheiden", zei hij. Alsof hij me om een gunst vroeg. Hij had zoals zoveel oudere mannen een jongere vrouw ontmoet. Het was godallemachtig zo ongelooflijk banaal. Alsof een man zijn oude auto inruilt voor een nieuwe. Ze was zaakwaarnemer in Brussel. Ze hadden al meer dan een jaar een verhouding. Meestal in Brussel...'

'Ze was in elk geval niet zijn secretaresse', zei ik.

'Wat een domme opmerking. Wat had dat voor verschil gemaakt?' zei ze boos.

'Je zei zaakwaarnemer. Dan was ze zeker juriste of econome of iets dergelijks...'

'Juriste, Française, tweeëndertig jaar, mooi, charmant... erg vrouwelijk', zei Clara.

'Zie je wel, er was heel wat voor nodig om hem te veroveren. Had je het niet erger gevonden wanneer ze vijfentwintig en zijn secretaresse was geweest?'

Ze keek me aan.

'Peter, soms verras je me toch wel. Ja, dat zou anders geweest zijn. Denk ik. Maar zo heb ik het nooit eerder bekeken. Want ik heb nooit gedacht dat Niels zo stom zou zijn. Hoewel sommige mannen ontoerekeningsvatbaar worden als ze een bepaalde leeftijd bereiken.'

'Je hebt toch wel een nieuwe geliefde gekregen?' zei ik.

Ze keek me aan met een blik die wilde zeggen dat ze die vraag wel verwacht had, maar niet zo snel.

'Ik heb geen vriend, Peter. Als je dat soms bedoelt. Na Niels heb ik wel vriendjes gehad, zoals ze dat in Denemarken zeggen, alsof ik een meisje van veertien ben, maar geen vaste minnaar. Dat is meer de term die vrouwen van mijn leeftijd gebruiken voor hun nieuwe liefde, als je de weekbladen mag geloven.'

'En toen?' zei ik.

'Toen heb ik hem eruitgegooid, hem bij de boedelscheiding flink uitgemolken en toen hij een jaar later zei dat het allemaal een vergissing was, heb ik geen krimp gegeven. Hij was inmiddels getrouwd. Het kon hem allemaal niet snel genoeg gaan. Ook niet toen hij weer wilde scheiden en bij mij wilde terugkomen. Het is dat ik hem een stomme idioot vond, anders had ik nog medelijden met hem gekregen ook. Hij was zo verliefd geweest, zei hij. Ze had zijn gevoel van mannelijkheid weer nieuw leven ingeblazen en meer van die onzin. Toen het eerste vuur eenmaal gedoofd was, liep het anders dan hij verwacht had.'

'Dus hij is weer gescheiden?'

'Nee, nee', zei ze en lachte bijna vol leedvermaak. 'Hij is nog steeds met zijn Française getrouwd en ze is hem nog steeds ontrouw. Voorzover ik weet. Hij krijgt een koekje van eigen deeg.'

'Dat doet je plezier?'

'Misschien geen plezier, maar het stemt me tevreden. Ik weet dat het verkeerd is, maar zo voel ik het nu eenmaal.'

'Waarom? Ik zal je niet veroordelen. Wraaklust en de bevrediging daarvan redden een mens misschien van te veel pillen en drank', zei ik.

'Yes', zei ze met een triomfantelijke lach, maar ik kon zien dat het haar nog altijd pijn deed. Ik weet niet of het kwam door de nederlaag en de teleurstelling of omdat ze versmaad was, maar ze was nog niet over deze kwestie heen, hoe graag ze me dat ook wilde doen geloven.

Ik rekende af en een taxi bracht ons naar haar flat. Ik betaalde de chauffeur en liep mee tot aan haar deur. Het was alsof ze eventjes overwoog of ze me zou vragen mee naar binnen te gaan, maar misschien voelde ze dat ik eigenlijk geen zin had – of niet durfde.

In plaats daarvan zei Clara erg zakelijk: 'Kom je overmorgen je handtekening zetten, dan kun je ook je foto's terugkrijgen.'

'Als je met me gaat lunchen?'

'Ik ben een werkende vrouw.'

'Dan zeg je maar dat je een afspraak hebt met een of andere agent.'

'Afgesproken, Peter Lime. Maar dan betaal ik', zei ze en kuste me op mijn mond, licht en vluchtig maar toch erotisch met een korte aanraking van het puntje van haar tong. Toen ik terugliep naar het hotel voelde ik me beter dan in lange tijd het geval geweest was.

Mijn humeur bleef de volgende dagen goed, want het ondertekenen werd uitgesteld en wanneer ik belde voerden we leuke gesprekjes, maar ze had door haar werk geen tijd om iets met me af te spreken. Ze zei het zo dat ik haar geloofde en het verpestte mijn humeur niet.

Ik hing de toerist uit, maakte een tochtje met een rondvaartboot en lunchte in Grøften in Tivoli waar ik een oud-collega ontmoette en we praatten bijna net als in vroeger dagen. Ik wil niet zeggen dat mijn toestand evenwichtig was, maar al met al tamelijk stabiel. Ik wist niet wat ik van Clara wilde en evenmin wat ze van mij wilde. Ik raakte bijna geen drank aan, waardoor ik me mijn dromen kon herinneren die steeds vaker erotisch getint waren. Ze waren op een akelige manier opwindend. Ik lag met verschillende vrouwen in bed, maar geen van hen had een gezicht en af en toe droomde ik dat Amelia toekeek wanneer ik met een naakte vrouw in een steriele kamer lag die aan een ziekenhuiskamer deed denken. Dan schoot ik wakker, klam van het zweet en met een flinke erectie.

Een paar dagen later ondertekende ik mijn verklaring op het hoofdkwartier van de inlichtingendienst aan de Borups Allé en kreeg mijn foto's terug. Clara ontving me samen met twee collega's, alle twee mannen. Ze waren beleefd en vriendelijk, bedankten me voor mijn bereidwillige hulp en gingen er gauw met mijn handtekening vandoor. De schriftelijke verklaring kwam overeen met mijn mondelinge verklaring, zodat ik het stuk gerust kon ondertekenen. Clara bleef achter en gaf me een brief die aan het Gauckinstituut in Berlijn was gericht. Die kwestie stond ineens wat ver van me af. Mijn verblijf in het zomerse Denemarken in deze augustusmaand was in een soort vakantie veranderd. Ze had de brief opgesteld, maar mijn adres in Madrid ontbrak. Ik schreef er met de hand het adres van ons kantoor op. Ze verdween met het papier en kwam terug met de kant en klare versie. Ik hoefde alleen maar mijn handtekening te zetten. De brief was een verzoek tot inzage in mijn dossier dat zich, gezien mijn achtergrond als fotograaf en journalist, ongetwijfeld in het Stasi-archief moest bevinden. Clara zou een aanbeveling van de Deense inlichtingendienst bijvoegen in de hoop zo een snellere behandeling te bewerkstelligen en verder zou ze de brief langs de gebruikelijke kanalen, zoals ze het noemde, sturen. We namen met een handdruk afscheid.

Drie dagen later nodigde Clara me uit voor de lunch in een restaurant dat KGB heette en dat in dezelfde straat lag als waar tot de val van de Berlijnse Muur en de ineenstorting van de Sovjet-Unie het hoofdbureau van de Deense Communistische Partij gehuisvest was geweest. In een tijd dat de partij nog geld had om de huur te betalen. Het was een kille ruimte met kale, witte muren waar alleen een vierkante klok hing. Het paste goed bij het koele, maar behaaglijke Deense zomerweer en het voelde vooral heerlijk aan omdat de Madrileense hitte nog steeds in mijn lichaam zat. Of tenminste, ik wist hoe al die arme mensen die achtergebleven waren in de Spaanse hoofdstad te lijden hadden onder de vochtige warmte.

Het restaurant zag eruit alsof ze het hooguit één lik verf hadden gegeven, waarna ze er willekeurig een handvol tafels in hadden gezet. De elektrische installaties waren expres niet weggewerkt, opdat we het hopeloze handwerk van het socialisme niet zouden vergeten. In de toiletten werd continu een cursus Russisch gedraaid. Al plassend kon je je vermaken met

vragen als: Waar kan ik postzegels kopen? Moet er meer por-
to op deze brief naar Denemarken? Eerst in het Deens en
daarna de Russische vertaling. Op de menukaart stonden
borsjtsj, vele soorten wodka, blini's en kaviaar voor honderden kronen. De jonge serveerster droeg een legerbroek en een
oude Russische pet met een groot KGB-embleem. De borsjtsj
en de steak waren uitstekend. Clara dronk een biertje. Ik een
biertje en een wodka. Daarna namen we een espresso.

'Leuke tent heb je uitgezocht, zeg', zei ik en liet mijn ogen
door de ruimte en langs de legerbroek en de pet van de serveerster dwalen. 'Zo is een van de meest wrede en moord-
zuchtige organisaties verworden tot kitsch.'

'Ik vind het nog steeds een vreemde gedachte', zei Clara.
'De Berlijnse Muur...?'

'Dat je naar de Berlijnse Muur moet zoeken. Dat hij verdwenen is. Dat het net is alsof hij nooit bestaan heeft. Nooit
mensenlevens heeft gekost. Nooit mensen heeft opgesloten.
Dat de Sovjet-Unie niet meer bestaat. Dat de wereld zo totaal
veranderd is en dat niemand het lijkt te begrijpen.'

'Heel wat dromen hebben schipbreuk geleden, zijn misschien zelfs in nachtmerries geëindigd, maar toch waren ze
mooi', zei ik.

'Het was een slecht systeem, dat moeten we niet vergeten
en we mogen er geen kitsch van maken. Zou iemand zijn
restaurant ooit ss of Gestapo noemen?'

'Dat zou in elk geval van een slechte smaak getuigen, maar
jij hebt deze tent toch uitgezocht', zei ik.

'Ik vond dat je dit moest zien.'

'Komisch dat zelfs de KGB als een grap kan eindigen.'

Haar toon bleef ernstig.

'Inderdaad, Peter. De KGB is kennelijk oké. Dat is zeker
geen slechte smaak. Het oude communistische systeem is
vandaag de dag niet meer dan een grap hoewel het miljoenen
mensenlevens op zijn geweten heeft. Dat vind ik eigenlijk

nogal merkwaardig. Alsof het hele Goelagsysteem niet bestaan heeft en alsof er geen Denen zijn geweest die het gesteund hebben. Alsof die wereld nooit bestaan heeft, terwijl die toch bijna vijftig jaar lang deel van ons leven heeft uitgemaakt. Is dat niet vreemd?'

'Ja, eigenlijk is het misschien niet eens zo erg raar dat jongeren tegenwoordig denken dat DDR een deodorant is. Misschien is het een goed teken dat een ziek systeem zonder bloedvergieten maar met een snik te gronde is gegaan, terwijl de rest van de wereld ongelovig lachend toekeek.'

'Misschien', zei ze. Ik denk alleen niet dat het verleden zo gauw verdwijnt.'

Ik pakte haar hand en zei: 'Kun je niet vrij nemen? Dan gaan we toeristje spelen. Ga mee naar Tivoli of naar het bos of laten we de stad in gaan. Of wat toeristen dan ook maar doen in Kopenhagen. Of naar Parijs, of Malmö.'

Ze legde haar hand op de mijne en zei: 'Ik heb al vrij genomen, Peter. Ik heb een berg overuren ter grootte van een kamelenbult en gisteren hebben we ons rapport ingeleverd. Ik ben klaar, dankzij jou. Dus, ja graag. Ik ga mee.'

'Wat zullen we gaan doen?' vroeg ik.

'Ik wil graag naar het strand. Dit wordt de laatste zomerse dag, denk ik', zei ze.

Ik lachte.

'Goed idee. Maar hoe komen we daar?'

'Peter, ik heb toch een auto. We rijden erheen.'

'Ik heb geen zwembroek.'

Ze keek me aan.

'Waar we heen gaan is toch geen mens, niet in deze tijd van het jaar op een doordeweekse dag. Zit daar dus maar niet over in.'

18

Ze reed hard en zelfverzekerd, maar tot mijn verbazing reed ze niet noordwaarts maar over de snelweg naar het westen in de richting van Holbæk en toen verder naar Odsherred en Sjællands Odde. Daar had ze als kind haar vakanties doorgebracht, zodoende had ze met het strand daar meer binding dan met Gilleleje of andere stranden ten noorden van Kopenhagen. Ze vertelde dat haar ouders een zomerhuisje op Sjællands Odde hadden gehad, maar Niels had haar overgehaald om het te verkopen toen haar ouders overleden waren. Ze zei het niet rechtstreeks, maar het hing in de lucht dat hij de plek niet mondain genoeg had gevonden. Dat was het vreemde aan Denemarken. Van buitenaf gezien was het een homogeen en welgesteld landje waar iedereen min of meer op elkaar leek, in dezelfde huizen woonde, in dezelfde middenklasse auto's reed en in dezelfde vrijetijdskleding liep. Keek je echter iets verder, dan zag je dat de Deense clan in groeperingen en kleinere eenheden was opgedeeld, en dat de verschillende groeperingen buiten het werk om haast niets met elkaar te maken hadden. Het klassenverschil op basis van inkomen was lang zo groot niet meer als in mijn jeugd, maar in plaats daarvan was er nu verschil in leefstijl. Je ging met gelijkgezinden om, ging bij je soortgenoten in de buurt wonen en ging bij ze op bezoek. Zo verwonderlijk was het niet dat echte vreemdelingen moeite hadden om met de Denen in contact te komen als je zag hoeveel moeite de Denen daar zelf al mee hadden door alle snobisme en opleidingsverschillen. De Deense idylle was bedrieglijk en een buitenstaander werd makkelijk misleid door de gemeenschappelijke liefde die alle Denen voor hun vlag, koningshuis en voetbalclubs koesterden. In wezen waren de Denen een gespleten volkje; ze spraken slechts zelden met mensen met wie ze het oneens waren of die op een andere manier leefden dan hun eigen groep.

Ik maakte Clara deelgenoot van deze overpeinzingen, terwijl we in het mooie, zachte nazomerlicht over de smalle wegen reden. Er waren veel auto's op de weg die van en naar de veerboot reden en de akkers waarvan het graan al geoogst was lagen als gouden dekens tussen de goed verzorgde boerderijen. De zon stond aan een wolkeloze hemel en Clara's haar wapperde in de wind die door het open raampje naar binnen woei en een geur van stro en graan met zich meebracht.

Ze riep over het lawaai van de auto en de wind heen: 'Ik werk bij de politie, hoor. Je hoeft mij niets te vertellen over de tegenstellingen in onze samenleving. Twee derde van onze samenleving zie ik elke dag. Een derde laten we gewoon in de kou staan, maar we zijn slim, we zijn bereid voor onze sociale rust te betalen. We houden ze koest met een bijstandsuitkering. Daarom accepteert de middenklasse – dus mensen als ik- de hoge belastingen. Dan kunnen we tenminste een rustig leventje leiden. Dan heeft de staat geld om deze drop-outs stil te houden.'

'Dat bedoelde ik eigenlijk niet. Maar dat doet er niet toe. Nu klinkt het alsof de ordehandhavers revolutionairen zijn', zei ik.

'Nee, nee, juist het tegenovergestelde. Het systeem is goed voor mensen als ik. Niels zei altijd, en daar had hij gelijk in, dat alle middenklasse-Denen in wezen sociaal-democraten zijn en dat je dus net zo goed de stap kunt nemen om lid van die partij te worden en zo werkelijk invloed te krijgen.'

'En dat gesjoemel met die appartementen en al die andere dingen?'

'Dat hoort er nu eenmaal bij.'

'Dus jij hebt daar ook aan meegedaan?' zei ik.

'Nee, dat heb ik niet. Ik heb me nergens bij aangesloten.'

Ze haalde vlug en op het nippertje een langzame auto in en

stak ironisch haar hand op toen een tegenligger pissig met zijn lampen knipperde nadat ze de Escort weer op de rechterrijbaan had gegooid.

'In het verkeer daarentegen zijn Denen echte individualisten', zei ze. 'Op de weg worden we weer vrije vikingen.'

Ik lachte met haar mee op deze heerlijke dag. Plotseling, toen we op de top van een glooiende heuvel waren gekomen, dook links van ons als door een goocheltruc de blauw glanzende Sejerø-baai op. Kort daarna zagen we aan onze linkerhand het Kattegat liggen en aan onze rechterhand de zomerhuisjes. Ze reed langs een kleine supermarkt, sloeg linksaf en reed verder over een asfaltweg, die overging in een onverhard pad met kiezels dat doodliep bij een heideveld, waar ze de auto parkeerde. Ik kon voor me het water door de bomen zien.

'Het zomerhuisje van mijn ouders lag niet zo ver hiervandaan. Dat is een van de vele dingen met Niels waar ik spijt van heb. Dat hij me overgehaald heeft om het te verkopen', zei ze en pakte een rieten tas uit de kofferbak. Ik zag twee handdoeken, een kleed, een thermosfles en twee plastic bekers.

'Ik heb ook een zwembroek voor jou.'

'Je had alles al gepland', zei ik.

'Niet gepland. Alleen maar gehoopt', zei ze. 'Ik was hier hoe dan ook naartoe gereden, ook als je niet mee had gewild. Ik heb je toch gezegd dat het vandaag de laatste zomerse dag is. Die moet je plukken. In een land met ons klimaat is dat een godsgeschenk. Kom!'

Ik volgde haar gehoorzaam door de heide. Ze stapte kwiek door in haar blauwe spijkerbroek met dito blouse en met haar blote voeten in lichte, bijna balletachtige schoenen. Grote, witte zomerhuizen lagen verscholen in het kreupelbos, maar er was geen mens op het strand. Ze spreidde het kleed uit in een begroeide duinpan achter een grote vlierstruik. De baai lag er stil bij en het water was blauw. 's Ochtends was het eigenlijk een beetje fris geweest, maar in de loop van de dag was de temperatuur zeer aangenaam geworden. Het Deense klimaat blijft onvoorspelbaar. Ze draaide haar rug naar me toe, trok haar blouse uit, maakte haar bh los en deed een bikinitopje aan. Toen trok ze haar spijkerbroek en slipje uit en deed een bikinibroekje aan. Ik had nog snel kunnen zien dat ze egaal bruin was. Haar lichaam was slank, maar met de zachte, fijne rondingen van een volwassen vrouw. Hoewel naakt zijn heel gewoon was voor onze generatie, keek ik toch een andere kant op. Ze draaide zich om, glimlachte ironisch naar me en wees naar een blauwe zwembroek.

'Kom', zei ze bijna als een gymjuf en ik kon het niet laten te lachen.

'Ja, juf.'

Ze liep naar de waterkant en stapte voorzichtig over de met stenen bezaaide bodem de zee in totdat het water halverwege haar dijen stond, toen liet ze zich voorover vallen en zwom met lange, krachtige slagen weg. Het was een prachtig gezicht, het lichtbruine lijf dat de waterspiegel brak zodat de waterdruppels om haar heen parelden. Ik keerde mijn rug naar het water, trok de zwembroek aan en liep naar de zee. Ze zwom nog steeds van de kust af, was de eerste zandbank, die vlak bij de vloedlijn lag, al gepasseerd en bleef toen watertrappelen waarbij ze kinderlijk proestte als een dolfijn. Ik liep over de stenen. Het rook er aangenaam naar zeewier en zout. Het water schitterde in de zon alsof er duizenden sterretjes overheen gestrooid waren. De stenen waren glad, het water voelde eerst even koud aan, maar daarna aangenaam koel. Het was als de zee bij San Sebastián, zout en fris, mijn lichaam begon heerlijk te tintelen toen ik me voorover liet zakken en naar Clara crawlde. Het water smaakte schoon en toen ik naar beneden dook zag ik eerst een fijne zandbodem en daarna golvend, groen zeegras. Het was lang geleden dat ik gezwommen had, dus de vreugde was onbeschrijflijk, bijna alsof ik weer een kind was dat niet merkte hoe de ene strand-dag overging in de volgende. Een kind dat 's nachts vredig en zonder nachtmerries kon slapen.

'Er gaat niets boven vrij hebben als anderen werken', zei Clara toen ik bij haar was aanbeland. Ik was aan het water-trappen, maar zij ging lui op haar rug liggen, dreef verder weg en ging toen op een zandbank staan waar het water maar tot net boven haar navel reikte. Haar tepels waren door de dunne stof van haar bikini zichtbaar en doordat ze kippenvel had glansde haar lichaam. Ik zwom naar haar toe, ging ook staan en ze begon als een giechelende bakvis water tegen me aan te spatten, ik spatte terug en we hadden lol als een stel uitgelaten kinderen. We bleven twintig minuten in het water en deden alles wat volwassenen niet meer doen: we doken tussen el-kaars benen door, ik nam haar voeten in mijn handen en gooide haar achterover in het water, we doken naar mossel-schelpen of zwommen lui naast elkaar langs de kustlijn. De zon schitterde op haar bruine huid en de miljoenen druppel-tjes hadden alle kleuren van de regenboog. Haar huid was glad en fijn om aan te raken en ik voelde me bijna gelukkig. Ten slotte werd het te koud en zwommen we terug naar het verlaten strand.

Ze keerde haar rug naar me toe en droogde zich af. Ik bekeek haar gladde huid. Op haar linkerschouderblad zat een moedervlekje dat vooral zichtbaar werd toen ze zich vooroverboog om haar korte haar uit te schudden. Ze had een goed figuur, maar was niet zo ziekelijk slank en hoekig als die jonge vrouwen die allemaal aan anorexia leken te lij-den. Ik vond haar ontzettend mooi, liep naar haar toe en begon haar teder af te drogen, eerst haar rug en toen langs de achterkant van haar dijen. Ze stond doodstil, maar toen ik overeind kwam en haar rug weer met de handdoek mas-seerde, draaide ze zich om en keek me in de ogen. Ik kuste haar, eerst zacht, toen harder en de begeerte trof me als een hamerslag, herkenbaar en toch verrassend nieuw na maanden zonder lichamelijk contact met een vrouw. Alsof ik vergeten was dat je begeerte ineens zo hevig kan zijn dat het bijna pijn doet. Ik trok haar bikinitopje uit en voelde hoe haar handen over mijn rug naar beneden gleden, onder mijn zwembroek verdwenen en hoe ze deze over mijn billen en met enige moeite over mijn stijve lid naar beneden trok. We lagen naakt op het kleed achter de beschermende vlierstruik in de warme zon. Haar huid was koel en glad. Ik streelde haar voorzichtig, maar de begeerte zwol aan en ik gleed soepel in haar en toen was het alsof er ineens een duisternis door mijn hersenen joeg die mijn lust verdreef, mijn erectie verdween, ik gleed uit haar en plotseling voelde de lucht koud aan alsof er een noordenwind was opgestoken. Ik rolde van haar af en mijn hart bonsde alsof ik het waanzinnigste orgasme aller tijden had gekregen, maar niets was minder waar. Ik voelde me leeg, woest, wanhopig en gekweld door een borend, irrationeel schuldgevoel.

Ik ging overeind zitten met mijn rug half naar haar toe en voelde haar hand over mijn rug glijden en verder naar mijn dij. Dat maakte het er niet beter op en ik haatte mezelf en mijn leven en keerde mijn zelfverachting tegen haar en duwde haar hand weg.

'Het geeft niets, Peter', zei ze zachtjes, maar ook bezwerend. Haar ademhaling ging nog steeds snel. 'We hebben alle tijd.'

Ik gaf geen antwoord, maar stond op en kleedde me snel aan. Mijn hart ging nog steeds flink te keer, ik had een bittere smaak in mijn mond en wilde haar niet aankijken, maar dat zou al te laf geweest zijn en toen ik aangekleed was keerde ik me naar haar om. Ze leunde zonder schaamte achterover op haar handen. Haar borsten staken vooruit en haar schoot met het donkere haar was bijna obsceen in de middagzon.

Ik draaide me om en begon in de richting van de zomer-huisjes te lopen.

'Peter, verdomme', zei ze. 'Peter! Blijf hier! Peter!'

Ik liep steeds sneller en begon te rennen zodat ik niet meer hoorde wat ze zei omdat het bloed in mijn oren suisde alsof ik in een hevige storm liep. Vlak voor het pad afboog naar de eerste zomerhuisjes, keek ik om. Ze hield de handdoek losjes voor zich zodat haar naakte onderlijf bedekt was en keek me na en dat beeld van haar is me bijgebleven: een mooie naakte vrouw met een blauwe handdoek voor een vlierstruik met zware rode bessen in gelig licht en achter haar de blauwe, stille zee die zo glad als een ijsschots was.

Ik bleef rennen totdat ik de smaak van bloed in mijn mond kreeg, het gevoel had dat ik moest overgeven en mijn longen hijgend vertelden dat ze moesten rusten en anders zouden stoppen met functioneren. Ik ging op een boomstronk zitten uithijgen. Ik had geen flauw idee hoe ik was gelopen, maar de landtong was smal en tussen een paar hoge berken door kon ik het Kattegat zien. Ik liet mijn hoofd op mijn handen rusten en bleef zo een poosje zitten. Mijn T-shirt plakte aan mijn rug. Toen ik mijn ademhaling weer onder controle had, stak ik een sigaret op en liep langzaam in de richting van het Kat-tegat. Op de heenweg waren we een kleine supermarkt gepas-seerd. Daar kon ik vast wel een taxi bellen en iets te drinken kopen.

Inderdaad, ik kocht een halve fles wodka en een halve liter cola en terwijl ik op de taxi wachtte, dronk ik op het strandje voor de supermarkt van de wodka en spoelde na met cola tot de colafles halfleeg was. Ik vulde hem bij met wodka. Ik zat achter een boot, rook zeewier en had zin om te huilen, maar in plaats daarvan dronk ik.

Even dacht ik Clara's blauwe Escort langzaam voorbij te zien rijden alsof ze me zocht, maar ik was er niet helemaal zeker van.

De taxichauffeur was een jonge vent met korte blonde baardstoppels.

'Ik wil graag naar Kopenhagen', zei ik en ging op de achterbank zitten.

'Dat is een lange rit', zei hij met een blik op mijn verwarde haar, spijkerbroek en smoezelige T-shirt.

'Ik zou graag een beetje geld zien. Nergens om... maar...'

'Hotel Royal in Kopenhagen', zei ik en liet hem mijn creditcards zien.

'Oké', zei hij. 'Zijn ze soms vergeten je mee te nemen?' vroeg hij met een indiscretie die sommige Denen vanzelfsprekend vinden. Ook hij vond het heel normaal om te vragen wat er aan de hand was en om wat met elkaar te kletsen nu we toch een uur samen in een auto moesten doorbrengen. In de ogen van veel Denen was deze in wezen naïeve en kinderlijke nieuwsgierigheid geen botte bemoeizucht, maar gewoon onderdeel van een gezellig praatje.

'Luister eens', zei ik. 'Je krijgt honderd kronen fooi, maar op één voorwaarde.'

Hij draaide zich naar me om met fletse, vragende ogen.

'Je zegt geen woord tot we bij Royal zijn. Geen woord, begrepen?' zei ik.

'Ik weet alleen niet precies waar Royal ligt. Is het het SAS-hotel? In de buurt van Rådhuspladsen?'

'Ja, dat. Je houdt je mond tot we bij de stad zijn, dan zal ik je de weg wel wijzen. Eén woord en je krijgt nul komma nul fooi.'

'Best, hoor', zei hij en zette zijn grote Mercedes in beweging zodat het grind van het terreintje voor de supermarkt opspatte.

Hij hield zich aan de afspraak en toen hij bij Royal voorreed had ik mijn wodka al soldaat gemaakt. Ik betaalde met een creditcard en gaf hem contant honderd kronen, waarop hij opgewekt weer naar Odsherred vertrok. Ik liep de lobby in om mijn sleutel te halen en ineens rees Oscar uit een zithoek op en liep op me af.

'Zo, ben je daar eindelijk, man, ik heb bijna de hele dag op je zitten wachten', zei hij en sloeg zijn lange armen om me heen.

'Hallo Oscar. Is Gloria er ook?' zei ik.

'Ze is op haar kamer. Hoe is het?'

'Klote', zei ik.

'Dat zie ik. En weer aan de drank, hè Lime. Rustig aan maar. De reddingsbrigade is hier. We zullen je wel redden van de ondergang.'

'Geef me een borrel', zei ik.

'Ga naar de bar, dan bel ik Gloria. Ze mist je zo dat je gewoon…'

'Zeg haar dat ze als ze gaat preken beter weg kan blijven', onderbrak ik hem.

'Altijd tot je dienst, ouwe jongen', zei Oscar.

Gloria kuste me op zijn Spaans drie keer op de wang, omhelsde me, hield me toen met uitgestrekte armen een eindje van zich af, keek me aan en schudde haar hoofd, maar ze hield verstandig genoeg haar mond. Ze bestelde een glas witte wijn en wierp zijdelings een blik op de whisky van mij en Oscar, maar zei niets. Ze zag er ontspannen en erg Spaans uit in een luchtige kleurige jurk die goed stond bij haar zwarte haar. Aan haar blote voeten droeg ze goudkleurige sandalen en de kleur van haar nagellak paste precies bij die van haar lippenstift. De vakantie had hen goed gedaan. Oscar zag er ook fris en uitgerust uit en ik constateerde dat ze in een van hun verliefde periodes waren, want ze zaten de hele tijd aan elkaar en Oscar keek naar haar met een blik waaruit begeerte en bezitsdrang sprak alsof hij wilde zeggen: 'Kijk eens naar mijn vrouw, is ze niet prachtig? Maar denk eraan, ze is van mij!'

Ik vertelde het hele verhaal. Ik was ontzettend blij ze te

zien. Ze waren mijn enige houvast in het leven en de twee mensen die mij het beste kenden, zowel mijn goede als mijn slechte kanten. Ze veroordeelden me niet, maar accepteerden me zoals ik was. Ze waren mijn beste vrienden en we hadden maar weinig geheimen voor elkaar. Ze luisterden rustig en vol medeleven naar mijn verhaal en toen ik bij het catastrofale uitstapje naar het strand was aanbeland, leunde Gloria voorover en aaide me over mijn wang.

'Arme, Pedro', zei ze.

Ik vond het vreselijk als anderen medelijden met me hadden, maar ik wist wat ze bedoelde. Ik dacht dat ik bevrijd was van Amelia, dat ik over haar dood en die van María Luisa heen was, dat het verdriet ingekapseld was, maar dat was slechts uiterlijke schijn geweest. In mijn onderbewuste was ik nog steeds getrouwd en niet tot overspel in staat.

Gloria stak een nieuwe sigaret op en Oscar bestelde nog een rondje. Ik voelde de alcohol, maar was absoluut niet dronken.

'Ik weet dat je er niets van moet hebben, Peter', zei Gloria. 'Maar denk je niet dat het een goed idee is als je eens professionele hulp ging zoeken?'

Vroeger zou ik beledigd en boos geweest zijn, maar nu zweeg ik gewoon en Gloria ging door: 'Ik weet zeker dat er in Madrid een goede psycholoog is met wie je zou kunnen praten en die je zou kunnen helpen om de dingen die je zo kwellen op te lossen. Ik weet wel dat je niet zo verbaal bent ingesteld en niet veel over jezelf en je gevoelens praat, maar juist daarom zou een professioneel iemand je kunnen helpen. Ik wil niet dat je kapotgaat. Ik wil niet dat je in de goot belandt.'

'Geen gepreek, Gloria', zei ik.

'We laten je niet los', zei ze. 'We zijn je vrienden en vrienden zeggen wat anderen niet durven zeggen.'

Oscar zei: 'Je kent die moderne vrouwen, Peter. Ze geloven in de zegening van het gesprek zoals hun ouders in de heilige maagd geloofden. Ze zijn ervan overtuigd dat je alles in het leven kunt oplossen met praten en nog eens praten.'

'Hou op, Oscar', zei Gloria, maar zonder boos te zijn. 'Peter heeft behoefte aan praten. Jij en ik vergeten wat hij heeft meegemaakt. We willen je niet kwijtraken.'

'Het probleem is dat ik dacht dat ik wat voor haar voelde, of dat ik dat zou kunnen gaan doen', zei ik. 'Ik had het gevoel dat ik weer tot leven kwam... alsof het ineens weer licht werd. Alsof ik zou kunnen vergeten... snappen jullie dat?'

'Natuurlijk, en misschien komt het ook wel goed, Peter. Toch is een beetje professionele hulp nooit weg', zei Gloria.

Oscar leunde naar voren.

'Nu even iets anders', zei hij. 'Heb je er ook aan gedacht dat dit allemaal al vanaf het begin gepland zou kunnen zijn?'

'Wat bedoel je?'

'Luister. Clara Hoffmann van de Deense geheime dienst komt naar Madrid met een foto en sindsdien is alles één grote ramp. Die foto heeft op de een of andere manier de hele zaak aan het rollen gebracht. Waar had ze die foto voor nodig? Waarom was het zo belangrijk dat jij naar Denemarken kwam om in een of andere verjaarde Deense kwestie te getuigen? Wat is er in Denemarken aan de hand? Vraag je dat eens af. Waar heeft de inlichtingendienst Lime en Lime's foto's voor nodig?'

Ineens wist ik het. Het was eigenlijk tamelijk eenvoudig als je bedacht wat mijn ex-collega Klaus me verteld had en wat ik in de Deense kranten gelezen had. De Deense inlichtingendienst was een of ander rapport aan het uitwerken, maar voor wie? Clara was naar Madrid gekomen om vragen te stellen over Lola en een Duitse terrorist, maar was vooral geïnteresseerd in een huidig Deens parlementslid dat vijfentwintig jaar geleden in een commune woonde waar ook Duitse terroristen zaten. Waarom?

'Een momentje', zei ik, liep naar de receptie, vroeg het nummer van de redactie van het journaal op, nam Oscars mobiele telefoon en belde Klaus Pedersen op. Ik werd een paar keer doorverbonden en kreeg hem eindelijk aan de lijn in een montagestudio. Hij klonk gestrest en gehaast. Ik hoorde hem iets zeggen over een montage, waarschijnlijk tegen een technicus.

'Ik heb het krankzinnig druk, Peter. Kunnen we niet op een ander moment praten?' zei hij.

'Waar ben je mee bezig?'

'Gewone dingen, Peter. Stress. Deadline. Remember!'

'Iets met de Deense inlichtingendienst?' vroeg ik.

Hij zweeg even.

'Hoe weet je dat?' zei hij vervolgens.

'Waar gaat het over?' vroeg ik.

'In grote lijnen gaat het erom dat de regering de inlichtingendienst gevraagd heeft verantwoording af te leggen over welke wettelijke politieke partijen, vakbewegingen en dergelijke de afgelopen dertig jaar door de inlichtingendienst geïnfiltreerd en afgeluisterd zijn. Het is voor het eerst dat we ze in de kaart kunnen kijken. Iets te weten kunnen komen over hun werkwijze, iets te horen krijgen over hun budget. De verantwoording bevat alleen niet veel nieuws. De linkervleugel is woest en eist een diepgaand onderzoek. Ze vinden het maar niks dat de dienst zichzelf onderzoekt. De conservatieven zijn uiteraard tevreden en de minister van Justitie weigert een onafhankelijk onderzoek in te stellen en vindt dat de staatsveiligheid niet meer kan verdragen. Het is een belangrijke kwestie. Hoezo?'

'Als ik je nu eens zou vertellen dat er een geheim rapport is en dat de minister van Justitie dat heeft gekregen en dat daarin staat dat een parlementslid vroeger met Duitse terroristen heeft samengewoond en dat hij daarom vast tevreden is met een oppervlakkige verantwoording omdat hij weet dat ze bij de inlichtingendienst zo hun redenen hadden voor hun afluisterpraktijken. Maar dat het systeem geen reden ziet om deze kwestie op te rakelen omdat de regering juist van dit mandaat afhankelijk is. Maar het is goed om te weten, als je een beetje druk zou willen uitoefenen bij een onderhandeling. Of niet soms?'

'Bingo! Maar hoe weet je dit allemaal?'

'Dat doet er niet toe. Want het is nog fraaier. In dezelfde commune woonde de vrouw die jij Laila Petrova noemt…'

'Dat meen je niet!'

'Jawel.'

'Kun je het bewijzen?' vroeg hij.

'Ik heb foto's waar ze samen op staan… ik woonde er zelf ook. Ik heb de foto's gemaakt. Ik heb een verklaring over deze zaak afgelegd voor de inlichtingendienst. Onder ede. Ik weet honderd procent zeker dat er nog een rapport is en als de minister van Justitie dat tegenover jou of het parlement ontkent, dan liegt hij. En dat mag zeker nog steeds niet in Denemarken?'

'Deense politici mogen vreemdgaan, niet liegen. Dan gaan ze voor de bijl. Daar heb je volkomen gelijk in.'

'Dan moet hij wel toegeven dat hij andere informatie heeft gekregen?'

'Misschien niet tegenover mij, maar ik zal ervoor zorgen dat er dan in een commissie vragen gesteld zullen worden. En als hij dan liegt, ligt hij eruit', zei Klaus en na een korte pauze vroeg hij: 'Ben je informant…?'

'Dat weet ik niet, maar zo kun je het gerust noemen', zei ik.

'Stel je voor, zeg!'

'Tja.'

Hij hield een pauze en ik hoorde hem weer iets tegen de technicus zeggen.

'Waar zit je?'

'In Royal.'

'Ik moet eerst de uitzending van halfzeven afmaken, dan kom ik tegen zevenen met een cameraploegje. Dan maken we een synch en wat reportagebeelden, dat je het hotel inloopt, ergens gaat zitten en dat soort dingen. Iets snels. Je kent het klappen van de zweep. En dan heb ik het verhaal voor de uitzending van negen uur.'

'Dat is goed.'

'Kan ik de foto's krijgen?'

'Nee, maar je kunt ze filmen.'

'Goed. Zeg Peter? Waarom doe je dit eigenlijk?' vroeg hij.

'Mijn motieven doen er niet toe. Je weet hoe het is. Er is altijd wel iemand die een geheim wil vertellen aan iemand die het horen wil.'

'Oké, tot straks', zei hij en ik kon horen hoe zijn stem trilde van verwachting, opwinding en vreugde omdat hij dit keer een exclusief verhaal had, de droom van iedere journalist.

Ik gaf de mobiele telefoon aan Oscar.

'Waar ging het over?' zei hij.

'Kunnen jullie koffie bestellen? Dan neem ik een douche en trek ik schone kleren aan.'

'Waarom dat?' zei Gloria.

'Ik kom straks op televisie', zei ik.

Oscar lachte en sloeg me op mijn schouder.

'That's my boy! Zo schud je die zaak van je af. Een geweldig idee. Dat zal dat dametje van de politie wel niet zo leuk vinden.'

Ik wist niet wat hij bedoelde. Nu was het ineens allemaal Clara's schuld en het vreemde was dat ik dat accepteerde alsof ik een zeventienjarige scholier was die verleid was. De begeerte was wederzijds geweest. Juist daarom voelde ik me zo ellendig. Ik wilde immers graag. Ik zou het nooit durven toegeven, zelfs niet tegenover Gloria en Oscar, maar ik voelde me in mijn mannelijkheid aangetast. Ik haatte en verachtte mezelf erom. Het was primitief en stompzinnig, maar gevoelens zijn nu eenmaal niet rationeel.

'Is dat nu wel zo slim?' zei Gloria. Ze trok haar advocatengezicht toen ze door kreeg wat ik wilde doen.

'Dat weet ik niet, maar het voelt goed.'

'Dat is vaak zo met wraak', zei Oscar.

Misschien was het wraak, misschien was het een onelegante manier om Clara te kwetsen omdat ik woedend op mezelf en haar was, omdat ik mezelf verachtte en dacht dat ik me misschien beter zou voelen als ik alles op haar afreageerde, omdat zij mijn vernedering had gezien. Zo ervoer ik het in elk geval. Misschien was het een loutering, een poging om de hel van de afgelopen maanden uit mijn lijf te krijgen. Zodat ik het achter me kon laten. Ik wist het niet. Ik had instinctief, zonder erbij na te denken gehandeld, toen ik Klaus belde.

Ik stond op.

'Check ons uit en huur een auto, dan rijden we vanavond nog naar Duitsland. Dan vliegen we van Hamburg of Frankfurt naar huis. Ik heb geen puf om morgen allerlei Deense journalisten te woord te staan. Wanneer het verhaal vanavond naar buiten komt, wordt het een grote rotzooi hier. Laten we het land verlaten. Laten we naar huis gaan', zei ik.

'Dat betekent dat je met ons mee naar Madrid gaat, Peter?' zei Gloria blij.

'Ja, ik ga mee naar huis', zei ik. 'Deze toestand heeft nu wel lang genoeg geduurd.'

Deel III

Vergetelheid of herinnering

We hebben voor een combinatie van socialisme en vrijheid gevochten, een groots doel dat we niet gehaald hebben, maar toch geloof ik nog steeds dat we het kunnen bereiken. Ik hou vast aan mijn overtuiging, hoewel deze door de tijd en de gebeurtenissen minder sterk is geworden. Maar ik ben geen overloper en geen zondaar die met deze memoires om vergiffenis smeekt.

– Markus Wolf

Bij alles wat we doen, is ons leven de inzet. Ieder moment wordt aan de speeltafel geleefd, al weten we het niet.

– Carsten Jensen

19

De zomer ging over in de herfst, maar het verhaal was nog niet uit. Dat had ik ook niet verwacht, maar dat het spel zo hoog gespeeld zou worden had ik niet kunnen bevroeden toen we, bijna als dieven in de nacht, in een huurauto uit Denemarken vertrokken en naar Puttgarden overvoeren. We hadden een mediastorm ontketend die politici en journalisten verscheidene weken zou bezighouden. Ik had er niets meer mee te maken en beantwoordde de vele verzoeken die bij ons kantoor binnenkwamen niet. Het waren aanvragen voor interviews en portretten. Weekbladen wilden alles over de geëmigreerde fotograaf weten, ze wilden een follow-up van mijn onthullingen. Het knipselbureau stuurde stapels knipsels uit Deense kranten en weekbladen. Ze gingen over de kwestie, die ze inmiddels een schandaal waren gaan noemen, en het ontbreken van de politieke wil om een onpartijdige onderzoekscommissie in te stellen. Ze beschreven hoe oude voorvechters van de linkervleugel een voor een opstonden en eisten te horen of er ook een dossier van hen was. Afgeluisterd en geschaduwd te zijn leek wel een adelbrief, een toegangsbewijs om kans te maken op een plaatsje op een onzichtbare vip-lijst. Maar zoals dat meestal met dergelijke kwesties in Denemarken gaat, verloren de media al gauw hun belangstelling en vonden ze andere zaken om over te schrijven. Heel symptomatisch voor de moderne westerse massamedia. Niemand leek meer in staat de aandacht voor een bepaalde zaak lang vast te houden. Het waren net scholieren die zich niet meer konden concentreren en die, zodra de verveling toesloeg, weer aan iets nieuws begonnen. In zo'n geval werd de eerst zo belangrijke kwestie alleen nog in marginale radioprogramma's en perifere dagbladen behandeld.

De meeste artikelen die ik ontving, gingen dan ook over de fotograaf Peter Lime, de grote aanstichter van al deze heibel. Ik werd nu eens afgeschilderd als de mol in het linksgeoriënteerde milieu in Denemarken van begin jaren zeventig, dan weer als een mondaine paparazzo die met de rijke jetset van over de hele wereld aanpapte of als een keiharde reportagefotograaf die in alle brandhaarden was geweest, als een belastingvluchteling en ten slotte als een drankzuchtige spion van de Deense inlichtingendienst die was ingestort nadat zijn vrouw en kind door Baskische terroristen waren vermoord. Ik wist niet of ik erom moest huilen of lachen, maar gaf de voorkeur aan het laatste wanneer ik de meest overdreven artikelen voor Oscar en Gloria vertaalde.

Een ochtendkrant en twee weekbladen stuurden verslaggevers en fotografen naar Madrid. Ik wees ze af, ook al deden ze een beroep op mijn collegialiteit. Opnieuw bevond ik me aan de andere kant van de lens. Ze maakten foto's van me wanneer ik ons kantoorgebouw in- en uitliep en ze achtervolgden me tot aan Hotel Inglés, waar ze de receptionist probeerden uit te horen, maar Carlos zei natuurlijk niets. Mijn zenuwen waren zeer gespannen en de lange telelenzen die naar me wezen deden me denken aan de vinger op de Amerikaanse wervingsaffiche met de tekst *I Want You for the U.S. Army*. Vanuit welke hoek je ook naar de afbeelding keek, altijd wees de uitgestoken wijsvinger in jouw richting. Ze ontdekten de plek waar mijn huis had gestaan en maakten er foto's van. Ze hielden het niet lang vol, na een week keerden ze huiswaarts en werd alles weer normaal.

Oscar en Gloria probeerden me te overreden om mijn werk weer op te pakken, maar ik had geen zin meer. Ten slotte legden ze zich bij mijn besluit neer en kochten ze me zonder dramatische taferelen uit. Ze wilden dat ik zelf een advocaat nam, maar Gloria had altijd al mijn zaken geregeld, dus deze kon er ook wel bij. Als ik mijn twee beste vrienden niet meer kon vertrouwen, wie bleef er dan nog over?

Dankzij Gloria's contacten kon ik een gemeubileerd flatje in mijn oude wijk huren. Ik was het meest op mezelf, voelde me vanbinnen raar leeg en somber alsof iemand het licht van mijn ziel had uitgedaan. Ik trainde op de karateschool en nam weer deel aan de sessies bij de Anonieme Alcoholisten. De eerste keer toen ik door de zaal liep vol mensen, die uitsluitend met elkaar verbonden waren door de strijd die ze tegen innerlijke demonen voerden en die ze met de fles probeerden te verdrijven, voelde het als een overwinning. Maar langzamerhand werd het een gewoonte om één of twee keer per week achter het spreekgestoelte te staan en naar de vele verschillende gezichten en hun sympathiserende ogen te kijken en de therapeutische woorden te spreken: *Buenas tardes. Soy Pedro. Soy alcohólico.* Hierdoor matigde ik mijn alcoholverbruik, wat niet wegnam dat ik me soms bezoop en met een black-out ontwaakte. Meestal in mijn eigen huis. Als een postduif wist ik altijd feilloos mijn huis terug te vinden, al kon ik me later zelden herinneren hoe ik in mijn eigen bed was beland. Eén keer belandde ik in de goot en toen waren al mijn geld en papieren gestolen. Een andere keer trof ik mezelf bij een jonge hoer aan die me medelijdend en minachtend aankeek en haar geld eiste ook al had haar heroïsche inzet kennelijk geen resultaat gehad. Ik leefde en toch ook weer niet. Ik dacht vaak aan Clara en als ik me aan de fles vergreep stond ik vaak, voordat ik echt bezopen raakte, met de hoorn in mijn hand om naar Kopenhagen te bellen, maar de moed zonk me meteen in de schoenen en later op de avond was ik dan altijd onaanspreekbaar.

Dat jaar was het vroeg herfst in Madrid. Een ijzige wind stoof over de Castiliaanse vlakten en joeg de mensen in de koude stad de hoek om. Geen stad is zo koud als een stad in het zuiden. De wind vond alle gaten en kieren die er te vinden waren en de inefficiënte radiatoren of gloeiende elektrische kachels streden een vergeefse strijd tegen de kou, die het slechtste in de mens opriep. De mensen huiverden in hun te dunne jassen en bewogen zich agressief en nijdig voort. Ineens was er een dag met sneeuw en liep het verkeer vast. Vervolgens sloeg het weer om en werd het mild en aangenaam totdat de normaal gesproken zo levendige stad door een nieuwe koudegolf met enorme regenbuien in een soort coma raakte. De regen plensde over de lege cafétafeltjes en in de deuropening van Cervecería Alemana stond Felipe met zijn rug naar het bijna lege café gekeerd, sloeg met zijn servet tegen zijn hand en droomde misschien over stieren in een zonovergoten arena. De Madrilenen bleven thuis, hingen voor de tv en weigerden naar buiten te gaan.

Die dag begin november toen het al sneeuwde, overleed Don Alfonso. Zo te zien was het een mooie dood geweest, als die tenminste bestaat. Ik wist echter niets van de laatste seconden uit zijn leven. Waren die door een schreeuwende pijn of een grote angst overheerst geweest toen zijn hart er ineens mee ophield, terwijl hij in de kas bezig was voorbereidingen voor de winter te treffen? Was hij er, dankzij zijn religieuze houding, op voorbereid geweest de God die hij vervloekt had maar waar hij uiteindelijk toch in geloofde te begroeten? De buurman had hem met een plantenschepje in de hand naast zijn kist met tuingereedschap gevonden. Zijn gezicht was vredig geweest alsof hij op de grond was gaan liggen om te slapen. In de kas was het even opgeruimd en ordelijk geweest als altijd. Het licht werd door de sneeuw op het dak getemperd.

Ik begroef hem naast Amelia en María Luisa. Ik kwam nu vaak op het kerkhof met de witte kruisen, de versteende duiven van marmer en de kille, schone grafstenen. Soms gewoon om een boek te lezen. Andere keren met een fles. Ik voerde lange gesprekken met Amelia en ze zei tegen me dat ik mijn leven weer in eigen hand moest nemen en opnieuw moest beginnen. Ik mocht haar niet vergeten en natuurlijk zou ze deel uitmaken van de bagage die ik op mijn verdere reis mee zou nemen, maar ze mocht geen blok aan mijn been worden. Ik argumenteerde met haar en zei dat ik dat niet kon. Ik kon echt haar stem horen tussen de kruisen, ik hoorde hoe ze me bij mijn voor- en achternaam noemde, precies zoals ze altijd deed wanneer ze geïrriteerd of echt boos op me was, al kwam dat hoogst zelden voor. Ze zei dan altijd: 'Pedro Lime, doe niet zo raar!'

Ik moest altijd huilen als ik haar stem meende te horen. Het was alsof ze weer levend was geworden, maar wanneer ik mijn ogen opende zag ik alleen maar grafstenen en soms een in het zwart geklede weduwe die in de verte bij een graf bezig was.

Don Alfonso had al zijn bezittingen aan mij nagelaten. Hij bezat een bescheiden vermogen aan waardepapieren, maar zijn beste geschenk was het huis. Ik gaf Gloria opdracht om mijn motor voor een habbekrats te verkopen en om ons huis in San Sebastián iets onder de marktprijs aan Tomás over te doen. Ik betrok het mooie, goed onderhouden huis van Don Alfonso met de klassieke meubelen, zijn grote boekenverzameling, de roodgeschakeerde geraniums en de exclusieve orchideeën die het wel niet zouden overleven. Ik zag in dat ik ze niet in leven zou kunnen houden. Ik was van plan om in het voorjaar zijn kas af te breken om op die plek een klein atelier met een donkere kamer neer te zetten, zodat ik mijn portretfotografie weer kon oppakken. Ik was ook van plan om landschapsfotograaf te worden. Ik zag mezelf al staan achter een statief in het lege Spaanse landschap ergens in Extremadura, geduldig wachtend op de komst van een vechtstier die uit de bergen zou komen sjokken en die in de vele schakeringen van het zonlicht mijn kant zou uitlopen. Groot en zwaar, met de oren waakzaam gespitst en zijn gebogen, scherpe hoorns naar mij gericht. Hij zou niet agressief zijn, want hij werd gevolgd door zijn soortgenoten en in een kudde zijn de grote, gevaarlijke dieren rustig en zelfs bijna volgzaam. Hij zou zijn kop heffen, de zon zou op een hele bijzondere manier door de olijfboom en de hoorns van het dier schijnen en verder naar beneden op een vergeelde graspol met een rode woestijnbloem. Het moment zou een duizendste van een seconde duren. Ik zag mezelf al oud worden achter het statief, eeuwig wachtend op het juiste licht om dan de perfecte foto te kunnen maken. Ik wist dat de perfecte foto niet bestond, maar juist daarom zou ik er altijd naar blijven zoeken en daarmee altijd een doel hebben.

Half november belde Clara Hoffmann. Het was avond, de lucht was donker en de regen die al vroeg in de middag was begonnen, sloeg tegen het dak en de ramen. Ik was nuchter en zat te lezen in een van Don Alfonso's boeken over de Spaanse burgeroorlog en de wreedheid en genadeloosheid waartoe de mens in staat is. In de open haard brandde het hout dat de oude man nog keurig opgestapeld had. Ik voelde me prettig en evenwichtig. De melodieuze Deense stem bracht me even in de war en mijn hart begon hevig te bonzen.

'Met Clara. Clara Hoffmann uit Kopenhagen', zei de stem.

'Si', zei ik.

'Ben jij het, Peter?'

'Ja, sorry. Ik was verdiept in een boek.'

'Neem niet kwalijk dat ik je stoor. Ik heb je nummer gekregen van jullie kantoor. Een paar dagen geleden al. Ik hoop niet dat je dat vervelend vindt?'

'Nee, nee. Hoe gaat het met je?'

'Goed, dank je. En met jou?'

'Het gaat wel, dank je. Goed, bedoel ik.'

Er viel een pauze, toen zei ze: 'Ik heb vaak overwogen je te bellen.'

'Ik ook. Naar jou dan. Waarom heb jíj het niet gedaan?'
zei ik.

'Ik weet het niet. Ik was misschien bang dat je me zou
afwijzen. En jíj?'

'Ik was ook bang, denk ik, en een beetje beschaamd', zei ik
tot mijn eigen verbazing.

Ze lachte mild.

'Zo'n stoere jongen toch!'

'Ik ben niet zo stoer als ik eruitzie.'

'Nee. Inderdaad. In elk geval niet alleen maar. Dat bevalt
me juist zo aan je', zei Clara.

'Nog steeds? Ondanks alles, bedoel ik?'

'Eerlijk gezegd mis ik je wel', zei ze.

'En ik jou ook', gaf ik toe – ook voor mezelf.

'Je zou niet denken dat we twee volwassen mensen waren',
zei ze.

'Misschien juist daarom', zei ik.

Toen viel er weer een stilte. De digitale verbinding was
geweldig op wat geruis na. Haar stem kwam helder door.

'Waar heb je nu de moed vandaan gehaald?' vroeg ik toen.

'Ik had een reden', zei ze en haar toon werd iets zakelijker,
maar haar stem raakte me en ik zag haar voor me. Ik zag haar
lach en haar naakte lichaam aan het strand en ik was vol tegenstrijdige gevoelens. Ze had een brief van de Duitse autoriteiten gekregen. Ik mocht mijn oude Stasi-file komen bekijken aan de Normannenstraße, wanneer ik maar wilde. Ze
hadden me een brief gestuurd, maar haar Duitse collega's
hadden haar ook op de hoogte gebracht. Was ik het nog
van plan? Wilde ik mijn dossier inzien?

Ik had de hele kwestie eigenlijk achter me gelaten en dacht
er amper meer aan. Ik voelde geen woede jegens de daders en
al helemaal geen woede jegens Clara, alleen verdriet om het
verlies van mijn dierbaren. Mijn wraakzucht was even plotseling verdwenen als de dauwdruppels op de bloemen van Don

Alfonso die in de felle Spaanse ochtendzon verdampten. Ik moest Oscar en Gloria gelijk geven. Dat wroeten in mijn verleden, bracht alleen maar ellende voort. Het najagen van spoken veroorzaakte alleen maar pijn en onrust. Dat zei ik door de telefoon tegen Clara. Aan haar korte 'oké' kon ik horen dat ze teleurgesteld was. Toen zei ik zonder er verder bij na te denken en zonder te weten waarom: 'Ik ga naar Berlijn, maar alleen als jij ook komt. Anders ga ik niet.'

'Wanneer?'

'Wat dacht je van morgen?'

Ze lachte opnieuw op een manier die me blij en monter stemde.

'Overmorgen dan?' zei ze.

'Dat is goed', zei ik. 'Overmorgen is prima.'

'Afgesproken. Bel me als je het hebt geregeld. Ik ga waarschijnlijk met de auto.'

'Dat zal ik doen. En Clara…'

'Ja, Peter.'

'Ik verheug me erop je te zien.'

'Ik ook, Peter Lime. Ik ook.'

'En Clara, het spijt me als je in de problemen bent geraakt door mijn optreden in het journaal. Over dat andere rapport.'

'Vergeet het. Ik ben een grote meid.'

'Maar toch.'

'Ik zal het je in Berlijn allemaal vertellen', zei ze en hing op.

De regen in Berlijn was kouder dan die in Madrid en ging af en toe over in natte sneeuw, de stad was echter aan de kou gewend en erop gebouwd. De Berlijners leken zich niets van de regen aan te trekken, terwijl de stad om hen heen zich pijlsnel ontwikkelde. Sinds de val van de Muur was ik maar een paar keer in Berlijn geweest en de turbulente ontwikkeling ging onverminderd door. In de krant had ik gelezen over de grote economische crisis waarin Duitsland verkeerde en over de geestelijke muur die Oost en West nog steeds van elkaar scheidde, maar Berlijn leek de sombere woorden over zichzelf niet gelezen te hebben. Boven het centrum torenden hoge kranen uit, bouwwerken van beton en glas groeiden uit tot het symbool van de herenigde hoofdstad, waar spoedig de Duitse regering weer zou zetelen. Ondanks de kou en de regen waren er veel mensen op straat die zich, met opgezette kragen en hun paraplu's schuin vooruitgestoken als verdwaalde zeilbootjes, een weg baanden door de middagschemering. Hoewel ik het natuurlijk van vroeger wist, werd ik toch door de vroeg invallende duisternis verrast. Ik hield van het zuiden omdat het er zo heerlijk warm en licht was. De deprimerende duisternis in Noord-Europa beïnvloedde je humeur, stemde zwaarmoedig, maar de Berlijners leken er probleemloos mee te kunnen leven. De helverlichte restaurants en cafés waren goed bevolkt en telkens wanneer er een deur open- of dichtging stroomden er warmte en etensgeuren naar buiten. De straten waren volgestouwd met nieuwe auto's die langzaam door de regen gleden. In het licht van de koplampen zag je de druppels dansen. Tussen de grote Mercedessen en BMW's dook af en toe, als een souvenir uit een recent verleden waarin de stad in tweeën opgedeeld was geweest, een Trabant op. Verder had men de afgelopen tien jaar met Duitse grondigheid geprobeerd het grootste deel van de communistische beschermmuur die de stad in twee verschillende werelden verdeeld had te verwijderen.

Mijn reisbureau had een kamer voor me geboekt in een niet zo groot maar wel luxueus familiehotel aan de Kurfürstendamm en de kamer naast de mijne voor Clara gereserveerd. Ik had naar haar nummer bij de Deense inlichtingendienst in Kopenhagen gebeld om haar te vertellen waar we elkaar zouden ontmoeten, maar ik had te horen gekregen dat ze daar niet meer werkte. Het duurde even en ik werd een paar keer doorverbonden voordat ik iemand aan de lijn kreeg die me kende en die me wilde vertellen dat Clara Hoffmann nu bij de afdeling fraude van de politie werkte. Dáár kreeg ik een secretaresse te pakken die een boodschap wilde aannemen en de dag daarop nam ik het vliegtuig naar Berlijn.

Ik verwachtte Clara pas laat, en in die tussentijd voelde ik me net een onzekere puber. Mijn hart bonsde, mijn handpalmen waren klam, ik had een beklemd gevoel op de borst en moest diep ademen om mijn ademhaling weer onder controle te krijgen. Ik was niet alleen zenuwachtig voor ons weerzien – ik was zelfs bang. Om de tijd te doden maakte ik vijftig push-ups, nam een bad en dronk in de bar twee whisky's, ook al zei ik tegen mezelf dat ik dat beter niet kon doen. Toen ging ik weer naar mijn kamer. Het was een nette, grote tweepersoonskamer met een breed bed onder een goudomrande spiegel. Zware rode gordijnen lieten alleen een zacht gefluister door van regen die tegen autobanden opspatte in de donkere straten buiten. Tussen mijn kamer en die van Clara zat een deur. Hij zat op slot. Ik keek een beetje televisie, maar bleef onrustig en ging weer naar de bar waar ik alleen een cola bestelde.

Bij de receptie nam ik een *Herald Tribune* mee, liep naar mijn kamer en begon met de voorpagina. Toen ik bij 'The Peanuts' was, hoorde ik ineens geluiden uit de belendende kamer. Er werd een deur dichtgegooid en ik zag voor me hoe Clara door de kamer liep, de regen van haar jas en uit haar haar schudde. Ik stond op, wilde de gang in lopen en bij haar deur aankloppen, maar ik ging weer zitten met de krant op mijn schoot, maar zelfs 'The Peanuts' en 'Casper en Hobbes' drongen niet tot me door. De letters en strepen vervaagden. De helft van mijn leven lag achter me en ik voelde me onzeker als een schooljongen. Ik wist dat ik in Berlijn was om mijn Stasi-file in te zien, maar ook om te testen of ik weer van een ander mens zou kunnen houden. Wellicht op een andere manier dan van Amelia. Zou ik me weer aan een ander durven over te geven, waarmee ik dan meteen weer het gevaar liep opnieuw verlaten en gekwetst te worden? Een risico dat onlosmakelijk met de liefde verbonden was. Ik had dit de hele tijd geweten, hoewel het pas op dat moment tot me doordrong. Ik wist alleen niet of Clara Hoffmann er ook zo over dacht.

Toen hoorde ik in de kamer naast mij de douche. Ze zou met de auto naar Berlijn komen, had ze gezegd. Het was maar goed dat ik niet meteen had aangeklopt. Ze wilde natuurlijk eerst het reisstof van zich afspoelen. Daardoor werd ons weerzien gelukkig nog even uitgesteld. Als ze klaar was, konden we samen iets drinken in een van onze kamers en daarna ergens gaan eten. Dan zouden we wel zien hoe het zou aflopen. Ik ademde diep in en voelde me iets rustiger.

Ik zat met de krant op schoot toen ik ineens hoorde hoe iemand de tussendeur van slot deed. De deur ging open: Clara stond in de deuropening en keek me aan. Ze droeg de witte badjas van het hotel, maar had de ceintuur er zo losjes omheen gebonden dat ik een glimp van haar borsten en van haar zwarte, dikke schaamhaar opving. Ze zei niets, maar keek me met een klein lachje aan. Ik staarde terug. Toen stapte ze de kamer in, sloot de deur achter zich, deed deze op slot, liep naar mijn kamerdeur, opende hem, hing het bordje 'Do Not Disturb' aan de buitenkant, sloot de deur, draaide hem op slot en deed de ketting ervoor. Het was zo gebeurd, maar ik zag het als het ware in slowmotion gebeuren. Alsof de tijd bijna stilstond en de wereld langzaam ophield te bestaan. Haar billen die zachtjes heen en weer wiegden onder het witte frotté, de rijpe ronding van haar heupen en de glimp van de gladde binnenkant van een dij wanneer ze een stap deed. Haar haar was vochtig en krullerig. Haar nek was licht en ik voelde een enorm verlangen het plekje vlak achter haar oor te kussen. Bij de kamerdeur draaide ze zich om. Ik stond op en de krant viel fladderend op de grond. Mijn hart ging tekeer, mijn oren suisden en mijn bloeddruk was zo hoog dat mijn hoofd leek te zullen barsten. Clara maakte de ceintuur van haar badjas los, terwijl ze me recht bleef aankijken, trok hem met één handbeweging en een korte draai van haar lichaam uit waardoor haar borsten zacht bewogen. Haar naakte lichaam was slank, maar ze had wel een ronde buik en zachte, gevulde heupen. Haar huid had nog steeds iets van het gouden schijnsel van de zomer. Haar tepels waren klein en donker en niet precies even groot. Vlak onder haar linkerborst zat een hartvormig moedervlekje, ik herinnerde me dat ze er ook zo eentje onder haar linkerschouderblad had. Haar benen waren slank, maar op haar dijen had ze lichte striae, wat haar nog aantrekkelijker maakte. Ze had haar teennagels in dezelfde kleur gelakt als die van haar vingers en haar lippen glinsterden een beetje. Ze stond stil en liet zich bekijken alsof ze wilde zeggen: Hier ben ik. Hier is mijn lichaam.

We deden een stap in elkaars richting.

'Clara', zei ik.

Ze deed snel drie passen naar voren, drukte haar vinger tegen mijn lippen en legde me als een klein kind het zwijgen op. Ik voelde haar borsten tegen mijn T-shirt en haar schoot tegen mijn stijve lid. Haar ogen waren groot en vochtig alsof ze bang was of op het punt stond te gaan huilen.

'Clara', zei ik weer, maar ze maande me weer tot zwijgen en zei: 'Niet praten, Peter Lime. Niet praten. Deze keer zullen woorden het niet bederven.'

20

Nadat we elkaar voor de eerste keer bemind hadden, begon ik te huilen. Ik vind mezelf bepaald geen gevoelige, zachte man. Voor de dood van Amelia en María Luisa had ik nog nooit, voorzover ik me herinner, als volwassene gehuild. In de jaren zeventig vond ik het pijnlijk wanneer mannen hun zielenroerselen op tafel legden en met tranen in hun ogen en een huilerige stem zaten te vertellen hoe zwaar het leven met een vrouw wel niet was. 'Fuck them and leave them', was mijn arrogante slogan altijd geweest. Maar daar in het hotelbed in Berlijn kon ik mijn tranen niet bedwingen. Het begon met een paar snikken die overgingen in hikken en veel te veel tranen, totdat Clara ten slotte, hoewel ik me ertegen verzette, mijn hoofd aan haar borst drukte en me over mijn haar streek zoals ze gedaan zou hebben bij een klein kind dat zich erg had bezeerd. Ik huilde om alle verspeelde mogelijkheden, alle onrechtvaardigheden van het leven, het besef dat ik nooit over mijn angstaanjagende verlies heen zou komen, maar ook omdat Clara's omhelzing een verlossing was geweest. Het was alsof mijn bewustzijn, of om het met een ouderwets maar fraai woord te zeggen, mijn ziel, waarschijnlijk niet voorgoed bevrijd was van het martelende verleden, maar in elk geval voor een poosje afgekocht. Een vergelijkbaar effect kon therapie misschien hebben op mensen die eerst instortten omdat hun psychische verdedigingspantser afbrokkelde en hun verwarde innerlijk werd blootgelegd, maar die daarna als een volediger mens uit de strijd tevoorschijn kwamen. Amelia en María Luisa zouden altijd mijn sterkste herinnering blijven, maar toch had ik nu het gevoel dat de wond voorzichtig in een verband van vergetelheid verbonden kon worden.

Mijn huilbui ebde weg en ging over in een gevoel van

schaamte en ik wilde me uit Clara's omhelzing losmaken. Ze boog zich over me heen, kuste zachtjes de tranen van mijn gezicht. Droogde de sporen die de tranen op mijn oogleden, wangen, hals en borst hadden achtergelaten en tot slot liefkoosde ze teder en voorzichtig met haar tong mijn lippen tot ze haar mond op de mijne drukte. Toen ik haar tong tegen de mijne voelde, sloeg de begeerte toe met een hevigheid die ik niet meer voor mogelijk had gehouden. Ik duwde haar op haar rug en drong zo hard bij haar binnen dat ze een gilletje gaf. Meteen slingerde ze haar benen om me heen en duwde me nog dieper in zich en om ons heen loste de wereld op.

We hadden nog steeds geen woord tegen elkaar gezegd.

Maar dat deden we erna. We lagen in bed, praatten en dronken de rode wijn die ik uit de minibar had gepakt. We praatten niet over ons, maar over onszelf vóór ons. Ik was het meest aan het woord, eerst over Amelia en María Luisa, maar ook over mijn vroegste kinderjaren waaraan ik al jaren niet meer gedacht had en over mijn jeugd en mijn alcoholprobleem. Clara lag tegen mijn schouder en stelde af en toe een vraag, maar luisterde vooral geduldig. Ze vertelde niet zoveel over zichzelf. Ze kon zich ook niet zoveel van vroeger herinneren. Misschien omdat ze een gelukkige jeugd had gehad in het keurige ambtenarengezin? Ze herinnerde zich de gebruikelijke dingen uit haar puberteit en de jaren op het gymnasium. Tot haar huwelijk was haar leven eigenlijk nogal eenvoudig geweest. Er viel niet veel interessants over te vertellen, vond ze. Misschien omdat je over een ongelukkige tijd veel meer kunt vertellen dan over een gelukkige? Misschien omdat het mij in wezen niets aanging of omdat ze liever niet zoveel over zichzelf wilde praten.

'Je was vast een lieftallig meisje', zei ik.

Ze ging overeind zitten, leunde tegen het hoofdeinde en strekte haar armen boven haar hoofd, zodat ik weer zin kreeg.

'Ik zat onder de pukkels', zei ze. 'En nu heb ik honger.'

Ik ook, ik had zelfs honger als een paard en een vreselijke trek in vlees en bergen aardappelen met solide Duitse saus. Het was al na middernacht en de room-service kon alleen groentesoep, sandwiches en een omelet serveren. Ik bestelde alles tegelijk plus een fles wijn en mineraalwater.

Clara stond op, liep naakt naar haar eigen kamer en kwam terug met haar kleren over de arm en een kleine koffer in haar hand.

'Het lijkt me dat we die andere kamer wel kunnen afbestellen', zei ze. 'Als jij dat tenminste ook wilt?'

'Waarom heb je het gedaan?'

'Omdat ik er al zin in had vanaf de eerste keer dat ik je zag, hoewel ik dat natuurlijk niet bewust dacht. Je was immers getrouwd en zo... sorry. Zoiets moet je niet zeggen.'

'Het geeft niet, Clara.'

'Er zijn niet zo erg veel mannen in mijn leven geweest, Peter. Mijn libido is heel normaal, maar na de scheiding vond ik het allemaal de moeite niet meer waard. Ik had er op zich geen bezwaar tegen als ze in mijn bed belandden, het probleem was alleen om ze er vervolgens weer uit te krijgen.'

'Ik ben blij dat jij het initiatief hebt genomen. Ik weet niet of ik het had gedurfd.'

'Vast wel. Ik had je natuurlijk wel lekker moeten maken. Ik had het toch in je ogen gezien. Afgelopen zomer. Ik kon zien dat je me begeerde. Plotseling toen ik in de kamer naast de jouwe stond, dacht ik: Ik ben op de helft van mijn leven, ik heb al leeftijdgenoten zien sterven. Er is geen enkele reden om tijd te verspillen. Wat kan me eigenlijk gebeuren? Ik kan hooguit weer mijn vingers branden. Maar de eerste brandwond is altijd de ergste.'

Ik stond op, liep op haar af, kuste haar teder en vouwde mijn handen voorzichtig om haar borsten.

'Ik ben blij dat je het gedaan hebt', zei ik.

Ze maakte zich zachtjes los en wees naar de badkamerdeur.

'Zullen we ons niet een beetje fatsoeneren voordat de room-service komt?'

We aten alsof we in dagen niet gegeten hadden. Zelfs ik, die anders gauw voldaan was, at tot alles op was. Daarna vroeg ik: 'Je hebt me nog niet verteld waarom je van baan veranderd bent.'

'Als er een schandaal is in Denemarken, moet iemand de zwartepiet krijgen. Anders wordt een kwestie niet als afgehandeld beschouwd. Deze keer kreeg ik hem.'

'Door mij?'

'Ja, door jou, Peter.'

'Dat spijt me.'

'Ach, zit er maar niet over in. Geef me eens een sigaret, hoewel ik eigenlijk met roken gestopt ben', ging ze verder. 'Ik moest hoognodig eens bij de inlichtingendienst weg en ik woon in Denemarken, hoor, dus je wordt niet zomaar ontslagen. Ze vinden wel een andere baan voor je, een beetje lager in de rangorde, met een aantekening in je papieren, hetzelfde salaris, maar op subtiele wijze maken ze je duidelijk dat je carrière niet langer van een leien dakje gaat. Denemarken is geen bloeddorstig land, maar we zuiveren net zo goed. We laten alleen geen zichtbare bloedsporen achter.'

Ze rookte met een felheid waaraan ik kon zien dat ze nog steeds boos en gekwetst was.

'Ik was kwaad, Clara', zei ik. 'Kwaad, beschaamd, gekwetst en dronken.'

'Ik heb je toch net gezegd dat je er niet over in hoeft te zitten. Ik begrijp je heel goed. Het is alleen dat...'

'Wat?'

'Ik heb nu een ondergeschikte functie bij de afdeling fraude. Ze geven me alle onmogelijke zaken. Het leeghalen van bv's, belastingontduikers. Van die snelle jongens die je

336

nauwelijks veroordeeld kunt krijgen. Bovendien doet dat mijn reputatie geen goed, of wel soms? Wat doet die Hoffmann eigenlijk? Haar onderzoek levert weinig veroordelingen op. We kunnen haar maar beter een ander klusje geven, iets dat nog onbelangrijker is. Ik kreeg de zwartepiet, maar ik was er hoe dan ook uitgevlogen. Lime of geen Lime.'

'Wat bedoel je?'

'Na de laatste onthullingen waren alle ogen op onze inlichtingendienst gericht. De politici zagen ineens dat ons personeelsbestand met zestig procent was gegroeid, terwijl allerlei andere inlichtingendiensten na de koude oorlog alleen maar bezuinigd hebben. Wat doen ze daar eigenlijk nog nu de oorlog afgelopen is? Reken maar dat er bezuinigd zal gaan worden. Misschien ben ik net op tijd ontsnapt.'

'Nu klink je verbitterd.'

'Ik ben verbitterd, Peter. Over een heleboel dingen. Over een heleboel dingen uit mijn leven. Het loopt anders dan ik verwachtte. De helft zit erop. Ik heb een baan die me niet bevalt en waar ik geen toekomst in zie. Ik ben alleen. Ik heb een grote, fraai ingerichte lege flat waarin ik wat tegen de kamerplanten aan kan praten. Misschien moest ik maar eens een kat nemen? Ik ben alleen en dat maakt me bang.'

Ik vouwde mijn handen voorzichtig om haar gezicht en kuste haar. Nu was het Clara die vochtige ogen had. Ik kuste haar en hield haar hoofd teder omsloten.

'Vrij nog een keer met me, Peter', zei ze.

We gingen in het bed liggen en beminden elkaar opnieuw, deze keer langzaam en teder. Ze lag op haar zij met haar rug naar me toe en ik herinner me dat ik me zowel gelukkig als ongelukkig voelde toen ik haar langzame ademhaling hoorde en haar hart door haar zachte huid tegen mijn handpalm voelde kloppen. Ik bedacht dat liefde in wezen banaal is en een eeuwige herhaling, maar toch voor ieder mens die het geluk heeft het te beleven weer anders en nieuw. Voor het eerst sinds lang sliep ik aan een stuk door, zonder dat ik me mijn dromen kon herinneren.

Zoals gewoonlijk werd ik vroeg wakker en ik kon aan het verkeer horen dat de regen was opgehouden. Het was een wonderlijk gevoel om weer naast een ander mens wakker te worden. In het korte moment tussen slaap en bewustzijn dacht ik dat mijn hand op Amelia's naakte, zachte buik rustte en dat mijn mond in haar nek ademde, maar ik ontwaakte en werd heen en weer geslingerd tussen een gevoel van schaamte en trots omdat Clara naast me lag.

Toen ik uit de badkamer kwam, zat Clara rechtop in bed.

'Wat ben jij vroeg op, zeg', zei ze en keek me onbevangen aan.

'Slaap jij maar lekker verder', zei ik.

'Nee, nee', zei ze en gooide haar benen over de bedrand. 'Ga jij maar vast naar het ontbijt. Ik kom zo. Jij hebt een ontmoeting met je verleden.'

'Vandaag al?'

'Om tien uur in het oude gebouw aan de Normannen-straße. Ze hebben het daar druk. Er zijn veel mensen die het verleden willen vergeten, maar eerst willen ze het even opfrissen. Ik heb je een beetje naar voren kunnen duwen. Dat ben ik gisteravond vergeten te zeggen.' Haar mond en ogen lachten en ze ging verder: 'Ik had ineens andere dingen aan mijn hoofd. Kom, aan de slag.'

We namen een taxi naar het oostelijke deel van Berlijn en passeerden de grens die niet langer bestond. Het was een koude en heldere dag met een bleek novemberzonnetje dat door de armen scheen van de vele bouwkranen die complete bouwelementen op de juiste plek zetten in de gigantische bouwwerken die overal uit de grond gestampt werden. Het was amper voor te stellen dat de stad ooit in tweeën gedeeld was geweest, hoewel je het na het oversteken van de onzicht-bare grens aan de architectuur kon zien. In het voormalige

Oost-Berlijn stonden de betonnen huizenblokken nog steeds als soldaten in het gelid, maar de mensen droegen er hetzelfde soort kleren en huiverden op dezelfde manier als de West-Berlijners. Toch werden de twee Duitslanden nog steeds door een geestelijke grens gescheiden. Het is bijna onvoorstelbaar dat de woordvoerder van het Oost-Duitse regime, Schabowski, op 9 november 1989 bijna terloops op een persconferentie meedeelde dat de grensovergangen tussen Oost- en West-Berlijn geopend waren. De euforie en de verbijstering waren enorm. Ik had het 's middags Amerikaanse tijd gehoord op CNN in New York en ik had het eerste het beste vliegtuig naar Europa genomen. Ik wilde bij de geboorte van een nieuwe wereld zijn. Ik had veel foto's genomen, maar er geen van verkocht. Het waren goede foto's, maar ze leken allemaal op elkaar en die van mij onderscheidden zich niet van die van mijn collega's. Euforisch en met een lijf vol adrenaline keerde ik terug naar Madrid. Ik was ervan overtuigd dat de wereld fundamenteel veranderd was en nooit meer dezelfde zou worden. Ik had nooit gedacht dat ik in mijn leven nog eens zo'n wonder zou meemaken. De mensen uit heel Oost- en Midden-Europa hadden met succes de revolutie uitgeroepen waarvan wij eind jaren zestig slechts konden dromen. Gloria was ook opgewonden geweest, ze kon niet stilzitten, ijsbeerde door de kamer en keerde de hele tijd terug naar de ongelooflijke tv-beelden die aan een stuk door op de Spaanse tv herhaald werden. Oscar was dronken, boos en dwars geweest en bleef maar herhalen dat alles over een poosje vergeten zou zijn en dat de Ossi's het vroeg of laat zouden betreuren dat ze zich onvoorwaardelijk in de armen van het West-Duitse kapitalisme hadden gestort. Gloria en ik hadden om Oscars boosheid gelachen, op de tonen van de wonderlijke muziek die door de mensenmenigte werd voortgebracht door de kamer gedanst en hem met de vinger nagewezen. Toen de twee Duitslanden een jaar later herenigd werden, bezoop

Oscar zich. Eerst dacht ik dat hij het uit vreugde deed, maar hij kreeg vervolgens zo'n enorme ruzie met Gloria dat ik ze uit elkaar moest halen. Hij beschuldigde haar ervan dat ze hun jeugd had verraden. Zij beschuldigde hem ervan dat hij in een verleden leefde dat onherroepelijk voorbij was. Het eindigde met de gebruikelijke scène over hun wederzijdse ontrouw en ik moest Oscar in bed stoppen en Gloria's geklaag en gemopper aanhoren. Oscar had een gewelddadige kant, die vooral naar buiten kwam als hij dronk en tegelijkertijd speed gebruikte. Ze was bang dat het weer zover was. Hij had haar al eerder geslagen. De volgende keer dat ik ze zag gedroegen ze zich formeel en beleefd tegen elkaar en een maand later reisden ze naar Hawaii en werden opnieuw verliefd.

Ik had er sindsdien nooit meer over nagedacht, maar met mijn arm om Clara heen, herinnerde ik me de dagen rond de val van de Muur ineens weer. Ik vertelde Clara erover. Ze had met haar eigen auto willen gaan, maar ik stelde voor een taxi te nemen. We zaten dicht tegen elkaar aan en ik voelde me rustig, evenwichtig en licht. Ik had absoluut geen behoefte aan drank. Waar ik behoefte aan had was naast Clara zitten, genietend van onze liefde en met haar praten.

'Ik stond in de keuken te strijken toen mijn man riep dat ik tv moest komen kijken', zei ze, pakte mijn vrije hand en streelde deze. 'Ik kan me niet herinneren door beelden ooit zo ontroerd geweest te zijn als door die van al die dansende mensen op de Muur. Vooral één beeld is me bijgebleven. Van een jonge kerel die boven op de Muur zat met een paraplu die hij omhooghield tegen de waterstraal die de vopo's op hem richtten om hem naar beneden te krijgen. Ik geloof dat ik zijn lach nooit zal vergeten. Telkens wanneer de waterstraal ergens anders op werd gericht, tilde hij lachend de zwarte paraplu omhoog, en wanneer ze weer op hem richtten, liet hij de zwarte paraplu weer zakken. Dat is voor mij de val van de

Muur, dat spottende lachje van die jongen. De kwetsbare eenling die de impotente machthebbers uitlacht.'

'Dat is allemaal geschiedenis', zei ik. 'De jongelui van tegenwoordig denken dat de DDR een televisieprogramma was. Het is net zo kitsch als het restaurant in Kopenhagen waar we laatst gegeten hebben.'

'Ja, en dat is het mooie ervan,' zei ze, 'dat Europa ontsnapt is aan een oorlog die iedereen te gronde gericht zou hebben. Dat jongeren het nu al als een ver verleden beschouwen is in wezen een wonder. Het zal ons trouwens niet meevallen om uit te leggen wat de DDR precies was, waarom de verdeling van Europa zo lang heeft kunnen bestaan en waarom we niets deden – maar dat de bevolking zelf het regime aan de dijk heeft gezet. Wij waren bang onze stabiliteit te verliezen en sindsdien proberen we alles te vergeten.'

'Maar de DDR en de Stasi bestonden echt en wij zijn op weg om dat te gaan bekijken', zei ik.

'Ja, dat is het vreemde van totalitaire systemen. Of het nu nazisten of communisten waren, ze waren zo overtuigd van hun onfeilbaarheid en wisten zo zeker dat de geschiedenis aan hun kant stond, dat ze alles documenteerden. Ze geloofden zo heilig in hun eigen gelijk en onze toekomstige ondergang, dat alles opgeschreven moest worden. Ook omdat ze tegelijkertijd paranoïde waren. Een merkwaardige mengeling van grootheidswaanzin en minderwaardigheidsgevoel. Je kon nooit weten wat de volgende zuivering zou inhouden, dus je kon maar beter alles opschrijven. Op die manier dekte men zich in. De meest misdadige regimes uit de wereldgeschiedenis hadden ook de meest gewetensvolle klerken en bureaucraten.'

Ze draaide zich naar me toe, ik boog me over haar heen en kuste de zachte lippen en vreesde de toekomst niet. Ik voelde me beter dan in lange tijd het geval was geweest, hoewel onze taxi vastzat in een file in Berlijn, dat grijs gestriemd was na een etmaal regen en al halverwege de ochtend in een grijs licht gehuld was dat de Noord-Europese, angstaanjagende novemberduisternis aankondigde. De duisternis vrat het licht op, waardoor je doorgaans somber en melancholiek werd, maar niet die dag dat ik naast Clara zat en op weg was naar dat deel van mijn verleden dat door overdreven nauwgezette dienaren van de verloren gegane DDR genoteerd was.

De Stasi was gehuisvest geweest in een reusachtig gebouw aan de Normannenstraße in het oostelijk deel van Berlijn. Tegenwoordig is er ook een museum in ondergebracht waar je het kantoor van de laatste baas, Mielke, kan bezichtigen met al zijn telefoons die zo typerend waren voor communistische regimes. Ze staan keurig op zijn glanzende bureau van donker hout, waar alle leiders van Vladivostok tot Berlijn zo gek op waren. Telefoons voor vertrouwelijke, voor geheime en topgeheime gesprekken. Directe verbindingen naar het leger, het politiebureau en de KGB in Karlhorst. Een deel van het gebouw is nu museum, de rest wordt op gewone wijze bestuurd. In het museum liggen als stille getuigen van de ondergang van een tijdperk de medailles, bustes van Lenin en rode vanen uit het verleden.

Er is een leeszaal waarin mensen hun dossiers kunnen bestuderen. Er is genoeg te lezen. De Stasi bezat 180 kilometer planken met documenten, foto's en afluisterrapporten. Een op de drie DDR-burgers was geregistreerd. Hoe was het dan mogelijk dat ook een op de drie informant was? De verraders verrieden elkaar tot in het oneindige. Als binnen een samenleving elk vertrouwen verdwijnt, is dat een monument voor de slechtheid van de mens.

Terwijl Clara het een en ander uitlegde, stopten we aan de zijkant van het complex aan de Ruscherstraße. Tegenwoordig is het een gewone straat in een gewone Oost-Berlijnse wijk. Reclames voor Sony en Ritter Sport. Een supermarkt en voetgangers die zich voorbij haastten zonder speciale aandacht aan het gebouw te schenken.

'Je moet vragen naar Herr Weber', zei Clara.

'Ga je niet mee naar binnen?'

'Nee, ik ga terug naar het hotel. Ik ga wandelen. Een beetje lezen. Hoe is je Duits?'

'Ik kan me redden', zei ik. 'Maar ga toch mee naar binnen.'

Ze legde haar hand in mijn nek en gaf me een vluchtige kus.

'Jij hebt de toestemming. Het is jouw file. Neem de tijd die je nodig hebt, maar kom snel daarna terug. En nu eruit!'

Ik stapte uit en keek de taxi na. Clara draaide zich niet om, maar stak alleen haar hand op bij wijze van groet. Ik ging bij huisnummer 7 naar binnen en vroeg bij de kleine receptie naar Herr Weber. De vloer en het licht leken nieuw, maar het rook nog een beetje naar het oude regime, die typische bruinkool- en octaanachtige lucht die de essentie van communistische regimes in zich droeg. Het was stil in het gebouw, maar je zag de lange gangen voor je, de stille stoffige ruimtes en het grote kaartsysteem dat ronddraaide en dossiers en files uitspuwde die bijgehouden waren door zorgvuldige klerken, zodat de staat en de partij het doen en laten van iedere burger in de gaten konden houden om zo in de ziel van het individu binnen te dringen in een poging diens diepste gedachten te achterhalen.

Herr Weber was een kleine, gedrongen man met een afwerend gezicht, maar hij glimlachte vriendelijk toen ik mijn naam zei en zijn grijze ogen waren sympathiek en levendig.

'Aha, Herr Leica', zei hij met een blik waardoor ik even dacht dat hij flirtte.

'Leica?' zei ik.

'Ja, Herr Lime. Dat is uw schuilnaam in het Stasi-archief en onder die naam heb ik u bestudeerd. Ik heb bijna het gevoel dat ik u net zo goed ken als ik al die anderen ken met wie ik dankzij mijn werk en de zorgvuldige notities uit het verleden in aanraking ben gekomen.'

'Bestudeerd?'

'Gaat u toch even zitten, dan zal ik u, voordat ik u de leeszaal laat zien, eerst de regels en voorschriften uitleggen.'

We gingen in een paar ongemakkelijke leunstoelen in een onbestemde vies groene kleur zitten. Op een tafeltje stond een asbak en als ik wilde, mocht ik roken. Als een leraar die voor de twintigste keer dezelfde stof behandelt, legde hij alles aan me uit, maar tegelijkertijd was hij levendig en belangstellend alsof de hem opgelegde taak, om de geheime aantekeningen van een dode natie te beheren en door te geven, een roeping was die hij plichtsgetrouw en met zorg vervulde. Ooit herbergden deze gebouwen een ministerie van vrees, dat zo duivels was dat zelfs Orwell het niet had kunnen bedenken. Nu was het een ministerie van waarheid, de best gedocumenteerde van de hele wereld, waar de mensen in hun meest recente verleden konden duiken om te zien wie er wie verraden had. Echtgenoten, vrienden, broers, zussen, ouders, collega's. Een groot deel van de bevolking was als informant ingezet. Miljoenen woorden die ooit gevangenis of vrijheid betekenden. Woorden, opgevangen en opgeschreven door mensen en daardoor onbetrouwbaar en subjectief, maar beslissend voor het lot van velen. Woorden die in het geheim waren opgeschreven en waar je dus niet tegen in beroep kon gaan. Het archief van een regime, waar niemand meer iemand vertrouwde.

Herr Weber zei in langzaam, duidelijk Duits: 'Herr Lime, we opereren volgens een wet die bepaalde voorschriften stelt. Het betreft een bijzondere wet die aangenomen is door de Bondsdag van het herenigd Duitsland in 1991. Die regelt de inzage. Uw verzoek om inzage in uw dossier is behandeld en ingewilligd. Uw documenten zijn opgezocht. Ik heb uw zaak gelezen en volgens de regels die namen doorgestreept die niet specifiek met u te maken hebben. Om te voorkomen dat onschuldige slachtoffers van de Stasi onnodig leed wordt aangedaan. Het archief bevat grote tragedies. Ik heb met eigen ogen gezien hoe mensen instorten wanneer ze erachter komen dat hun geliefde man op zondag een wandelingetje kon maken met zijn gezin om dan op maandag verslag te gaan uitbrengen aan zijn contactpersoon bij de Stasi. Maar alles wat relevant is voor uw zaak is uiteraard ter inzage. U kunt verzoeken om fotokopieën, maar het originele materiaal mag niet meegenomen worden. Begrijpt u mijn Duits?'

'Ik begrijp u prima', zei ik. Ik vond dat alles steeds absurder werd en op de een of andere manier ook erg Duits. Eerst heeft de Stasi jarenlang zorgvuldig de meest intieme en persoonlijke informatie over mensen verzameld en gecatalogiseerd en nu zijn andere bureaucraten bezig om de enorme hoeveelheid materiaal opnieuw te catalogiseren met nieuwe archiefnummers en nieuwe geheimen. Dit kon tot in het oneindige doorgaan zolang iemand het materiaal wenste in te zien.

'Goed', zei Herr Weber en hij veegde een fictief stofje van zijn grijs gemêleerde colbertmouw. 'Uw dossier is niet dik, Herr Leica. Hooguit een paar bladzijden in één ringband. Dat is wat anders dan de vierduizend pagina's die we over de zanger Wolf Biermann hebben of de meer dan driehonderd ringbanden die de schrijver Jürgen Fuchs kan bestuderen. U heeft niet zo vaak in de voormalige DDR gewerkt. U heeft zich niet laten werven, u gaf niemand aan, dus er is, moet ik u tot mijn spijt meedelen, niet veel materiaal.'

'Spijt? Is het soms een statussymbool om een dik dossier te hebben?' vroeg ik.

Herr Weber balkte met een droog lachje.

'De mens is een merkwaardig wezen, mijnheer. Sommigen storten in als ze lezen wat er over hen is geschreven. Andere storten in als ze ontdekken dat ze nooit interessant genoeg geweest zijn om in het archief te komen. Je kunt wel stellen dat er in het verenigde Duitsland sprake is van een zekere archiefjaloezie. Er zijn mensen die psychologische bijstand hebben moeten zoeken vanwege deze ziekte die door de hereniging is ontstaan. Het kan voor iemands status van belang zijn dat hij geregistreerd is. Wij hebben bijvoorbeeld geen geurmonsters van u.'

'Geurmonsters?' zei ik. Ik dacht eerst dat ik zijn langzame, correcte ambtenaren-Duits niet goed verstaan had, maar ik zag dat het een deel van de vertoning was die hij in elk geval voor buitenlanders opvoerde, want hij haalde een jampotje uit zijn tas en zette het op tafel tussen ons in. Het was voorzien van een nummer en zorgvuldig afgesloten alsof er augurken in zaten. Op de bodem lag een vies geel stukje watten. Dat was alles. Ik pakte het potje, bekeek het, zette het terug en keek vragend naar Herr Weber.

'In het handboek van de Stasi wordt dit een geurconserve genoemd', zei Herr Weber, terwijl hij een lachje niet kon onderdrukken. 'Er zijn duizenden van zulke potjes. Het zijn monsters van de lichaamsgeur van mensen. We ruiken allemaal anders, mijnheer. Door het bewaren van lichaamsgeuren kon men snel en effectief speurhonden inzetten als de man of vrouw in kwestie bijvoorbeeld het land probeerde te ontvluchten.'

Ik begon te lachen. Ik kon het gewoon niet laten ook al zag ik dat Herr Weber het ongepast vond.

'Misschien moet je erom lachen. Het had een komedie kunnen zijn als het geen tragedie was', zei hij.

'Herr Weber, u heeft een interessante baan. Mag ik zo vrij zijn u te vragen wat u deed vóór de val van de Berlijnse Muur?'

Hij lachte opnieuw zijn ironische lachje.

'Natuurlijk mag u dat. Ik heb jarenlang de apen in de dierentuin verzorgd. Daarvoor doceerde ik Duitse literatuur, maar na een lezing over Goethe die ik vergezeld liet gaan van een paar persoonlijke opmerkingen die de Partij niet bevielen, raakte ik mijn baan kwijt. Ik veranderde in het bijzondere wezen dat wij aan deze kant van het IJzeren Gordijn een non-persoon noemen. Formeel bestond ik niet. Ik was een levende dode. Maar de apen waren uitstekend gezelschap.'

'En wie heeft u verraden? Een student?'

'Nee, Herr Lime. Mijn vrouw.'

Ik wist niet wat ik moest zeggen. Het was een tragikomedie en de ellende zou nog zeker twee of drie generaties voortduren. Later zouden hun kinderen en kleinkinderen hoofdschuddend terugkijken op de waanzin van de twintigste eeuw in een poging te begrijpen hoe het mogelijk was dat de mensen deden wat zij gedaan hadden.'

'Het spijt me, Herr Weber', zei ik alleen maar.

Hij knikte.

'Zullen we dan maar?'

'Ja, dank u.'

'U hoeft mij niet te bedanken, Herr Lime. Of Leica. Weinig mensen komen hier gelukkiger vandaan. Eerder het omgekeerde.'

21

Herr Weber legde een roze kartonnen map op de tafel van bruin laminaat. Deze stond in een rij soortgelijke vierkante tafels in een hoge zaal met lichtgele muren en een versleten linoleumvloer. De tafels stonden opgesteld als bij een examen. Je zat weliswaar samen met andere mensen in een ruimte, maar toch alleen. Je kon niet over de schouder van je buurman meelezen. In plaats van opgaven zaten we persoonlijke bekentenissen te bestuderen. De meeste tafeltjes waren bezet en iedereen zat over documenten, zwartwitfoto's en microfilms gebogen. Al met al slechts een handjevol van de honderdduizenden mensen die hun bruine dossiermappen van imitatieleer of vaal karton al hadden bekeken. De omslag was al even beroerd van kwaliteit als de inhoud van de papieren. Kleine stevige vrouwen op plastic sandalen haalden en brachten de documenten en legden ze voor de bezoekers neer op tafels. Zo zat iedereen op zijn eigen eilandje zijn geschiedenis door te nemen. Door de hoge ramen viel het grauwe novemberlicht naar binnen, maar het kon niet tegen het kille schijnsel van de tl-buizen op. Aan de lange druppels die langs het raam gleden kon ik zien dat het weer was gaan regenen. De tl-buizen zoemden, toch hoorde ik de dikke druppels tegen het dubbele glas tikken.

Op de map stond: OPK-akte. MFS. XX, 1347/76-81. HVA/ 1249. Onder de getallen en codes die met een oude rubberstempel op de voorkant waren gedrukt, had een of andere zorgvuldige bureaucraat in een fraai, keurig handschrift 'Leica' geschreven. Ik keek naar de voorkant. MFS stond voor Ministerium für Staatssicherheit, de Stasi. HVA was de afkorting van Hauptverwaltung Aufklärung, de buitenlandse spionage. Letterlijk vertaald: Hoofdafdeling voor Inlichtingen.

Maar inlichtingen over wat en wie? De HVA werd geleid door Markus Wolf en had een iets betere reputatie dan de Stasi, maar maakte wel degelijk deel uit van het systeem. De getallen 76-81 waren vermoedelijk jaartallen en de rest was vast een archiefcode.

Ik opende de map en zag een jeugdfoto van mezelf. Hij was ergens in Spanje genomen, aan de achtergrond te zien in Valladolid voor de oude arena. Het was een geslaagde amateurfoto die zeker met een goedkope camera genomen was, want de focus was goed maar voor- en achtergrond waren vaag. Er was een of andere politieke bijeenkomst aan de gang. Er hingen rode vlaggen voor de ingang van de arena en er stonden twee Landrovers van de Guardia Civil klaar. Ik ben ergens in de twintig en kijk recht in de lens met een peuk in mijn bek en mijn haar als een waterval rond mijn gezicht. Mijn Nikon en mijn trouwe Leica die ik altijd bij me had, hangen over mijn schouder. Ik draag een licht overhemd met korte mouw, een spijkerbroek met een brede riem en aan mijn voeten mijn toen zo geliefde Spaanse laarzen met hoge hakken en spitse neuzen. Op de foto lijk ik wat ik toen was: een zelfverzekerde, arrogante reportagefotograaf aan het werk.

Op dat moment wist ik al waar het naartoe zou gaan, maar in alle rust begon ik de gladde fotokopieën te lezen die Herr Weber van de oorspronkelijke en ongetwijfeld vergeelde rapporten had gemaakt. Ze waren aan een zekere luitenant-kolonel Schadenfelt gericht, het hoofd van II/9, wiens taak het kennelijk was om de westerse inlichtingendiensten door infiltratie en spionage tegen te werken.

De verslagen bevatten zowel waarheden als leugens. Er was een beschrijving van mij bij, mijn geboortedatum, mijn achtergrond, mijn ontheemde aard. Ik werd beschreven als een progressief persoon, maar niet aan een partij verbonden. Ik was een potentiële kandidaat om eerst als informant en later misschien als agent ingezet te worden, maar eerst zouden ze me bewust moeten maken van het belang van de strijd tegen het imperialisme en het Amerikaanse militarisme. Ik had de Amerikaanse oorlog in Vietnam veroordeeld en toen ik een fotoreportage maakte van de euforische massabijeenkomsten van de Spaanse communistische partij, schijn ik gezegd hebben dat ik als ik een Spanjaard was, ik zeker communist zou zijn. De Duitse conjunctiefverbuigingen sprongen van de dichtbeschreven bladzijden. Er waren terloopse, maar kennelijk belangrijke beschrijvingen van mijn favoriete kleding, de schrijvers die ik las – Hemingway en de Deen Rifbjerg – mijn vriendinnen, mijn werkopdrachten. Mijn wisselende adressen. Soms stond er alleen dat ik op reis was of buiten observatie. Er was een aantekening waarin een visum voor Moskou werd aangeraden. Mijn politieke opvattingen werden gewogen. Ze waren niet meer zo progressief en mijn politieke bewustwording stond stil.

Iedere bladzijde had zijn getallen, codes, schuilnamen en dubbele referenties. De informant beschreef hoe we eerst collega's en later vrienden waren geworden. Hij schreef dat ik te veel dronk, problemen had om een vaste relatie met iemand van het andere geslacht aan te gaan en dat ik de voorkeur gaf aan losse relaties en affaires zonder verplichtingen. Er waren beschrijvingen van ontmoetingen en gesprekken, van reizen en artikelen, van houdingen en gezichtspunten. Het eerste rapport dateerde uit 1976 en het laatste uit 1981, in de tussenliggende jaren ontdekte mijn referent dat ik minder progressief was dan men in eerste instantie had aangenomen. Ik bleek ontvankelijk te zijn voor liberale propaganda en ik leek de resultaten die de socialistische landen onder het leiderschap van de Sovjet-Unie geboekt hadden niet te bewonderen maar juist in toenemende mate te kritiseren. Toen ik in 1981 afwijkende meningen verkondigde over de Poolse contrarevolutie en zelfs meedeelde dat ik naar Warschau zou vertrekken om de door de CIA gefinancierde Solidariteit te steunen, werd ik afgeschreven als toekomstig agent. Mijn liberale bewustzijn was te sterk en ik was, schreef mijn referent, niet omkoopbaar. Mijn leefstijl was vanuit normaal liberaal standpunt niet correct, maar mijn reputatie kon me niets schelen en ik liet me niet onder druk zetten. Het werd ontraden me een visum voor de Poolse republiek te verstrekken. Dat was dus de reden waarom ik Polen tijdens de staat van beleg niet in kon komen.

Leica deugde niet als Oost-Duits agent. Zaak gesloten. Een volkomen niet terzake doend dossier dat alleen een paranoïde systeem als dat van de DDR kon bewaren en dat ik had kunnen vergeten als de referent iemand anders was geweest dan Oscar. Zijn naam stond er natuurlijk niet bij. Oscar was de naam waaronder ik hem kende. Wanneer Oscar aan luitenant-kolonel Helmut Schadenfelt rapporteerde, ondertekende hij met Karl Heinrich Müller. Eerst luitenant, later kapitein en tot slot majoor bij de HVA, waar Schadenfelt en Misha Wolf zijn directe bazen waren. Ik had het al geweten vanaf het moment dat ik de foto zag die me meteen had doen denken aan de reportage die we samen van de massademonstratie in de arena van Valladolid hadden gemaakt. Carrillo hield een toespraak en ik had Oscars vragen aan hem in het Spaans vertaald. Toen was onze ogenschijnlijke vriendschap begonnen. Een groot schrijver was hij nooit geweest – noch als journalist noch als Stasirapporteur – maar hij was al twintig jaar mijn vriend en hij had me de hele tijd bedrogen.

Er stond niet veel over mij. Zelfs met mijn gebrekkige kennis van het Duits had ik alles snel gelezen, maar ik geloof dat ik nog wel een uur bleef zitten. Ik staarde leeg voor me uit alsof de omgeving niet langer bestond. Mijn gedachten draaiden in een vicieuze cirkel rond. Oscar. Karl Heinrich Müller. Amelia. María Luisa. Een foto die een jonge vrouw met Duitse terroristen ergens in Denemarken toonde, een foto die

Oscar gezien had en die op de een of andere manier de katalysator was geworden.

Plotseling werd ik afschuwelijk misselijk, ik stond op, liep naar de wc en gaf zo heftig over dat het pijn deed. Ik gooide water in mijn gezicht en ging in een andere wc een sigaretje zitten roken. Daarna liep ik terug naar de receptie en vroeg nogmaals naar Herr Weber. Een kwartier later verscheen hij met zijn tas in zijn hand en nog een stel van die afschuwelijke mappen onder zijn arm.

'Ja, Herr Lime? Waarmee kan ik u van dienst zijn?'

'Kan ik de file van Karl Heinrich Müller inzien?'

Herr Weber keek me met zijn levendige, sympathieke ogen aan.

'U ziet een beetje bleek, Herr Lime. Heeft u een dokter nodig?'

'Nee, een borrel en de file van Karl Heinrich Müller.'

'Aan een borrel kan ik u niet helpen, maar neemt u alstublieft weer plaats, dan zal ik zien wat ik met Karl Heinrich kan doen.'

Ik had een bonzende hoofdpijn en mijn handen trilden. Ik ging weer aan mijn tafeltje zitten en hoefde maar een kwartier te wachten. Aan een ander tafeltje zat een jonge vrouw geluidloos te huilen. De tranen stroomden over haar wangen terwijl ze een passage bleef herlezen. Niemand schonk er aandacht aan. In de Stasi-leeszaal bemoeide kennelijk niemand zich met elkaar. Je bent er aan jezelf overgeleverd, wetend wat je wilde weten, maar wat je bij nader inzien toch liever niet had geweten.

Herr Weber legde een stuk papier en een foto op mijn tafeltje.

'Dank u, dat was snel', zei ik.

Het is niet veel. Zijn dossier werd versnipperd toen ze vlak na de Wende de bewijzen probeerden te vernietigen. Toen werkten de grootste versnipperaars van het ministerie op volle toeren. We zijn bezig om een deel van die papieren te herstellen, maar dat zal jaren kosten. Misschien lukt het wel nooit.'

'Goed.'

Herr Weber aarzelde.

'Er zijn mensen die er baat bij hebben om met de case officer te praten. De meesten wonen waar ze altijd al woonden. Sommigen willen praten. Anderen niet.'

'Dank u, Herr Weber.'

'Geen dank, Herr Lime. Geen dank.'

Hij had gelijk.

Er stond bijna niets over Oscar. Alleen dat Karl Heinrich Müller in 1967 in vaste dienst kwam nadat hij bij de grenstroepen waar hij zijn dienstplicht had uitgediend, was gerekruteerd. Al sinds zijn veertiende was hij informeel informant van de Stasi geweest. Op zijn negentiende werd hij met een nieuwe identiteit naar West-Duitsland gesmokkeld. Werd journalist bij verscheidene kleine tijdschriften die gedeeltelijk door de DDR of Moskou werden gefinancierd. Er was een foto bijgevoegd. Een foto van een jonge, gladgeschoren Oscar in het lelijke vopo-uniform. Hij heeft heel kort haar en kijkt met felle ogen recht in de lens. Achter hem is een stuk van de Muur zichtbaar. Ik las alles twee keer door, maar nergens stond dat hij ooit uit dienst getreden was. Ik begreep dat zijn laatste rang die van majoor was en dat hij voorgedragen was voor een Lenin-ordeteken wegens jarenlange en trouwe dienst. Deze voordracht dateerde van oktober 1989, het jaar waarin de DDR veertig jaar bestond. Een maand voor de val van de Berlijnse Muur. Beseften die mensen toen nog niet wat hun te wachten stond?

Ik voelde opnieuw de neiging over te geven, maar ik schreef de naam Schadenfelt en het nummer van mijn file in mijn aantekeningenboekje en liet de papieren verder op tafel liggen. Voor mijn part verbrandden ze de hele boel.

Het stof en de wanhoop over het verraad uit de leeszaal maakten me misselijk. Ik moest naar buiten.

Herr Weber stond in de receptie.

'Dag, Herr Lime', zei hij. 'Zien we u terug?'

'Nee.'

'Wilt u mij dan toestaan uw zaak als gelezen en afgesloten te beschouwen?'

'In elk geval als gelezen', zei ik.

'Afgesloten zal de zaak nooit zijn voor de betrokkenen, maar voor ons is het weer een zaak die weggelegd kan worden bij de rest. Het zoveelste stukje verdriet dat weer gearchiveerd kan worden.'

'Dag, Herr Weber. Doe de groeten aan de apen.'

Hij gniffelde.

'Met genoegen. Ik ga vaak bij mijn oude vrienden op bezoek wanneer de mensen me te veel worden. God zij met u.'

Het was bevrijdend om weer frisse lucht in te ademen. Ik ritste mijn leren jack dicht, liep doelloos door de natte straten en liet me schoonspoelen door de Berlijnse regen. Ik weet niet hoe lang ik rondliep en waar ik naar op weg was, maar ineens herkende ik de Alexanderplatz met het beeld van Karl Marx en Engels, die moederziel alleen in de schaduw van de tv-toren zaten. Het was inmiddels avond en al donker en het licht speelde in de plassen. Mijn haar was drijfnat, maar de regen was opgehouden. Ik keek om me heen en zag een kroeg. Het was een modern café. Ik liep naar het toilet, droogde mijn gezicht, kamde mijn haar en bestelde een koffie en een dubbele schnaps. Ik zat alleen aan een hoektafeltje. Er waren maar een paar andere gasten in het café, dat lelijk verlicht werd en waarin afschuwelijke formica tafels en een bar van imitatiestaal stonden. Het deed me naar Madrid verlangen en naar een echt café met de bekende, harde Spaanse geluiden, zware hammen aan het plafond en de geur van knoflook en wijn. Naar een schone en goedverlichte tent.

Toen ik mijn borrel op had, bestelde ik er nog een en vroeg of ik even in het telefoonboek mocht kijken. De barkeeper gooide het telefoonboek zonder een woord te zeggen naar me toe en ik zocht Schadenfelt op. Er waren er maar drie die Helmut heetten. Een ervan woonde aan de Karl Marx Allé. Een straat die uitliep op de Alexanderplatz, dus daar kon ik maar het best mee beginnen. Ik sloeg mijn borrel achterover en dronk mijn koffie op. Met een tollend hoofd ging ik op stap. De alcohol hakte er flink in op een lege maag.

De typisch Oost-Europese betonnen flats stonden keurig in het gelid. Tot mijn verbazing was het trapportaal pas geverfd en goed onderhouden. Er was zelfs een intercom. Helmut Schadenfelt woonde op de negende verdieping rechts en ik drukte op de bel. Er gebeurde niets. Ik probeerde het nog een keer. Er gebeurde nog steeds niets. Ik wachtte en na een minuut of tien ging de buitendeur open en een wat oudere, goedgeklede vrouw kwam naar buiten. Ik groette haar beleefd en stapte snel naar binnen. Ze keek me even aan en liep toen verder.

De lift rook naar kool en verse verf. De deur van Schadenfelt was bruin, net als alle andere. Ik belde een paar keer aan, maar er gebeurde niets. Ik hield mijn oor tegen zijn deur, maar hoorde geen geluiden in de flat. Ik wist niet of ik bij de juiste Schadenfelt was aanbeland, maar intuïtief had ik het gevoel van wel.

Ik moest meer dan een uur wachten. Iedere keer als ik iemand op de trap hoorde, deed ik alsof ik op weg naar boven of beneden was. De oude Oost-Berlijners zijn in een achterdochtig systeem opgegroeid en ik hield er rekening mee dat ze zonder aarzelen de politie zouden bellen als een verdacht persoon zich te lang in het trapportaal ophield.

Eindelijk kwam hij. Hij stapte uit de lift. Een zware man van rond de zestig met een roodgevlekt gezicht en een broek die door brede bretels over zijn dikke bierbuik omhoog werd gehouden. Hij had sterke schouders en handen en de dunne benen van een alcoholicus. Hij was dronken. Hij stak met moeite de sleutel in het slot en toen de deur naar binnen openging, stapte ik in het licht en zei in het Duits: 'Overste Schadenfelt? Heeft u een ogenblik?'

Hij draaide zich om en wankelde, maar zijn waterige ogen waren verbluffend scherp.

'Fuck off, foreigner!' zei hij en wilde de deur sluiten.

Ik deed een stap naar voren en stootte mijn uitgestoken rechterwijs- en middelvinger recht in zijn plexus solaris en iets omhoog onder zijn ribben, waardoor al het bloed uit zijn gezicht trok en hij dubbelklapte. Ik greep zijn overhemd beet, duwde hem achterwaarts het gangetje in en zette mijn voet achter de zijne zodat hij tegen de muur knalde. Ik gaf hem een felle rechtse tegen zijn kaak en hield hem vast, zodat hij langzaam langs de muur gleed en met lege ogen bleef liggen, maar ik zag dat zijn halsslagader nog klopte. Ik keek het trapportaal in. Er was geen mens te bekennen. Het hele voorval had maar een paar seconden geduurd.

De flat van Helmut Schadenfelt was behoorlijk groot. Er waren drie slaapkamers en een woonkamer. Zo te zien had hij de flat, die de Stasi en de partij hem vroeger bezorgd hadden, mogen houden. Het aanrecht stond vol afwas, het onopgemaakte bed stonk naar ongewassen man en twee kamers waren leeg alsof hij de meubels verpand of verkocht had. Overal stonden lege drankflessen. Het enige schone voorwerp was een foto van een jeugdige uitgave van Helmut. Hij was in vol ornaat en Markus Wolf overhandigde hem een medaille. Achter deze twee stond Oscar, ook in uniform. Ik keek naar de datum en de inscriptie. 'Voor jarenlange trouwe dienst – 16 april 1985'.

Oscar was er dus af en toe tussenuit gepiept om op gesloten Stasi-grondgebied in zijn mooie uniform rond te paraderen.

Ik sloeg de foto tegen de rand van een lelijk bruin tafeltje dat ingelegd was met tegeltjes, viste hem uit het kapotgeslagen lijstje en stak hem in de binnenzak van mijn leren jack.

Ik hoorde Schadenfelt in de gang stommelen. Ik liep ernaartoe en zag dat hij op één knie overeind was gekrabbeld. Hij was dronken, maar wel een grote, forse kerel, daarom nam ik geen enkel risico. Ik schopte hem in zijn zij zodat hij weer omviel, legde mijn handen om zijn keel, drukte zijn adamsappel fijn en zei in het Engels, de taal die hij zo grof gebruikt had: 'Helmut, mijn jongen. Ik kom alleen maar wat informatie inwinnen, verder niks. Als ik nog wat harder druk, ga je eraan. Als je me belooft je netjes te gedragen, laat ik je los en dan kunnen we samen een borrel nemen. Knipper met je ogen als je me begrijpt.'

Hij knipperde, ik verslapte mijn greep. Hij hoestte en rochelde. Ik sleurde hem naar een lelijke groene bank die voor het strontbruine tafeltje vol uitpuilende asbakken en vuile glazen stond.

'Schnaps, in de keuken', zei hij hees. Zijn ogen waren bang, maar niet bang genoeg.

'Geen geintjes hè, overste?'

'Schnaps', zei hij.

Ik liep naar de keuken en pakte een fles uit de koelkast. Toen ik weer in de kamer kwam, zat hij er nog precies zo bij en masseerde zijn kaak en adamsappel. Ik stak hem de fles toe, hij nam een slok en gaf hem aan mij terug, maar zijn huis had me alle lust tot drinken ontnomen.

'Wie ben je en wat wil je?' zei hij. 'Ik heb geen geld.'

'Praten over Karl Heinrich.'

'Fuck off', zei hij en ik sloeg hem met de zijkant van mijn hand tegen zijn slaap. Ik sloeg niet hard, maar hij viel op de grond en ik gaf een trap tegen zijn knie zodat hij het uitschreeuwde van de pijn.

'Ik ben in een ontzettend slecht humeur, overste. Mijn leven is zo gezegd voor de tweede keer ingestort. Ik ben nogal kwaad, snap je. Pissed off. Karl Heinrich?'

'Wie ben je?' zei hij en kroop weer op de bank. Hij was taaier dan hij eruitzag. Ik pakte de fles toen hij ernaar greep.

'Wie ben je?' herhaalde hij.

'Peter Lime.'

Hij begon te lachen, maar hield op omdat het pijn deed. Toen stak hij zijn hand weer uit naar de fles.

'Peter Lime. Had dat dan meteen gezegd.'

Hij zei het in het Deens, met een flink accent, maar hij sprak de woorden vloeiend en grammaticaal correct uit.

'Hoe kan het dat je Deens spreekt?'

'Deens, Engels, Russisch, Duits. Dat was mijn baan. Veertig jaar lang. Maar zeg eens, hoe gaat het met Oscar?'

Hij kon aan mijn ogen zien dat hij moest oppassen en hij stak afwerend zijn handen uit.

'Rustig aan, rustig aan, Peter!' zei hij. Ik ben uitgerangeerd. Ik ben een oude man. Ik geef me over. Ik ken die karate van je. Laten we een borrel nemen, dan kunnen we praten. Ik weet dat je heus wel van een borreltje houdt. Ik weet alles van je. Je bent Karl Heinrichs beste vriend. Hij houdt van je als van een broer.'

Hij begon te lachen en om hem de mond te snoeren, gaf ik hem de fles. Hij nam een lange teug en begon te praten alsof hij er behoefte aan had eens zijn hart te luchten. Alsof hij in feite gewoon op me gewacht had.

'Peter Lime, als je me nu ziet, kun je het niet begrijpen. Macht, invloed, het gevoel hebben iets te zijn en iets te doen. Iets anders. Om de eerste socialistische staat op Duits grondgebied op te bouwen. Om de aanvallen van het kapitalisme af te slaan, maar vooral om het spel. Agenten aan het werk zetten. Geen spel ter wereld wekt meer adrenaline op dan juist dit. Je moet me niet zien zoals ik nu ben. Zo zien verliezers eruit en wij hebben de oorlog verloren. Zonder bloedvergieten, maar we hebben wel verloren. Maar toen we groot waren, was ik erbij. We hadden negentigduizend mensen in dienst bij het ministerie. We hadden tweehonderdduizend informanten en we waren met meer dan vijfduizend in de HVA, de crème de la crème van het ministerie onder de grote Wolf. We waren de meest succesvolle spionageorganisatie ter wereld. We wisten precies wat er allemaal in Bonn, Kopenhagen, Londen, het Vaticaan gebeurde. We waren grandioos succesvol en ik ben er trots op dat ik er deel van uit heb gemaakt.'

'Je zei anders net dat jullie verloren hebben.'

'We hebben ook verloren, maar als je soms verwacht dat ik het boetekleed aantrek, dan heb je het mooi mis. Ik heb altijd in het socialisme geloofd en doe dat nog steeds.'

Hij nam een teug. Ik zag hoe de angst langzaam uit zijn ogen verdween en ik bereidde me erop voor om hem weer met geweld tot orde te roepen. Ik was boos en wanhopig en alleen maar om mijn agressiviteit te kunnen botvieren, hoopte ik dat hij iets zou proberen.

'En Karl Heinrich? Heeft hij er ook in geloofd?'

De zware man leunde voorover en vond tussen de troep op het tafeltje een sigaret, stak hem op en leunde weer achterover.

'Hij was met het geloof geboren. Zijn vader kwam in 1948 uit Russische krijgsgevangenschap terug en was communist geworden. Karl werd in 1950 geboren, een jaar na de oprichting van de NAVO en West-Duitsland. Dat was allemaal puur verraad. Het geloof was Karl Heinrich met de paplepel ingegoten. Alleen een socialistische Duitse staat kon de terugkeer van het fascisme tegenhouden. Ik heb Karl Heinrich gekruteerd toen hij veertien en al voorzitter van de Freie Deutsche Jugend-groep van zijn school was. Hij ondertekende de verklaring waarin stond dat hij zijn land nooit zou verraden en dat hij nooit over zijn werk voor het MfS zou praten. Hij heeft woord gehouden.'

'En verder?' zei ik alleen maar.

'Hij was gewoon goed en we waren van zijn ideologische standvastigheid overtuigd, dus stuurden we hem met een nieuwe identiteit naar de andere kant. We hadden al twee agenten in Frankfurt geplaatst, een echtpaar dat wat leeftijd betreft wel een zoon als Karl Heinrich kon hebben en dat werd dus Oscar. We lieten ze naar Hamburg verhuizen en de rest is bekend. Hij was een van de besten. Ik had de eer hem te begeleiden. Daar ben ik trots op. Hij was als een zoon voor me. Hij heeft zich nooit laten corrumperen. Dat is alles.'

'Niet helemaal', zei ik. 'Niet helemaal.'

'Hoe bedoel je?'

'Wat heeft Oscar gedaan?'

'Operationele zaken. Wat maakt het uit.'

Zijn blik werd afwezig en hij keek wat gluiperig een andere kant op. Ik deed een stap naar voren en sloeg hem twee keer met vlakke hand in zijn gezicht. Hij mocht zijn angst niet vergeten. Hij moest mij meer vrezen dan de belofte om nooit uit de school te klappen. Hij probeerde zich te verdedigen, die dronken, oude kerel. Vroeger een bokser, maar na de Koude Oorlog een wrak, dus hij had geen schijn van kans. Ik pakte de fles van hem af en hield hem vast.

'Ik vroeg je wat Oscar heeft gedaan, Helmut', zei ik.

Hij hield zijn handen weer beschermend voor zich.

'Agenten werven, de meningsvorming beïnvloeden.'

'Hoe zit het dan bijvoorbeeld met een Deense vrouw die Lola heet?'

Alle kleur trok weg uit zijn gezicht. Hij loog slecht, al had hij het rijk der leugens gediend.

'Die naam zegt me niets.'

Hij had verwacht dat ik hem weer een klap met mijn rechterhand zou geven, maar deze keer gaf ik gaf een korte krachtige linkse tegen zijn neus. Hij stortte weer neer op de bank en uit zijn ene neusgat sijpelde bloed.

'Ik waarschuw je, Helmut. Ik ben in een slecht humeur. Je was zijn bevelhebber vanaf 1964. Een vrouw die Lola heet, kom op.'

'Oké, Lime, oké. Niet meer. Hou op met slaan. Geef me die fles nou maar…'

'Lola', zei ik.

'Zij was een van zijn betere agenten. Ze maakte het de mannen in bed naar de zin en kreeg ze aan het praten. Karl Heinrich wierf haar. Ik nam haar over.'

'Waarom?'

'Het functioneert niet als een man de bevelhebber is van zijn eigen vrouw.'

Ik moet er verbluft uitgezien hebben, want hij lachte vol verachting. Het lachen ging over in hoesten en toen de aanval over was, zei hij: 'Ja, dat heb je goed gehoord, Peter Lime. Ze waren het beste paar dat ik ooit in het veld gehad heb. Ze hadden ieder hun eigen talenten en ze waren bereid hun hoofd en hun lichaam te gebruiken. Ze hebben de staat op voorbeeldige wijze gediend.'

'Wanneer zijn ze gescheiden?'

'Gescheiden? Voorzover ik weet zijn ze nog steeds met elkaar getrouwd, in elk geval volgens de wet van de DDR. Ze hadden weleens een ander. Nou en? Denk je soms dat ze volgens de normen van anderen of de burgerlijke moraal leefden? Ze hoorden bij elkaar, zelfs op afstand. Ze waren groter dan jij en ik.'

'Waar is ze nu?'

'Dat weet ik niet. Ik ben met vervroegd pensioen. Ik weet niets. I am nothing.'

Ik deed weer een stap naar voren.

'Deze flat hier kun je niet betalen', zei ik. 'Oscar en misschien Lola helpen je, dus ik vraag je nog een keer: waar is ze?'

'Ze zit in Moskou. Daar heeft ze contacten van vroeger.

Wat doet het er toe, Lime. We hebben voor een soevereine, erkende natie gewerkt. We hebben niets strafbaars gedaan. Het andere Duitsland heeft geprobeerd om Misha veroordeeld te krijgen, ik weet niet hoe vaak. Het is nooit gelukt. Geef me nu die fles.'

'Als Oscar en Lola nu eens de schakel tussen de DDR en het terrorisme van de RAF, de ETA, de IRA en de Rode Brigades in Italië zijn geweest? Stel dat die twee onder schuilnamen, waardoor ze op legitieme wijze over alle landsgrenzen konden reizen en iedereen konden ontmoeten... stel dat die twee de sleutelfiguren van de rode terreur zijn geweest? Wat dan, Herr overste? Is dat dan ook verjaard en niet strafbaar in de Bondsrepubliek Duitsland? Of in Rome of in Londen? Wat denkt meneer daarvan?'

'Ik weet niet waar je het over hebt.'

'Zou iemand dan niet tot het uiterste gaan om zijn hachje te redden?' zei ik. 'Zou iemand bereid zijn een moord te plegen om zijn eigen huid te redden nu de oorlog toch verloren is en het vrede is? Ik ben bang van wel.'

Hij stak weer zijn hand uit naar de fles. Ik werd misselijk bij de aanblik van zijn snotterige en met bloed besmeurde gezicht en de stank van zijn zure, naar alcohol ruikende lichaam. Ik zag ineens dat hij in zijn broek gepist had. Er lag een plas bij zijn voeten.

'Zou iemand in zo'n geval niet heel ver gaan?' zei ik.

'Zelfs al zou je gelijk hebben, je kunt het toch niet bewijzen. Alles wat met onze gezamenlijke strijd tegen het imperialisme te maken had, konden we vernietigen voordat het gepeupel de macht overnam. In Moskou zijn de archieven gesloten. De Russen zijn verstandiger dan wij. Er zijn geen documenten. Alles is weg. Verbrand of in kleine stukjes gescheurd. Versnipperd en in grote zakken gestopt. Alsof het allemaal nooit bestaan heeft, net zoals de Muur. Wie zegt ons dat we niet gewoon gedroomd hebben dat we die bouwden? Het is allemaal voorbij en geef me nu verdomme die fles.'

Ik hoefde niets voor de rechtbank te bewijzen en in feite had hij bevestigend geantwoord, daarom hield ik hem de fles voor en toen hij ernaar greep, pakte ik zijn hand en boog die achterover. Hij viel op de grond in zijn eigen pis en terwijl hij jammerde van de pijn over de twee of drie vingers die ik gebroken had, goot ik de fles over hem leeg.

'Proost, overste', zei ik. 'Als je zo meteen Oscar belt, doe hem dan de groeten en zeg dat Leica onderweg is om hem op de foto te zetten.'

22

De volgende morgen in het vliegtuig naar Madrid had ik tijd genoeg om Clara's raad nog eens goed over de dingen na te denken, op te volgen maar ik dacht meer aan het verleden dan aan de toekomst. Als een film trokken de vele jaren met Gloria en Oscar aan mijn innerlijk oog voorbij. Ik werd overspoeld door goede herinneringen en ik vroeg me af of Gloria van het dubbelleven van haar man wist of dat ze nog net zo onwetend was als ik kortgeleden was geweest. Kun je een dubbele identiteit zoveel jaar verborgen houden voor je echtgenoot? Wat weten wij mensen eigenlijk van elkaar? Had Oscar, zoals ik hem in mijn innerlijke film bleef noemen, onder het mom van ontrouw activiteiten voor de Stasi uitgevoerd? Dat als dekmantel gebruikt voor zijn werkelijke identiteit? Gold dat soms ook voor Lola? Was het haar te heet onder de voeten geworden toen die journalisten naar haar diploma's begonnen te vragen? Ze wist dat haar leven een aan de Normannenstraße gecreëerde mythe was. En Gloria? Zat zij ook in het complot? Ik wist het niet. Het was een wirwar van spiegels. Ik wist niet meer of dat wat ik zag het echte spiegelbeeld was of slechts een spiegelbeeld van een spiegelbeeld. Het was net als in de spiegelzaal in Tivoli. Je zag er op een bepaalde manier uit, maar de spiegels lieten iets anders zien. Ze veranderden je lichaam zoals een inlichtingendienst hele levens en identiteiten kon veranderen. Een gemaskerd bal waar je niet veel wijzer werd als de maskers rond middernacht werden afgedaan, want daaronder zaten weer nieuwe maskers. Ik wist alleen dat ik zekerheid wilde hebben. Ik wilde de zaak graag begraven en Oscar ook. Was ik ertoe in staat?

Clara had op onze kamer zitten wachten en toen ze mijn

gezicht zag, was ze geschrokken. Ik heb haar toen alles tot in detail verteld, langzaam en op gedempte toon.

'Je hebt dus een oude man in elkaar geslagen?' had ze gezegd.

'Ja', had ik met vleugje schuldbesef gezegd.

Ze was naar me toe gelopen, had me omhelsd en gefluisterd: 'Arme, arme, Peter. Arme Peter.'

Ik had haar een eindje van me af gehouden, haar recht in de ogen gekeken en gevraagd: 'Wist je het van Oscar?'

'Ik had een vermoeden. We hielden Lola in de gaten en hem daardoor ook een paar keer. We kregen een tip van de Britten.'

'Waarom heb je niets gezegd?' Ik had gevoeld hoe mijn woede en agressiviteit zich ook makkelijk tegen haar zouden kunnen richten.

'We hadden geen aanknopingspunten en zou je me geloofd hebben?' Ze had er bang uitgezien. Ze besefte dat ik een gewelddadige kant had die haar beangstigde. Waarom zou ik haar niet kunnen slaan? Wat weten we eigenlijk van elkaar als puntje bij paaltje komt?

'Zou ik haar geloofd hebben?' vroeg ik me in het vliegtuig af. Waarschijnlijk niet. De afgelopen nacht had ik vol vertwijfeling de liefde met haar bedreven, ze had me naar het vliegtuig gebracht en was nu met haar auto onderweg naar Kopenhagen. Ik had niet toegezegd dat ik niets overhaast zou doen. We hadden afscheid genomen met een omhelzing, maar geen lege beloftes of ontboezemingen gedaan. Haar laatste woorden waren: 'Bel me en word niet net zoals degene die je achterna zit.'

Ik had haar niets beloofd.

Het vliegtuig zette de daling in en ik zag Madrid liggen in een donsachtige duisternis. Ik overwoog of ik eerst zou bellen, maar negeerde de telefoons in de aankomsthal en nam een taxi naar het penthouse van Gloria en Oscar. Ik kon me er niet toe zetten om hem Karl Heinrich te noemen. Samen met Gloria was hij Oscar. We reden met het drukke verkeer de stad in en door de heerlijke Spaanse radiogeluiden vergat ik na te denken over wat ik zou gaan doen of zeggen. Dat wist ik gewoon niet. Ik vroeg me vooral af of Oscar nog bij Gloria was, of ze er met hun tweeën vandoor waren of dat hij hem alleen gesmeerd was. Hoeveel wist Gloria? Ik was ervan overtuigd dat die oude man uit Berlijn meteen gebeld had. Ze hadden ongetwijfeld een teken afgesproken dat vluchten betekende. Oscar heeft vast altijd, hoe zelfverzekerd en arrogant hij ook was, een snelle vluchtweg achter de hand gehad. Zo was hij getraind en zo was zijn karakter. Zo'n sluwe vos als hij had ongetwijfeld altijd verscheidene ontsnappingsmogelijkheden opengehouden.

Gloria deed open, herkende me en gaf me zo'n harde klap dat mijn hoofd ervan duizelde. Ik was zo onvoorbereid dat ze me er nog een verkocht voordat ik haar armen kon grijpen en haar de flat in kon duwen. Ik trok haar tegen me aan. Ze was een grote vrouw en onder haar weelderige vormen ging veel kracht schuil, maar ik drukte haar tegen me aan totdat ze ophield met het schreeuwen van klootzak, hoerenjong, pooier, gecastreerde homo en een hele zwik andere scheldwoorden waaraan de Spaanse taal zo rijk is. Uiteindelijk voelde ik haar slap worden en hoorde ik haar huilen. Ik bleef een poosje zo met haar staan, streek over haar dikke, zwarte haar en toen ik voelde dat haar huilbui wegebde, bracht ik haar naar de kamer, duwde haar op de bank, schonk een whisky voor ons in en stak een sigaret voor haar op. Ze zag er woest en getergd uit. Haar mascara liep in strepen over haar wangen. Haar tere zijden blouse was gekreukt en ze had niet door dat haar zwarte rokje was opgekropen tot aan de rand van haar slipje.

'Waarom heb je mij in godsnaam niet gebeld, Peter?' zei ze.

'Ik was benieuwd of jij hier zou zijn. Ik wilde weten hoeveel er aan dit spelletje meededen, één of twee.'

'Welk spelletje, klootzak. Gisteren ging de telefoon. Een mannenstem zei iets in het Duits. Ik gaf de hoorn aan Oscar, die helemaal wit wegtrok. Hij pakte meteen zijn jas en ging ervandoor. Alsof hij de duivel in hoogsteigen persoon had gezien. In de deuropening draaide hij zich om en zei: "We zien elkaar nooit meer terug. Dat heb je aan Peter te danken." Ik rende achter hem aan maar hij was als eerste bij de lift en toen ik beneden aankwam was hij weg. Hij is weleens eerder opgestapt, maar ik zag dat het deze keer serieus was. We hadden juist zo'n goede periode. Ik heb iedereen opgebeld. Zelfs naar een paar vlammen van hem. Hij is weg. Hij heeft onze gemeenschappelijke bankrekening leeggehaald en een deel van de lopende rekening van ons bedrijf. Verdomme, waar is hij? Wat heb je in godsnaam gedaan, Peter?'

Ze stond weer op het punt in huilen uit te barsten, maar ze vermande zich en nam een slok van haar borrel. Dat was niet haar eerste. De grote, lichte kamer leek plotseling donker en koud en Gloria leek voor mijn ogen te krimpen.

'Ik denk dat hij in Moskou zit', zei ik.

'Moskou? Waarom? Wat doet mijn man in Moskou?'

'Hij is je man niet en dat is een lang verhaal, Gloria.'

'Zou je dat dan eens aan de kersverse weduwe kunnen vertellen? Denk je echt dat ik geloof wat je zegt? We mogen dan oude vrienden zijn, Peter, maar wat heeft dit allemaal te betekenen?' zei ze.

Ik legde de foto van Oscar in uniform voor haar neer, ze pakte hem op en keek er lang naar terwijl ze nog een sigaret rookte. Ze was een sterke vrouw en een veteraan die veel intrigerende onderhandelingen uit het zakenleven en uitputtende gevechten in de rechtszaal had doorstaan. Bovendien hadden zij en Oscar al heel wat woelige periodes doorgemaakt. Ze was niet zo snel uit het veld geslagen en uiterlijk leek ze de zaak weer onder controle te hebben, dus vertelde ik haar het verhaal van Karl Heinrich en Lola. Ze luisterde zonder me te onderbreken en zonder dramatische uitroepen. Terwijl ik haar vertelde over het dubbelleven van de bigamist dat nu al bijna vijfentwintig jaar duurde, kon ik haar gemoedstoestand aflezen uit de sigaretten die ze voortdurend rookte.

Gloria nam het verbazingwekkend kalm op. Andere mensen zouden misschien ingestort zijn, maar ik zag dat dit diepe verraad geen tranen bij haar opriep maar net zo'n ijskoude woede als ikzelf voelde. In verschillende opzichten waren we uit hetzelfde hout gesneden. Ik kon geweld gebruiken zonder me druk te maken over de gevolgen ervan en ik zag aan Gloria dat de advocaat in haar weer de overhand had gekregen.

Ze verontschuldigde zich beleefd, stond op en kwam even later verzorgd terug. Haar mascara was weer goed aangebracht, de schone blouse zat perfect, haar haren waren gekamd en haar rok toonde niet langer de rand van haar slipje. Ze kwam binnen met een kan koffie en twee kopjes en zette die op tafel. Ze ruimde de lege glazen op, leegde de asbak en gedroeg zich weer als een goede gastvrouw. Ik zei niets. Ik kende mijn Gloria en zag haar scherpe geest zwoegen. Tenminste, ik ging ervan uit dat ik Gloria kende. Ze was Oscar weliswaar meer dan eens ontrouw geweest, maar mij had ze nog nooit bedrogen. Ze was geen mens met twee gezichten. Ze was Gloria. Nadat ze zichzelf en de kamer had opgeknapt en de koffie neergezet, ging ze met rechte rug en bijna formeel tegenover me zitten, schonk koffie in en zei: 'Dat is inderdaad wat je noemt een fraaie geschiedenis, Peter. Wat is je plan?'

'Ik ga Oscar opzoeken.'

'Waar?'

'In Moskou.'

'Zo', zei ze. 'Ik ben nog nooit in Moskou geweest, maar

voorzover ik weet wonen daar meer dan tien miljoen mensen.'

'Ik huur wel iemand die hem voor me kan vinden', zei ik.

'Goed dan, maar waarom wil je hem vinden?'

Ik nipte aan mijn hete, sterke koffie. Dat was Gloria's specialiteit en hoe vaak hadden we die tijdens besprekingen over ons gemeenschappelijke bedrijf en onze gemeenschappelijke levens niet gedronken? Oscar, Gloria en ik. Waarom wilde ik Oscar vinden? Een goede vraag. Om uit zijn eigen mond te horen waarom Amelia en María Luisa moesten sterven? Maar was dat de enige verklaring? Ik besloot eerlijk te zijn tegenover Gloria.

'Vierentwintig uur geleden wilde ik hem nog vermoorden. Het liefst twee keer. Oog om oog, enzovoort. Ik had het gevoel dat ik, door hem te wurgen, zou kunnen ontsnappen uit de gevangenis waarin ik me sinds de dood van Amelia en María Luisa bevind. Mezelf door wraak bevrijden leek me gerechtvaardigd. Nu weet ik het niet meer. Nu wil ik hem nog één keer in de ogen zien en zijn bekentenis horen, geloof ik. Eerlijk gezegd weet ik het niet meer. Misschien geef ik hem alleen maar een klap voor zijn kanis en smeer hem dan weer.'

'Twee klappen graag', zei Gloria. 'Een van jou en een van mij, maar je moet hem in leven laten.'

'Je wilt hem toch niet nog een keertje terug, hè!' riep ik verbluft uit.

Gloria nam een slokje koffie, sloeg haar lange benen over elkaar, leunde naar voren en zei alsof we een volkomen normaal gesprek voerden: 'Nee, Peter, dat wil ik niet. We hadden af en toe een ander, Oscar, Karl Heinrich en ik, maar we waren aan elkaar verknocht. Er waren tijden waarin we niet genoeg van elkaar konden krijgen en in bed heeft hij nooit geveinsd. Hij hield echt van me en ik van hem, dat is een feit. Er is echter één ding waar die oude communist niet zonder kan. Dat is zijn luxe leventje en dat zal ik van hem afpakken.

De ridder van het proletariaat zal zelf proletariër worden. Dat overleeft hij niet. Hij kan niet zonder zijn luxe leventje. Vermoord hem dus niet, oké?'

Het was een absurd gesprek, maar toch had het zin.

'Dat kan ik je niet beloven', zei ik.

'Dat ben je verplicht gezien ons verleden. Anders blijft er niets over van al die jaren. Dan eindigt tenminste niet alles in ellende.'

'Wat ga je doen?'

'Ik? Ik ben advocaat. Ik heb de moderne sleutels tot de macht. Ik blokkeer onze rekeningen, hij heeft mijn handtekening nodig. Ik laat ons huwelijk ontbinden en dan raakt hij al onze gemeenschappelijke bezittingen kwijt. Ik span een rechtszaak tegen hem aan wegens oplichting. Morgen blokkeer ik alle creditcards, rekeningen, overschrijvingsbevoegdheden enzovoort. Ik laat over de hele wereld een wanbetalersprofiel verspreiden. Ik vertel al onze klanten en hun klanten dat Oscar onbetrouwbaar is en zijn handtekening nog geen peseta waard. Hij heeft een beetje geld meegenomen, maar gezien zijn uitgavenpatroon is dat binnen een week op. Zelfs wanneer hij iets voor zichzelf opzij gelegd heeft. Ik zal hem wel te grazen nemen. Ik maak hem arm en onterf hem. Ik maak hem tot een non-persoon. Ik zal hem van een Spaanse gentleman in een Oost-Duitse mislukkeling veranderen. Die wraak mag je me niet ontnemen, maar je mag hem gerust namens mij een trap in zijn kloten geven.'

Ik kon niet nalaten te lachen. Gloria was in vele opzichten extreem, maar ze had haar hele leven gevochten en het kon best zijn dat ze zou gaan huilen wanneer ik eenmaal weg was, maar geen man zou haar ooit op haar knieën zien, zeker de mannen niet van wie ze gehouden had.

'Oké, Gloria, je bent een taaie.'

'Zeker weten. Bovendien zie ik er nog steeds goed uit en als ik weer van de schrik ben bekomen, mobiliseer ik een paar oude minnaars. Hij krijgt me niet klein. Die triomf gun ik hem niet. Ik ken hem. Over een maand mist hij me verschrikkelijk en kan zijn liefje een trap onder haar kont krijgen. Zo'n dubbelleven kan toch geen mens lijden. Waar of niet, Pedro?'

'Waar, Gloria. Kan ik je alleen laten? Of moet ik blijven?' zei ik.

Ze dronk de rest van haar koffie op en zette haar kopje iets te hard neer. Ze kon nog steeds instorten, maar ze rechtte haar rug en zei: 'Of je vertrekt nu, Pedro, of je gaat nu met me naar bed.'

Ik stond op, liep naar haar toe en kuste haar broederlijk op de mond, maar trok mijn hoofd terug toen haar tong begerig mijn mond binnendrong.

Gloria lachte en gaf me zachtjes een duw.

'Is het die Deense?'

'Misschien.'

'Als je liefde kunt krijgen, grijp dan je kans. Wees niet zo stom om die te laten lopen. Liefde is het enige wat telt in het leven. Ga nu weg en vergeet niet me elke dag te bellen.'

'Gloria, je weet dat ik je een prachtige vrouw vind...'

'Opgehoepeld en bel me.'

Ik stond op.

'Red je het?' zei ik.

'Wie weet bezuip ik me of bel ik vrienden op, maar dat gaat je niets aan. Ga nu alsjeblieft weg!'

Ik nam een taxi naar huis en belde Clara op, maar ze was of nog niet thuis of ze had de stekker eruit getrokken. Ze had niet eens een antwoordapparaat aan staan waarmee ik kon communiceren. Ik dronk tamelijk veel whisky, maar toen het kapotgeslagen gezicht van de luitenant-kolonel iets te duidelijk werd, stopte ik en tuimelde mijn bed in, terwijl een van mijn Deense lievelingsgedichten door mijn hoofd maalde. Het kwam uit het poëziedebuut van Tom Kristensen, dat me vooral vanwege de titel, *De dromen van een vrijbuiter*, had aangesproken. De woorden 'de wereld is op-nieuw chaotisch geworden' dreunden in mijn hoofd en ik werd bijna wanhopig bij het idee dat ik me de volgende regel niet kon herinneren. Ik wist niet waarom juist deze regel me zo kwelde. In mijn dronkenschap kon ik me niet herinneren waar ik mijn Deense dichtbundels had neergezet in de goedgevulde boekenkast van Don Alfonso. Ze waren in de ongeorganiseerde bende verdwenen en ik gaf het op om al wankelend verder te zoeken naar de volgende strofe en de betekenis van het gedicht, ook al begreep ik die in wezen maar al te goed. Daarom spookte het ook door mijn hoofd.

Derek in Londen hielp me verder. Ik wist dat hij veel in Moskou gewerkt had en toen ik hem belde en zei dat ik een contactpersoon zocht, begreep hij meteen wat ik bedoelde. Hij vroeg naar Oscar en Gloria en ik zei dat ze het goed maakten. Met mij ging het ook goed en met hem ook, dus iedereen oké. Toen we met deze rituele dans klaar waren, zei Derek: 'Wat voor iemand zoek je?'

'Iemand die een zeker persoon voor me kan vinden, me met hem in contact brengt en zich verder nergens mee be-moeit.'

'Oké. Je bent terug in de race, Lime', zei hij.

'Ja, reken maar.'

'Ik mag zeker niet vragen om wie het gaat, maar ik doe het toch', zei hij.

'De terugkomst van Jezus in Moskou', zei ik.

'Oké. Echt een foto voor jou, maar het kon toch zijn dat je een partner nodig had?'

'Je weet dat ik altijd in mijn eentje werk, Derek', zei ik.

'Oké. Er is een kerel die mij een paar keer geholpen heeft. Hij is een beetje angstaanjagend, maar echt goed en efficiënt. Hij kost…'

'Geld speelt geen rol', zei ik.

'Oké, hij zal wel een paar duizend dollar per dag willen en een vindersloon.'

'Dat is goed, wat is het voor een kerel?'

'Lime! Hij is zo'n nieuwe Rus. Voormalig elitesoldaat of KGB'er of zoiets. Moskou wemelt ervan. De meesten zijn kleine oplichters, maar hij is echt goed. Hij noemt zich zoals iedereen zich noemt, maar hij levert zijn product tenminste af. Misschien is hij een maffioso, misschien gewoon een zakenman. In het huidige Moskou zijn de grenzen een beetje vervaagd. Hij bezit, net als veel anderen, een zogenaamd security- of consultancybedrijf. Weet ik veel. Ik weet niet wat dat inhoudt. Hij heeft altijd zijn product geleverd.'

'Mooi, Derek', zei ik. 'Geef me zijn nummer maar…'

'Hij is niet zomaar iemand', zei Derek. 'Hij is zeer zorgvuldig wat zijn klanten betreft, dus ik moet hem eerst bellen en dan belt hij jou nadat hij je gecheckt heeft, en hij is niet altijd te pakken te krijgen.'

'Oké, Derek. Bel hem. Zeg dat er haast bij is. Zeg dat het een zaak is die nu afgehandeld moet worden. Dan sta ik bij je in het krijt.'

De hese rokerslach van Derek kwam duidelijk door.

'Niks daarvan, Lime. Jij hebt me binnengehaald. Ik sta nog veel meer bij jou in het krijt. Je bent me niets verplicht.'

'Zeg dat er haast bij is', zei ik.

'Pronto. Doe Oscar en Gloria de hartelijke groeten en bedank ze nogmaals voor de gezellige avond in Londen.'

'Zal ik doen', zei ik. 'Ik zal Oscar en Gloria zeker de groeten doen.'

De daaropvolgende dagen doolde ik door het huis van Don Alfonso, dat ik nog niet echt van mezelf kon noemen, en ik deed mijn best van de drank af te blijven. Ik probeerde de vele boeken alfabetisch te ordenen en at het eten dat Doña Carmen plichtsgetrouw voor me klaarmaakte. Na de dood van Don Alfonso was ze blijven komen en ik had niet het lef haar op te zeggen. Clara belde ik niet meer op, maar ik sprak Gloria een paar keer per dag door de telefoon. Haar stem had iets breekbaars gekregen, verder sprak ze op zakelijke toon over de ontbinding van haar relatie met Oscar alsof al die juridische rompslomp een zelfgekozen, wezenlijke en uitdagende taak was. Een taak die bestond uit de ontbinding van een huwelijk, en dat in een katholiek land, uit het blokkeren van rekeningen door de rechter en het opvragen van papieren bij Herr Weber en andere medewerkers van de stoffige archieven van de voormalige DDR. Het werk hield haar op de been en ze klonk als iemand die, zodra het proces afgerond was, zou instorten. We waren een treurig stel.

Eindelijk op een ochtend belde Sergej Sjuganov. Zijn Engels klonk alsof hij op een van de betere Engelse kostscholen had gezeten, maar was vermoedelijk eerder het resultaat van de talen- en diplomatenopleiding die je vroeger in Moskou kon volgen en misschien had hij wel op de ambassade in Londen gewerkt.

'U wenst zaken met mij te doen, Mr. Lime?' zei hij.

'Ik wil graag dat u iemand voor mij vindt. Het gaat om…'

Hij viel me snel, maar vriendelijk in de rede.

'Pardon, Mr. Lime, maar ik bespreek geen zaken over de telefoon.'

'Waar ontmoeten we elkaar?' vroeg ik.

'Het vliegveld van Frankfurt, de vip-lounge in de centrale hal bij de taxfree shop, morgenmiddag. De vluchten uit Moskou en Madrid komen bijna tegelijk aan.'

'Dat is goed. Waaraan kan ik u herkennen?'

'Ik vind u wel. Lang, slank, leren jack, paardenstaartje, jeans. Neem een *El País* mee.'

'Dat komt voor elkaar', zei ik.

'Neemt u een foto mee van het object. Tot ziens, Mr. Lime', zei hij.

Voor de meeste mensen zijn vliegvelden gewone aankomst- en vertrekpunten, maar voor drukke zakenlieden uit het moderne leven of internationaal georiënteerde onderzoekers zijn vliegvelden praktische ontmoetingsplaatsen. Hier kunnen ze snel een bespreking of een congres houden. Er zijn vergaderruimtes te huur en je verspilt geen tijd met het zoeken naar een hotel in de stad. De bijeenkomst vindt dan plaats tussen twee vluchten en je komt het vliegveld niet af. Ik heb een vliegveld ook weleens als vergaderplek gebruikt dus zijn voorstel verbaasde me niet. Frankfurt lag mooi tussen Madrid en Moskou in.

Na aankomst kocht ik een cola en ging met een exemplaar van *El País* aan een tafeltje zitten wachten. Er was een druk verkeer van reizigers, velen met pakjes alsof ze een vervroegde kerstvakantie gingen vieren. De transit van een internationale luchthaven is een van de veiligste en anoniemste plekken ter wereld. Je gaat op in de massa en geen mens die op je let, tenzij je gezocht of geschaduwd wordt.

Een gedrongen, gespierde man van ongeveer mijn eigen leeftijd nam tegenover me plaats en stak zijn hand uit.

'Sergej Sjuganov', zei hij. Hij droeg een onberispelijk donker pak met een hagelwit overhemd en een smaakvolle stropdas die door een gouden dasspeld met een fijn diamantje op zijn plaats werd gehouden. Hij had een Rolex om zijn pols en hij rook naar dure aftershave of parfum. Zijn gezicht was vol kleine rimpeltjes en bruin alsof hij regelmatig een dure vakantie hield of, en dat was waarschijnlijker, vaak onder de zonnebank ging. Zijn ogen waren erg blauw en naast zijn mondhoek zat een klein litteken. Zijn handdruk was kort en stevig.

'Koffie, Mr. Sjuganov?' vroeg ik.

'Graag. We hebben een klein halfuurtje, Mr. Lime. Ik vlieg met de volgende vlucht terug.'

Ik haalde een kop koffie voor hem bij de bar en nog een cola voor mezelf. Ik had een paar recente foto's van Oscar meegebracht, die ik zelf had genomen. Eén foto in volle lengte, een van voren genomen en nog een van zijn profiel. Ik legde ze de Rus voor, die ze bestudeerde.

'Het is een lange man', zei Sjuganov. 'Rond de vijftig. Goed gekleed. Zelfverzekerd. Heeft geld. Houdt zichzelf goed in vorm, maar krijgt een beetje een buikje. Opvallende verschijning. Taal, nationaliteit, achtergrond?'

Ik vertelde hem over Oscar. Dat hij een Duits staatsburger was met een geheimzinnig verleden. Dat hij behalve Duits, Engels en Spaans misschien ook een beetje Russisch sprak. Dat hij veel reisde en getraind was door de Stasi. Ik vertelde wat ik wist.

Eindelijk kwam er een teken van leven in zijn koude blauwe ogen.

'Aha. Dat maakt de zaak uiteraard iets gecompliceerder.'

'Hoezo?' vroeg ik.

'Het is moeilijker om een man te vinden die eraan gewend is zijn sporen uit te wissen. Dat maakt het duurder voor u, Mr. Lime. Wat wilt u precies van mij?'

'Ik wil dat u hem vindt. Ik denk dat hij in Moskou is, hij is er ongeveer een week geleden naartoe gegaan. Meer weet ik niet', zei ik.

'Ik vraag duizend dollar per dag. U maakt tienduizend dollar voorschot over naar een rekening in Zwitserland. Alle uitgaven die ik doe, moet u betalen. Verder nog een vindersloon van tienduizend dollar.'

'En als u hem niet vindt?'

Sjuganov lachte zowaar.

'Een twee meter lange Duitser die nog maar een weekje in Moskou is, vinden we altijd. We hebben zo onze contacten. Het is, zoals met veel zaken in het nieuwe Rusland, slechts een kwestie van geld. Als de gezochte persoon Moskou verlaten heeft, is het iets gecompliceerder, maar niet onoverkomelijk. Als de persoon zich nog steeds in Moskou bevindt, zal het nauwelijks meer dan een week kosten. Als we hem niet vinden, betaalt u uiteraard alleen de werkelijke kosten, maar dat is een hypothetische situatie. We zullen hem vinden, dood of levend.'

'Mooi', zei ik.

Sjuganov leunde over de tafel naar voren.

'Wat wenst u dat we zullen doen wanneer het object gevonden is?'

'Dan heb ik een gids nodig. Ik spreek geen Russisch.'

'Uiteraard, maar wilt u dat we iets met het object doen? Ik hoef niet te weten waarom u hem wilt vinden, of het een persoonlijke of zakelijke kwestie is, maar doorgaans is er een reden waarom de een zich verstopt en de ander hem wil vinden. Wat moeten we doen als we hem gevonden hebben? Een actieve handeling vraagt om een extra prijsafspraak. Als u begrijpt wat ik bedoel?'

Hij zei het zakelijk en koel, alsof het de gewoonste zaak van de wereld was, maar ik begreep natuurlijk best wat hij bedoelde.

'Nee', zei ik. 'U moet me naar het adres brengen, de rest doe ik zelf.'

'Wat als het object bewaakt wordt?'

Ik dacht even na en zei: 'Als u denkt dat het nodig is dat iemand me rugdekking geeft, dan huur ik graag uw diensten in.'

'Geen probleem', zei hij, stond op en gaf me een hand. 'Ik weet dat u uw rekeningen betaalt, dus…'

'Dat is dan afgesproken', zei ik. 'U vindt Oscar.'

'Beschouw de opdracht als volbracht. Blijf in de buurt van de telefoon. Het was een genoegen zaken met u te doen, Mr. Lime. Een goede reis naar Madrid. Tot ziens in Moskou', zei hij en verdween in de mensenmassa. De blauwe rug van een goedgeklede zakenman tussen de vele andere.

377

23

Vanuit de lucht leek Rusland niets veranderd. Ik was er niet meer geweest sinds de tijd dat het land nog gewoon een van de vijftien socialistische republieken van de Sovjet-Unie was, die net als de DDR van de landkaart was verdwenen. Zonder bloedvergieten, maar door een stuk papier dat drie presidenten in een roes hadden ondertekend ergens in een jachthut in Minsk. Toen het vliegtuig door het zware wolkendek brak en de daling inzette naar het vliegveld Sjeremetjevo, zag alles er precies zo uit als ik het me herinnerde. Hier en daar lag sneeuw en alleen de rook die uit de schoorstenen op de dik besneeuwde daken van de huizen in de half verlaten dorpjes kringelde, duidde op leven. Het landschap met de bevroren meren en rivieren lag er eeuwig Russisch en uitgestrekt bij alsof de grote veranderingen eraan waren voorbijgegaan.

Op het vliegveld merkte je meteen hoe de nieuwe en de oude wereld hand in hand gingen. Er stonden als vanouds lange kronkelende rijen voor de pas- en bagagecontrole, maar het wemelde er nu ook van de computerreclames en de belofte dat je snel geld kon maken in de casino's, lachte iedereen toe. Er werd reclame gemaakt voor computers, en Russen in allerlei soorten en maten trokken hun mobiele telefoons tevoorschijn. Ze hadden bergen bagage bij zich. De geur in de donkere en bedompte ruimte was precies zoals ik me die herinnerde. Een mengeling van vorst buiten, hitte binnen, zwarte tabak en benzine met een laag octaangehalte. De schelle vrouwenstem gaf me het gevoel dat dezelfde vrouw daar al jarenlang in onverstaanbaar Engels mededelingen over aankomst- en vertrektijden zat te doen. De anarchistische methode van de douane, die mensen of onverschillig liet passeren of omstandig alles ging checken, was als vanouds.

De huiswaarts gekeerde Russen die zich met zakenlieden en toeristen mengden, gingen beter gekleed en waren arroganter dan ik me van vroeger herinnerde, maar ik bevond me onmiskenbaar in Moskou.

Sergej Sjuganov had woord gehouden en me na tien dagen opgebeld. Het object was gevonden en geobserveerd. Ze hadden een kamer voor me gereserveerd in Hotel Intourist aan het Rode Plein. Het hotel was eigenlijk beneden mijn stand, maar het was anoniemer dan het gerenoveerde Metropol of National. Sjuganov hoopte dat ik daar begrip voor had. Hij gaf me een faxnummer en vroeg me mijn aankomsttijd door te geven. Ik zou van het vliegveld gehaald worden.

Ik belde Gloria en vertelde dat Oscar was gevonden en dat ik erheen ging om met hem te praten. Gloria wilde mee, maar ik weigerde en ze liet zich zonder al te veel moeite overtuigen. Ik had het gevoel dat ze uiteindelijk niet zoveel zin in een confrontatie met Oscar had. Ze verschool zich liever achter juridische paragrafen en koude dagvaardingen om op die manier de scheiding en de definitieve breuk door te voeren. De zaken verliepen volgens plan, zei ze. De rekeningen waren geblokkeerd. Het bedrijf draaide verder. Ze had opnieuw gevraagd of ik weer haar zakenpartner wilde worden en ook al had ik niet direct nee gezegd, ik wist dat ik het toch niet zou doen. In het vliegtuig had ik er nog over nagedacht en ook over Clara en de mogelijkheid om een nieuw leven te beginnen. Vlak voor mijn vertrek had ik bij het graf van Amelia en María Luisa gezeten en het verdriet was zo heftig geweest dat het leek alsof ze pas een dag dood waren. Ze hadden me geen raad kunnen geven en het gemis was even groot gebleven. Ik voelde woede. Woede die uit wanhoop en frustratie over het gebeurde voortkwam. Een gevoel van onmacht. Razernij over de onrechtvaardigheid van het leven.

De vrouwelijke douanebeambte in het trieste grijze uniform, bestaande uit een blouse en rok, wierp onverschillig een blik op het bankbiljet dat ik paraat hield, terwijl mijn tas door de scan gleed. Ze had haar lippen en nagels knalrood geverfd en met een nors gezicht zette ze krachtig een stempel, schoof mijn pas en papieren naar me toe en pakte die van de volgende persoon zonder deze een blik waardig te keuren. Ik stapte de donkere aankomsthal binnen en zag in de wachtende menigte een jongeman van achter in de twintig met een leren jack aan staan die een kartonnen bordje omhooghield waarop met grote zwarte letters 'Lime' was geschreven. Het was een gladgeschoren kerel die zo te zien heel wat uurtjes in het fitnesscentrum doorbracht en ik was ervan overtuigd dat zijn spiermassa allesbehalve opgepompt was. Ik zou het niet graag tegen hem opnemen.

Hij groette me met een knikje, pakte mijn tas en met een hoofdbeweging gaf hij te kennen dat ik hem moest volgen. Zijn zwarte Mercedes stond vlakbij geparkeerd. De kou trof me als een mokerslag. Ik had alleen een spijkerbroek aan en onder mijn leren jack droeg ik een sweater die naar mijn idee dik was. Het was een droge kou en de lucht was zwaar van de diesel en de benzine. De auto's draaiden stationair en de uitlaatgassen dwarrelden in de wind. Hij hield de deur voor me open en ik nam dankbaar plaats op de achterbank van de warme auto. Achter het stuur zat een chauffeur, mijn begeleider ging naast hem zitten en de auto gleed bijna geruisloos de weg op. Ik hoorde het geratel van de spijkerbanden op het slechte asfalt. Mijn begeleider toetste een nummer in op zijn mobiele telefoon en zei iets in het Russisch. Sjuganov was niet bepaald goedkoop, maar op zijn service viel niets aan te merken.

We reden snel, maar verantwoord de stad in. Door het ongelijkmatige asfalt trilde de auto. We passeerden een gedenkteken dat op een tankversperring leek. Dat kon ik me nog herinneren, maar het moderne, felverlichte benzinestation en een McDonald's waren nieuw. De oude posters van

de socialistische arbeider die zijn taak meer dan goed uit-
voert, hadden plaats moeten maken voor reclames van Sony
en IBM. Het was druk, maar tot aan het centrum konden we
goed doorrijden, daarna sukkelden we in een slakkengangetje
verder. De straat droeg ooit Gorki's naam, maar ik kon het
bordje voldoende ontcijferen om te zien dat de straat nu anders heette. De voormalige socialistische landen hadden heel
wat gedaantewisselingen ondergaan of het nu om straatna-
men of politieke houdingen ging en ik was bang dat ze met
hetzelfde gemak de klok zouden terugdraaien als dat zo uitkwam. Er waren veel voetgangers op de been die een witte
wolk voor zich uit ademden. Ik zag voor het eerst verlichte
winkels vol kerstversiering en kunstkerstbomen in de stad. In
de massieve gebouwen leken ze echter nietig. Het zag er op
een bepaalde manier westers modern en tevens sovjetachtig
somber uit. De sneeuw lag in grote hopen langs de stoepran-
den, maar de weg was schoongeveegd. In het licht van de
koplampen van de auto dwarrelden een paar sneeuwvlokjes.
Toen dook het Kremlin voor ons op, badend in het licht,
massief en sierlijk tegelijk. We stopten bij Hotel Intourist
waar ik begin jaren tachtig twee keer eerder gelogeerd had:
een grote, vierkante wolkenkrabber aan de rand van het Re-
volutieplein. Vroeger reden er auto's omheen, maar nu leek
het een park waarin mensen rondliepen.

'Dat is een shoppingcenter, Mr. Lime. Acht verdiepingen
onder de grond', zei de jongeman in Engels met een zwaar
accent. 'Ik heet Igor.'

'Hello, Igor', zei ik.

Ik ontdekte een nieuwe poort die aan het Rode Plein was
verrezen.

'Ja, Mr. Lime. Dat is de oude Kremlinpoort die ze herbouwd hebben. Stalin liet hem afbreken om plaats te maken
voor de tanks die er tijdens militaire parades overheen moesten rijden. Stalin is begraven, de poort herrezen en de Kerk

van de Verlosser staat er weer. Er is veel veranderd in Moskou sinds u hier voor het laatst was.'

'Dat zie ik', zei ik.

We stapten uit en liepen de lobby in. Hier was niet bijzonder veel veranderd. Er liepen veel mensen rond. Een groep toeristen probeerde in te checken. Twee receptionistes waren verwikkeld in een privé-gesprek dat kennelijk erg belangrijk was en een derde stond toe te kijken, terwijl een vierde de papieren van de grote groep Fransen die de sleutels van hun kamer wilden hebben probeerde in orde te maken. Het zag ernaar uit dat deze operatie wel de hele avond kon duren.

'Uw papieren, please', zei Igor en ik overhandigde hem mijn pas en visum. Hij liep naar de balie en zei iets tegen de kletsende vrouwen. Ze negeerden hem, hij herhaalde zijn woorden op een scherpere toon en ze hielden meteen op met praten. Een van de vrouwen pakte mijn papieren, gaf Igor een platte computersleutel en glimlachte verontschuldigend.

We gingen met de lift naar de negentiende verdieping, liepen een lange gang door en aan het eind daarvan klopte Igor op een deur, deed een stap opzij en liet me binnen. Het was een grote kamer met een bureau en een vergadertafel. Een mooie suite met in de belendende kamer een tweepersoonsbed. Gemoderniseerd, maar met de rode en bruine tinten die zo geliefd waren in de sovjettijd. Er stond een minibar, een tv en een bordje dat meldde dat er satelliettelefoon was. Sergej Sjuganov was er natuurlijk ook.

Hij droeg weer een onberispelijk pak, gaf me een hand en zei: 'Welkom in Moskou, Mr. Lime. Neemt u iets te drinken en dan gaan we aan de slag. U bent ongetwijfeld even druk bezet als ik.'

'Ongetwijfeld', zei ik en liet zijn hand los om een klein flesje whisky uit de minibar te pakken, maar Sjuganov schudde zijn hoofd, pakte een fles Russische wodka, schonk een borrelglaasje vol en hief zijn eigen glaasje.

'Proost, op een goed uitgevoerde operatie', zei hij en hij leegde zijn glas. Ik deed hetzelfde. De wodka smaakte uitstekend, bitter en erg Russisch.

'Er is werk aan de winkel', zei Sergej Sjuganov. 'Wilt u hier eens even naar kijken!'

Igor, die vast ook de bodyguard van Sjuganov was, was op een stoel bij de deur gaan zitten. Sjuganov stond bij de ovale tafel midden in de grote kamer. Op de tafel lagen een paar foto's en een plattegrond van Moskou en omstreken.

Op de foto's stonden Oscar en een vrouw in wie ik Lola herkende, ook al had ze haar haar zwart geverfd. Er waren foto's van Oscar alleen, van Lola alleen en van hen samen. Aan de grove korrel kon ik zien dat ze met een telelens genomen waren, sommige met een lens van 100 mm en andere met een van 400 mm. Ze waren op een soort markt genomen waar kleine, dikke vrouwen in vormeloze jassen en met hoofddoekjes om groenten en een soort ingemaakte komkommer verkochten. Een serie foto's toonde die twee voor een groot rood huis in een dik besneeuwd berkenbos. Zo te zien hingen er bewakingscamera's aan de muur die het huis omringde en op een van de foto's herkende ik de grote Ier met de ploertendoder uit mijn huis in San Sebastián. Op een andere foto leken Oscar en Lola in een heftig gesprek verwikkeld, de Ier stond toe te kijken en had zijn jas een stukje opengeslagen waardoor je een glimp van een schouderholster kon opvangen. Lola zag er nog net zo uit als op de tv-beelden die ik in Kopenhagen had gezien, maar Oscar oogde getergd en kwaad.

Sjuganov liet me in alle rust naar de foto's kijken. Ik wist niet wat ik voelde. Ik had hem ingehuurd om Oscar te vinden en dat was hem gelukt. Wat moest ik nu verder doen? Dat Lola er ook was, verraste me niet en het maakte ook geen verschil, maar wat zou mijn eerstvolgende stap zijn? Ik was net in Moskou aangekomen, maar op de een of andere manier had ik het gevoel of deze ontmoeting met Sjuganov zich weer op een vliegveld afspeelde. Oscar was naar Moskou gevlucht omdat Lola daar was en omdat hij zich er veilig voelde zolang de lucht nog niet was opgeklaard. Het was een land waarin invloed en veiligheid te koop waren.

'Bent u er klaar voor om te horen wat we weten?' vroeg Sjuganov in zijn typische Oxford-Engels.

'Ja', zei ik alleen maar.

'Oké, Mr. Lime. Het object woont in een nieuwe villa buiten Moskou. In een oude datsjabuurt. Een datsja is, voor het geval u het niet mocht weten, een Russisch zomerhuis, maar tegenwoordig wordt de benaming ook gebruikt voor de grote stenen villa's die door zeer rijke lieden buiten de stad gebouwd worden. Vroeger was het een buurt waar de partijelite zich ophield, maar nu is het geprivatiseerd en bebouwd door, wat zal ik zeggen, ondernemende mensen die stilte, rust en een optimale veiligheid willen. Begrijpt u wat ik bedoel?'

'Ik begrijp het', zei ik en hij ging op dezelfde neutrale toon verder.

'Het object heeft problemen. Hij heeft de afgelopen twee dagen geprobeerd een cheque in te wisselen en geld op te nemen met zijn Eurocard en zijn creditcards van Visa en American Express, maar die zijn allemaal geblokkeerd. Het object werd iedere keer woedend. Dat helpt weinig. Hij heeft nog contanten en geeft die uit. Hij gaat af en toe naar buiten, maar blijft vooral in de villa. Hij drinkt te veel en maakt vaak ruzie met de vrouw. Ze slapen samen, hoewel ze allebei een eigen kamer hebben. Dat denken we in elk geval.'

'Weet u wie die vrouw is?' vroeg ik.

Sjuganov legde de foto's opzij en zei: 'Haar identiteit checken was geen deel van de afspraak, maar we weten wat ze hier in Moskou doet.'

'En dat is?'

'Ze is rijk. Het huis is van haar. Ze heeft relaties binnen het ministerie van Cultuur en ik weet van wie ze het huis gekocht heeft. Dat betekent dat ze in een recordtijd een erkend kunsthandelaar is geworden. Ze heeft de bevoegdheid om Russische kunst te verkopen, kopen en exporteren. Ook werken die meer dan vijftig jaar oud zijn. Die vergunning heeft haar een smak geld gekost, maar dat kan ze gauw terugverdienen. Mijn land houdt uitverkoop van waardevolle spullen. Op de een of andere manier. Dat kun je betreuren, of je kunt proberen je aandeel binnen te halen. Het is gewoon een constatering van de feiten. Ooit regeerde Lenin deze stad. Nu het geld. Als je de sleutels van de macht bezit, dan kun je in grote lijnen alles doen wat je wilt.'

'Hoe noemt ze zich nu?' zei ik.

'Svetlana Petrova. Ze is goed. Ze is al doorgedrongen tot de kringen rond de president waardoor ze als onaantastbaar wordt beschouwd. Ik heb de indruk dat deze vrouw zelfs in de Sahara zand zou weten te verkopen.'

'Of sneeuw in Moskou', zei ik.

Ik keek naar de foto's van de nu zwartharige, maar nog altijd mooie Lola die met verachting naar Oscar kijkt die in de sneeuw voor haar villa staat. Gloria's vangarmen waren lang gebleken en alles duidde erop dat Oscar financieel afhankelijk was van die lieve Lola en dat was nieuw in hun vreemde relatie. Het was slechts een kwestie van tijd of Oscar zou bij haar moeten bedelen om zakgeld. Oscar verdroeg het slecht om de mindere te zijn.

'Het huis lijkt erg nieuw, Mr. Sjuganov. Heeft ze het zelf gebouwd?'

'Al dat soort huizen in en rond Moskou zijn nieuw, Mr. Lime', zei Sjuganov, terwijl hij naar de kleurenfoto keek. 'Het is gebouwd door een directeur van een van de grootste particuliere banken. Hij zal wel connecties met de maffia gehad hebben. Zijn zakenrelaties waren waarschijnlijk ontevreden over de samenwerking. In elk geval werd hij voor zijn bank neergeschoten. Toen werd de villa overgenomen door een jongen van tweeëntwintig die er met zijn twee vrouwen en veertien bodyguards ging wonen. Hij heeft, maar dit tussen twee haakjes, het zwembad laten aanleggen. De jongen was een erg populaire producer en presentator bij de nieuwe commerciële omroep, maar zijn twee vrouwen waren het er niet over eens van wie hij het meest hield, dus vermoordden ze hem. Voerden hem dronken, maakten hem high met cocaïne en verdronken hem toen in zijn eigen zwembad.'

'Wat een huis', zei ik.

'Dat is Rusland', zei Sjuganov en vervolgde: 'De eigenaar vóór mevrouw Petrova was een bekende maffioso die de groentemarkten in Moskou in zijn greep had. Ook hij had problemen met zijn zakenpartners. Hij is op een dag verdwenen en niemand heeft hem ooit teruggezien. Mevrouw Petrova heeft het huis gekocht via een stroman die ik ken. Ze heeft het goedkoop gekregen en andere kopers kregen te verstaan zich afzijdig te houden.'

'Wie was die stroman?'

Sjuganov keek me aan. Ik kon niets in zijn wonderlijk dode ogen lezen. Hij schonk nog een wodka voor zichzelf en mij in en zei toen: 'Deze informatie ben ik u niet schuldig, maar Derek is een oude vriend van me, uit de tijd dat mijn bedrijf nog niet zo groot was, daarom ben ik u ter wille. De stroman was een oud-collega van de KGB, Victor Ljubimov. Ik geloof dat hij, gezien mevrouws verleden bij een zusterorganisatie, gewoon een oude schuld terugbetaalde. Er bestaat tussen oude kameraden wel een zeker eergevoel. In sommige gevallen komt geld op de tweede plaats.'

'Maar dat heeft geen invloed op uw loyaliteit jegens mij?' zei ik.

'U bent mijn klant en ik heb niets met die vrouw te maken. Ze is geen deel van mijn opdracht of van mijn huidige of vroegere leven.'

'Oké, Sjuganov, waar kan ik dit gelukkige paar vinden?'

Sjuganov permitteerde zich een lachje en spreidde de kaart uit op tafel. Hij wees aan waar Hotel Intourist aan het Rode Plein lag en voerde me toen met zijn vinger langs een grote boulevard die Koetoesovski heette naar het westen de stad uit en verder naar rechts in de richting van een soort bos en merengebied waar tal van zijweggetjes op een smalle weg uitkwamen. Op de kaart waren een aantal dorpjes aangegeven. Sjuganov legde uit dat dit in de voormalige Sovjet-Unie een gesloten gebied was geweest, maar dat het nu opengesteld was en dat de nieuwe rijken er exclusieve woningen bouwden. In een van de huizen, een kleine veertig kilometer van het centrum van Moskou verwijderd, bevond Oscar zich en de gedachte alleen al deed mijn hart sneller kloppen.

'Oké', zei ik. 'Laten we er morgen naartoe rijden.'

Sjuganov vouwde de kaart op. Zijn bodyguard zat nog steeds rustig bij de deur met de handen op zijn knieën, klaarwakker en ontspannen tegelijk. Sjuganov schraapte zijn keel en zei: 'Dat is aan u, Mr. Lime, maar het object wordt beschermd. Door twee Ieren, misschien ex-IRA-leden, die ook in de villa verblijven. Lola heeft twee bodyguards, die in de oude houten datsja wonen die er nog steeds staat. Er hangen camera's waardoor het moeilijk is binnen te komen. Dus mag ik u vragen hoe u zich dat had voorgesteld?'

'Ik ben van plan om gewoon aan te bellen', zei ik.

Daar keek hij wel van op. Hij trok zijn perfect zittende stropdas recht.

'Dat zou ik u niet aanraden', zei hij. 'Ik heb een ander voorstel.'

Sjuganov haalde een serie kleurenfoto's tevoorschijn. Ze waren eveneens met een lange telelens genomen, maar Oscar en Lola waren duidelijk te zien. Ze maakten een wandeling door de sneeuw in een soort berkenbosje. Het zag er erg Russisch en knus uit en met de zon, die in de bomen en de diepe witte sneeuw schitterde, was het bijna een ansichtkaart. Op een van de foto's leek het alsof ze een heftige discussie voerden. Op een andere liepen ze zij aan zij. Oscar zag er een beetje vreemd uit in een lange, dikke jas en met een grote, bruine bontmuts over zijn oren getrokken. Lola zag er elegant uit in een bontjas tot op haar enkels en met een mooie bontmuts op haar zwartgeverfde haar. Oscar had iets in zijn hand dat op een golfclub leek, een ijzer-5 misschien.

'Denkt hij soms te gaan golfen in die sneeuw?' zei ik.

Sjuganov lachte.

'Die heeft hij altijd bij zich. We mogen dan wel een markteconomie hebben, golfbanen hebben we niet. Het seizoen is kort in Rusland. Ik denk dat het een talisman is of misschien een verdedigingswapen. Kijk maar.'

Hij legde een nieuwe foto voor me neer. De lucht in de suite was warm en droog en ik begon te zweten. Het was de grote Ier. Hij liep een paar meter achter de andere twee met zijn handen diep in de zakken van zijn zwarte leren jack. Hij droeg een gebreide muts. Hij zag eruit alsof hij het koud had en zich verveelde.

'Het object gaat zelden naar buiten en nooit alleen. Dus ik vraag u nogmaals, Mr. Lime. Wat wilt u dat ik doe? Wat wilt u zelf doen? Mijn opdracht is uitgevoerd. Ik heb het object gevonden.'

'Maakt hij elke dag een wandeling?' vroeg ik.

'Normaal gesproken maakt hij 's ochtends een wandeling, daar lijkt het althans wel op, we hebben hem nog niet lang genoeg gevolgd om een vast patroon te kunnen registreren. Op de dag dat het stormde en de sneeuw viel, is hij binnengebleven.'

'Wat is het weerbericht voor morgen?' zei ik.

'Mooi weer. Vorst en zon, in de middag sneeuw. Een winterdag zoals wij Russen die graag hebben. Een mooie dag om een wandeling door het bos te maken', zei Sjuganov en keek me aan alsof hij wilde zeggen dat ik nu aan zet was en dat we de zaak moesten afronden, of dat ik nieuwe kaarten op tafel moest leggen.

Ik dacht even na en zei toen: 'Oké, laten we er morgen naartoe rijden. Als ik u kan inhuren om een of twee gorilla's op een afstandje te houden terwijl ik met mijn voormalige vriend praat en zijn uitleg aanhoor, dan kan ik zeggen dat ik met genoegen zaken heb gedaan met een efficiënt man als u, Mr. Sjuganov.'

'Moeten we een wapen voor u regelen?' vroeg Sjuganov.

'Nee, dat is niet nodig. Geen geschiet. Gewoon een vriendschappelijk gesprek.'

'Dat is nu juist wat me zo bang maakt', zei Sjuganov.

'Laten we morgen gaan', zei ik.

'Dat is goed. De klant bepaalt. Dat is het basisprincipe van de markteconomie. Als u dan morgenvroeg om acht uur klaar wilt staan en verder moeten we ervoor zorgen dat u tenminste een beetje fatsoenlijke kleding krijgt', zei Sjuganov.

Hij bekeek me van hoofd tot voeten alsof hij een vrouw beoordeelde.

'Ik denk dat ik uw maat heb. Welke maat schoenen heeft u?'

'Vierenveertig of vierenveertig half', zei ik.

Hij stak me formeel een hand toe en ik drukte deze.

'Komt u zelf mee?' vroeg ik.

'Ik ga niet zo vaak het veld in, maar voor Derek en u maak ik een uitzondering, ik ga morgen mee, samen met Igor. We kennen elkaar nog van vroeger.'

'Wanneer was vroeger?'

'Helemaal terug naar de dagen van hamer en sikkel en daarna een paar jaar voor het nieuwe Rusland. Igor zat in mijn laatste team en diende een nieuwe president in een nieuwe natie, maar wij oefenden ons in hetzelfde: informatie verzamelen, sabotage, infiltratie, het elimineren van staatsvijanden. Hij was een van de beste mannen die ik ooit heb gehad, maar de staat kon ons niet langer het loon betalen waar we recht op hadden, dus heb ik me laten privatiseren.'

'Fijn dat het nieuwe Rusland uw talenten goed kan gebruiken', zei ik. Het was eigenlijk ironisch bedoeld, maar de ironie ketste op de stevige Rus af.

'Ik zal voorlopig wel niet werkloos worden', zei hij, knikte naar de zwijgende man bij de deur en ze lieten me alleen achter in de kamer met uitzicht op de met sneeuw bedekte daken, honderden rookpluimen die uit de schoorstenen kwamen en een leegte die ik niet begreep. Ik had in elk geval bang of zenuwachtig moeten zijn, maar was het geen van beide. Ik was moe, maar wanneer ik naar de foto's van Oscar en Lola keek die op tafel lagen, voelde ik de woede weer toenemen. Het liet me tamelijk onverschillig dat Oscar jarenlang een dubbelleven had geleid, dat hij een dictatoriale staat had gediend. Dat was verleden tijd en geen zaak tussen hem en mij. Het was niet aan mij om hem te vergeven of niet te vergeven dat hij terroristische operaties had gepland of in elk geval degene was geweest die voor de nodige logistiek had gezorgd. Dat was een zaak tussen hem en de getroffen landen.

Dat hij Amelia en María Luisa had laten vermoorden, liet me natuurlijk niet koud. Of hij het nu zelf gedaan had of het anderen had laten doen. Ik wilde weten waarom juist die twee, die het allerbelangrijkste waren in mijn leven, de onschuldige slachtoffers van zijn egoïsme en machtswellust waren geworden. Van zijn wanhopige poging om het verleden te begraven en te doen alsof dat nooit bestaan had. Hij was tot het uiterste gegaan om de sporen te wissen, totdat Lime's foto bewees dat hij dat niet kon. Want er is altijd wel iemand die zich iets herinnert en altijd duikt er wel een foto of een tekst op die niet vernietigd werd.

24

Sjuganov klopte de volgende dag iets voor achten op mijn deur. Ik had slecht geslapen. De kamer was warm en bedompt en je kon de verwarming niet zelf lager zetten. De verleiding was groot geweest om naar een van de vele bars van het hotel of het casino te gaan, maar ik deed het niet. Ik dronk bijna een hele fles wijn leeg en keek naar CNN op de nieuwe tv van het hotel. Ik pakte de hoorn van de Amerikaanse AT&T-telefoon om Gloria en Clara te bellen, maar deed het niet. Ik keek over de daken met de rookpluimen, zag hoe de winterse stad langzaam indommelde en pas tegen de ochtend viel ik in slaap.

Sjuganov stapte, van top tot teen in het zwart, uitgerust mijn kamer binnen. Hij had een sporttas bij zich, waarin een dikke broek, een warm hemd, een trui, sokken, een skijack, zware winterlaarzen en een paar dure, gevoerde handschoenen plus een blauwe skimuts zaten.

'Het is een koude dag', zei hij. 'De sneeuw komt sneller dan de meteorologen voorspeld hadden. Trek dit aan, dan gaan we. Ik heb twee mannen in het veld. Ze melden ons wanneer het object naar buiten komt. Komt hij niet, dan moeten we de procedure morgen herhalen.'

De kleren en de laarzen pasten. Toen we het hotel uitliepen, leek het minder koud dan gisteren. De lucht was vochtig en je kon voelen dat er sneeuw op komst was. Een grote thermometer op het gebouw ernaast wees min zes aan en de weg was één grote smurrie. Voetgangers moesten rennen voor hun leven wanneer de auto's een straal sneeuwblubber en water over de stoep spoten. Ik had geen ontbijt genomen, dat bestond uit een droog, in plastic verpakt broodje met een plakje kaas dat bij de hoeken omhoogkrulde en een pakje boter dat geel was van ouderdom. Ik had alleen een flesje mineraalwater en een kopje slappe, Russische oploskoffie genomen.

We gingen achter in de zwarte Mercedes zitten en Sjuganov gaf me een grote plastic beker met koffie en een vers broodje kaas. Igor zat voorin naast een Igor-kloon: stekelkop, dik leren jack en een lege gezichtsuitdrukking.

We doorkruisten Moskou en reden over een grote boulevard de stad uit. Er was veel verkeer op de weg en het wemelde er van de verkeersagenten in warme, zwarte jassen. Ze stonden, dik en vormeloos, midden op de weg met hun knuppels te zwaaien. Hun gezicht gehuld in een ademwolk. Op een gegeven moment werden we naar de kant van de weg gedirigeerd. Sjuganov negeerde de agent die op onze auto afliep en ons met een hand aan zijn bontmuts begroette. Ik zag dat de chauffeur hem een stuk papier en een groen bankbiljet toestak. Hij kreeg het papier terug en we konden doorrijden.

Ik dronk van de warme, zoete koffie en voelde me prima. Het was eigenlijk net of ik aan het werk was. Ik had gewoon iemand ingehuurd om een beroemde persoonlijkheid voor me op te sporen. Ik had me goed op deze missie voorbereid. Dagen-, weken- of maandenlange research zou nu uiteindelijk zijn vruchten afwerpen. Het argeloze object wist niet dat ik onderweg was om de foto te maken die mij een bom duiten en hem een berg problemen zou opleveren, waardoor zijn leven misschien drastisch zou veranderen. Het was alsof ik alles al eens had meegemaakt. Alsof het slechts een herhaling was. Ik was gewoon op weg naar een *hit*. Ik voelde me gespannen, maar op een aangename manier vanwege de ophanden zijnde jacht. Ik zou de foto maken, de plaats van het misdrijf verlaten en het geld op mijn rekening zien binnenstromen. Zo ging het altijd. Alleen had ik deze keer mijn Leica en Nikon met de grote telelens niet bij me.

Na een kwartiertje rijden gleed de auto in de richting van een grote triomfboog. Meteen daarna zag ik links een groot terrein met kanonnen, een obelisk die naar de hemel reikte, een kerkje en helemaal achteraan een monument dat op een Romeinse muur met zuilen en booggangen leek. Het zag er erg sovjetachtig uit.

'Wat is dat?' vroeg ik Sjuganov.

'Dat zijn twee gedenktekens. De triomfboog is voor de eerste grote vaderlandse oorlog. Het overwinningsmonument voor de tweede. In 1812 hebben we Napoleon verslagen. Later hebben we de Duitsers overwonnen. Ons land is gebouwd op bloed en skeletten. Er is maar weinig waar we trots op kunnen zijn. Daarom voeren we oorlog. Onze oorlogsoverwinningen, en dat geldt vooral voor de zege over Hitler, scheppen een band. Dat is het enige wat we nog over hebben. Het enige gemeenschappelijke, Mr. Lime. De broer van mijn vader is in de oorlog gestorven. Mijn tante is van de honger omgekomen tijdens de belegering van Leningrad. De oom van mijn vrouw en haar oma zijn doodgehongerd in de Oekraïne. De opa van mijn vrouw is spoorloos verdwenen tijdens een van de vele zuiveringen. Rusland staat gelijk aan lijden. De grote vaderlandse oorlog heeft twintig miljoen mensen het leven gekost. Er is niet één familie in dit vervloekte land die je niet een verhaal over de dood kan vertellen.'

Hij zei het in zijn keurige Oxford-Engels, maar ik zag dat hij geëmotioneerd was. Ik kon niet nalaten op te merken: 'Ik heb gehoord dat het er zesentwintig miljoen waren. Die resterende zes werden door kameraad Stalin en zijn tsjekisten vermoord.'

Sjuganov draaide zich naar me om.

'Dat klopt. Bloed, geweld en terreur zijn ons deel, maar de Tweede Wereldoorlog is de enige periode uit drieënzeventig jaar communisme die niet besmet is. Die zes miljoen zijn, net als die honderd miljoen anderen die alleen al in deze eeuw in de afschuwelijke geschiedenis van mijn land vermoord zijn, niet meer dan een incident. Daar praten we niet over. Iedere familie heeft zo al reden genoeg om te huilen. Deze erfenis van wreedheden slepen we met ons mee. Een mensenleven telt hier niet. Kijk maar naar ons laatste oorlogsavontuur in Tsjetsjenië. Hoeveel doden zijn er gevallen? Vijftigduizend? Tachtig? Honderdduizenden? Geen mens die het weet of die het interesseert. We zorgen voor onze naasten, vreemden laten ons koud.'

We sloegen rechtsaf en reden langs een paar grote blauwe woningblokken. Daarna werd de weg smaller en reden we een berkenbos in. Ik dacht aan Oscar, maar wilde onze ontmoeting verdringen en daarom vroeg ik Sjuganov: 'Wat is uw mening over de Wende? De ineenstorting van het communisme? Het nieuwe Rusland?'

Hij draaide zijn gezicht naar me toe.

'Het oude systeem is failliet gegaan. Ik heb de staat gediend. Ik heb nooit vragen gesteld. We staan op een keerpunt, Mr. Lime. We leven in een kapitalistische roversmaatschappij en criminelen maken in de Doema en het Kremlin de dienst uit. Dit is slechts een overgangsperiode. Ik heb het socialisme gediend, niet uit speciale overtuiging, maar omdat ik een Russische patriot ben. Dat ben ik nog steeds. Ik ben voor de democratie en de markteconomie. Het laatste omdat ik daardoor rijk ben geworden. Het eerste omdat dat de toekomst heeft. En als je kinderen hebt moet je aan de toekomst denken.'

'U heeft kinderen?'

'Een zoon van zeventien en een dochter van veertien. De jongen zit op kostschool in Engeland. Het meisje op een particuliere Engelse school hier in Moskou. Zij zijn het nieuwe Rusland. Zij zullen de erfenis van skeletten vergeten. Ik denk dat we op de goede weg zijn, maar het zijn de komende generaties die Rusland uit haar duisternis zullen verlossen.'

'Wat zeggen uw kinderen van uw werk?'

Hij keek me met zijn koude, blauwe ogen aan.

'De kinderen weten niet wat ik doe. Ik ben zakenman. Ik werk al heel mijn leven achttien uur per dag. Het grootste deel van mijn leven hebben de staat en de partij me met zakgeld en zorgvuldig uitgedeelde privileges beloond voor mijn inzet. Tegenwoordig zorg ik daar zelf voor. Ik woon goed, mijn vrouw kan boodschappen doen in de nieuwe supermarkten. We gaan met vakantie naar Florida. Ze kan de kleren kopen die ze wil. Mijn leven is bijna zoals het altijd was. Ik krijg natuurlijk geen medailles, maar des te meer geld voor mijn inspanningen. Ik heb geen moralistische visie op mijn leven. Mijn leven draait om het welzijn van mijn gezin en de tevredenheid van mijn klanten. Wie kan daar nu iets op tegen hebben?'

'Ik niet', zei ik.

We reden zwijgend verder en naarmate de kronkelende weg ons verder het bos in voerde, nam het verkeer af. Het was lang geleden dat ik zoveel sneeuw had gezien. De weg was schoongeveegd, maar in het bos en op de daken van de houten huisjes die we passeerden lag een dikke laag. Langs de weg stonden af en toe uit hout gesneden beren, in hun eentje of samen met een rendier. Het zag er tamelijk vreemd uit. Houten speelgoed dat met poedersneeuw bedekt was in een landschap dat zich oostwaarts tot in het oneindige uitstrekte. We reden door een paar dorpjes, passeerden een café en een kleine groentemarkt. Er stonden grote westerse auto's voor het café en er liepen duur geklede mannen en vrouwen naar de waren te kijken. De markt kwam me bekend voor van een van de foto's. Sjuganov keek me aan en knikte.

'We zijn er bijna', zei hij.

We sloegen rechtsaf en reden over een weg vol kuilen tussen een stel houten huisjes door, voorbij grote rode en gele stenen villa's die omzoomd waren door hoge heggen en ten slotte nog verder het bos in. De sneeuw was hier wit, hard en goed vast gereden maar ik voelde dat de Mercedes ondanks de spijkerbanden af en toe zijn grip op de weg verloor. We draaiden een soort parkeerplaats of open plek op en de chauffeur zette de motor uit. Igor en Sjuganov stapten uit. Ze haalden allebei een wit pak uit de kofferbak, dat op een overall leek maar dan met een capuchon, en trokken het aan. Sjuganov sprak zachtjes in het Russisch in zijn walkietalkie en er klonk een kort krakerig antwoord.

'Het object heeft de villa nog niet verlaten. U kunt maar beter weer in de auto gaan zitten. Dan krijgt u het tenminste niet koud. Ik stuur Igor vooruit, zodat hij zich tussen u en de villa bevindt, ik zal u begeleiden, goed?'

Ik had het niet koud, hoewel de vorst in mijn wangen beet. Ik was te gespannen. Het was volkomen stil in het bos, dat uit grote berken bestond en dat er verwilderd en natuurlijk uitzag hoewel er een breed pad doorheen liep waarop verschillende smalle zijpaadjes uitkwamen. Je kon aan de langlaufsporen die tussen de stammen door slingerden, zien dat hier regelmatig mensen kwamen.

Igor trok een paar korte ski's aan en liep licht en gemakkelijk het bos in. Met het witte pak waarin bijna onzichtbare gouden draden geweven waren, was hij snel uit zicht verdwenen en niet meer te onderscheiden van de witgele bast van de berken. Ik ging achterin zitten. De chauffeur startte de motor en de aanjager, en Sjuganov gaf me nog een kop koffie. Het was alsof ik een heel gewone opdracht uitvoerde. Ik was dicht bij mijn doel, had me goed voorbereid, was er klaar voor. Er restte me nu niets anders dan wachten.

In tegenstelling tot al die andere keren dat ik op mijn buik liggend of in een deuropening staand op mijn slachtoffer had moeten wachten, werd mijn geduld daar in het bos buiten Moskou niet bijzonder op de proef gesteld. Na een halfuur kraakte de walkietalkie van Sjuganov. Hij antwoordde kort.

Ik stapte uit de auto. Er hing sneeuw in de lucht. De grijze wolken hingen laag en vlak boven ons klonk een vliegtuig. We zaten kennelijk op de landingsroute. Wie weet was ik pal over deze bossen, beekjes en meertjes gevlogen.

'Het object is op pad', zei Sjuganov. 'De vrouw is bij hem en de grote Ier is hun bodyguard. Hij loopt zoals gewoonlijk een paar meter achter ze aan. Ze willen hem kennelijk een beetje buiten gehoorafstand hebben, ook al praten ze Duits met elkaar.'

'Oké', zei ik, deed mijn handschoenen aan en trok de muts tot over mijn oren. Ik was niet aan deze kou gewend, maar gelukkig had Sjuganov me praktische en warme kleren gegeven.

'Kunt u langlaufen, Mr. Lime?' zei hij.

'Absoluut niet', zei ik.

'Daar had ik ook niet op gerekend. Ik breng u naar uw doel. Dan trek ik me terug zodat ik tussen de bodyguard en het object in kom en laat de rest aan u over. Hoeveel tijd denkt u nodig te hebben om uw zaken af te handelen?'

'Vijf minuten. Ik wil hem alleen maar iets vragen.'

Sjuganov keek me aan alsof hij me niet geloofde, sprak een kort berichtje in zijn walkietalkie en toen vertrokken we. We volgden Igors skisporen en even later waren we midden in het bos. We waren niet meer dan een paar honderd meter van de weg verwijderd, maar ik was mijn richtinggevoel meteen kwijt. Alles leek op elkaar. Sneeuw, berken en laag struikgewas. Er was geen zon om me op te oriënteren en toen we eerst naar rechts en toen naar links moesten om een paar omgevallen bomen te omzeilen en op een gegeven moment een pad namen dat parallel aan het andere liep en vervolgens weer een ander pad insloegen, wist ik niet meer waar ik was. Als Sjuganov me zou achterlaten, zou ik makkelijk verdwalen. Ik was meer gewend aan het jagen in de stad. Ik was geen buitenmens en zou me in de vrije natuur slecht redden.

Sjuganov liep met rustige, glijdende stappen. Hij zou in zijn witte camouflagepak ongezien kunnen verdwijnen. Ik hoorde alleen het zachte geknerp van zijn soldatenlaarzen in de sneeuw. Hij zette zijn voeten moeiteloos en geluidloos neer, terwijl ik voortdurend in sneeuwgaten wegzakte of met mijn enkel in een tak verstrikt raakte. Mijn conditie was weliswaar behoorlijk op peil, maar ik was er niet aan gewend door de sneeuw te lopen. Na een kleine tien minuten kwamen we plotseling bij een bredere weg aan. De sneeuw was aangestampt en vol skisporen. De weg slingerde een paar meter naar beneden en liep vervolgens weer glooiend omhoog. We stonden als het ware op een heuveltje en konden het pad overzien.

'Ik wacht hier', zei Sjuganov. 'Als u nu een stukje de weg afloopt en zich dan achter een boom wilt verbergen. Het object en de vrouw lopen mij voorbij en dan zal ik de bodyguard tegenhouden.'

'Kunt u niet gezien worden?' zei ik dom en hij gaf wijselijk geen antwoord, maar trok een pistool met een lange loop onder zijn pak vandaan en gaf me met een hoofdbeweging te kennen dat ik moest gaan. Ik liep de weg af en in de bocht stond een grote kale loofboom met een dikke stam waar ik me achter verschool. Ik speurde naar Sjuganov maar zag niets anders meer dan sneeuw, berken en bosjes. Hij leek van de aardbodem verdwenen.

Ik hoorde Lola en Oscar voordat ik ze zag. Ze maakten ruzie. Lola sprak snel en vloeiend Duits. Het klonk alsof ze ruzieden over geld. Ik ging gauw op mijn hurken zitten en gluurde om de stam heen. Oscar droeg zijn lange leren jas en had zijn grote bontmuts diep over zijn oren getrokken. Het was me opgevallen dat de Russen hun bontmuts boven op hun schedel dragen zonder de oorkleppen neer te slaan. Misschien deed de bontmuts op Oscars grote hoofd daarom wel lachwekkend aan. Lola droeg haar lange bontjas en een bijpassende mof. Ze zag er heel elegant uit. Oscar sloeg met zijn golfclub in sneeuwbulten en tegen takken terwijl hij heftig met Lola discussieerde. Het zag er volslagen idioot uit om met een golfclub in een Russisch bos rond te stappen. Misschien was hij gek geworden.

Ze liepen voorbij de plek waar Sjuganov zich volgens mij moest bevinden en liepen in mijn richting. Toen ze ongeveer vijf meter van me verwijderd waren, dook de grote Ier op en plotseling leek Sjuganov uit de sneeuw achter hem op te rijzen en zag ik hoe de Ier verstijfde toen hij vermoedelijk de loop van een pistool in zijn rug voelde en Sjuganovs zacht uitgesproken waarschuwing hoorde.

'Ik houd het niet uit in dit land', riep Oscar. 'Ik hak Gloria de kop af. Wat moet ik verdomme doen. Ze plukt me kaal. Ik kan niets doen en als jij me niet meer wil lenen dan een paar rottige centen, dan...'

'Een beetje geduld, Karl Heinrich. Je moet een regeling met haar treffen', zei Lola. 'Ik zal je een voorstel doen...'

'Ik heb genoeg van die vervloekte voorstellen van jou', riep Oscar en zwiepte zijn golfclub tegen een sneeuwhoop zodat het witte poeder hem om de oren vloog. Lola deed een stap opzij en trok haar geëpileerde wenkbrauwen omhoog uit lichte irritatie over zijn kinderachtige gedrag.

Ik deed een stap naar voren en zei in het Engels: 'Rusland heeft niet veel golfbanen, Oscar.'

Hij bleef bewegingloos staan alsof de vorst hem binnen een seconde in een blok ijs had veranderd. Over deze confrontatie had ik eindeloos nagedacht en gedroomd en nu voelde ik niets dan verachting. Oscar zag er belabberd uit. Zijn gezicht was bleek en gerimpeld onder die idiote bontmuts, zijn ogen waren waterig en bloeddoorlopen. Zulke ogen kreeg hij altijd wanneer hij flink dronk en tegelijkertijd amfetamine of speed gebruikte. Dan kon hij niet slapen en werd hij twistziek en agressief. Het schoot me ineens te binnen dat hij Gloria een keer in een dergelijke toestand geslagen had. Ze was toen bij hem weggegaan, ik dacht voorgoed, maar ze was teruggegaan toen hij beloofde dat hij dat spul nooit meer zou gebruiken. Hij herstelde zich snel en keek achterom, er was niemand. Hij keek weer naar mij en vervolgens nog een keer achterom.

'Je vriend is even bezet, Oscar', zei ik.

'Fuck you, Lime', zei Oscar hees en sissend als een slang.

'Peter Lime, wat leuk', zei Lola in het Deens. 'Dat is lang-geleden, zeg…'

'Houd je mond, Lola', zei ik.

'Nog steeds slechte manieren', zei ze met haar geaffec-teerde stem. Ik keek haar kant uit en dat had ik niet moeten doen. Oscar zwaaide zijn golfclub tegen mijn onbeschermde knie en jammerend van de pijn probeerde ik mezelf te be-schermen terwijl hij me met zijn club in mijn zij mepte. Dankzij de dikke jas braken mijn ribben niet, maar de pijn sneed tot in mijn ruggengraat. Hij probeerde mijn achter-hoofd te raken, maar Lola gaf hem een duw en daarmee redde ze mijn leven. Ik had zo'n pijn dat het maagzuur in mijn keel brandde. Ik probeerde overeind te komen en Lola wilde haar handen net uit de mof halen om hem tegen te houden, toen Oscar zich witheet van woede naar haar omdraaide en haar met zijn golfclub recht in haar gezicht sloeg, dat met een kra-kend geluid uiteenspatte in een wolk van bloed.

'Sjuganov!' brulde ik, terwijl ik overeind kwam en met een stekende pijn in mijn knie het bos in strompelde. Oscar keek naar Lola die half op haar zij lag en de sneeuw rood kleurde en daarna naar mij. Hij had een verwilderde en lege blik in zijn ogen, alsof hij zich in een andere wereld be-vond.

'Sjuganov', riep ik opnieuw, maar in plaats van Sjuganov kwam de grote Ier aanrennen. De ene helft van zijn gezicht was besmeurd met bloed en hij leek wat hij was, een moor-denaar. Oscar draaide zich om en hief zijn golfclub, maar toen hij zag dat het de Ier was draaide hij zich weer om naar mij.

De Ier had een pistool in zijn hand.

Het was volledig fout gelopen. Ik strompelde het bos in en hoorde een schot en nog een en een fluitend geluid vlak naast me.

'Blijf hier, Lime!' hoorde ik Oscar nu in het Spaans roepen. 'Blijf hier, lafaard. Ik ben nog niet klaar met jou, gecastreerde hoerenzoon. Dankzij jou zit ik hier in dit ellendige gat. Je hebt mijn leven verwoest, vuile smeerlap. Kom terug! Jack, get him. But don't kill the motherfucker!'

Ik strompelde sneller het bos in, zo bang dat ik geen pijn meer voelde. Ik hoorde de Ier als een log dier achter me. Mijn gezicht was nat van tranen vanwege de pijn en doordat het was gaan sneeuwen, kleine opgewonden vlokken die de toenemende wind met zich meedroeg. Ik rende het bos in, maar na een paar minuten bedacht ik me. Waar waren Sjuganov en Igor in godsnaam? Er klonk een schot en nog een, maar in het bos was het onmogelijk te horen van hoe ver ze kwamen. Ik kwam uit op een smal pad waar het heviger sneeuwde. Misschien was het in de zomer een wildpad. Het had de vorm van een S en na de eerste bocht stopte ik, trok mijn handschoenen uit en verstopte me achter een boom. De grote Ier rende mijn kant uit. Zijn wang zat onder het bloed maar ik kon geen wond ontdekken. Misschien was het niet zijn bloed? Hij liep moeizaam en hield het pistool in de rechterhand naar beneden langs zijn been. Ik stapte naar voren, draaide om mijn as en probeerde hem in het gezicht te raken. De pijn joeg door mijn knie zodat ik een beetje uit balans raakte, maar hij was een ervaren vechter en trok op tijd zijn hoofd weg. Ik sloeg hem daardoor tegen zijn schouder, het pistool vloog uit zijn hand en verdween in de sneeuw. Hij herwon snel zijn evenwicht en nam de houding aan voor een gevecht van man tot man, zijn armen druk bewegend voor zich en de knieën licht gebogen. Hij hijgde: 'Dus je wilt vechten, Lime. Mooi zo. Kom dan, motherfucker, kom dan, kom dan', zei hij.

Oscar kwam aangestampt en brulde als een woeste stier. Ik maakte een schijnbeweging met links en de Ier lachte me uit om deze al te duidelijke manoeuvre en verplaatste zijn gewicht. Toen schopte ik, zodat het pijn deed tot in mijn nek, tegen de boom waardoor de takken, die zwaar waren van de sneeuw, begonnen te trillen en een waterval van poedersneeuw over ons uitstortten. Ik was erop voorbereid, hij niet. Hij werd erdoor verblind en verloor zijn evenwicht. Ik trapte met mijn voet in zijn kruis en sloeg hem toen zo hard als ik maar kon met de zijkant van mijn gestrekte rechterhand in zijn nek, precies zoals Suzuki me dat geleerd had ook al had hij me ontraden deze truc ooit toe te passen, en ik hoorde een flauwe, droge knak toen zijn nek brak.

Oscar kwam op me af met zijn golfclub in de hand en ik dook weg voor zijn wilde, krachtige uithalen waardoor hij zijn evenwicht verloor en onhandig verder holde. Ik stak mijn zere been uit en zijn twee meter lange lichaam rolde in de sneeuw. Hij leek wel bezeten en had de kracht van een krankzinnige die geen pijn meer voelde. Hij kwam overeind en viel me brullend aan, wilde me in zijn armen knellen en alle lucht uit me persen. Ik sloeg hem twee keer met mijn linkerhand in zijn gezicht en probeerde zijn strottenhoofd te raken. Zijn wenkbrauw was gescheurd en het bloed spoot uit zijn neus, maar hij bleef me maar aanvallen en duwde me achterover terwijl hij probeerde zijn armen om mijn rug te slaan. Ik gleed onder zijn armen door, beukte mijn elleboog in zijn nieren en hij brulde weer als een gewond dier. Hij had in elkaar moeten zakken, maar in plaats daarvan kwam hij wankelend omhoog en keek zoekend rond naar zijn golfclub. Ik sloeg hem nog een keer hard in zijn gezicht met mijn rechterhand, zo hard dat ik mijn knokkels openhaalde. Oscar vloog weer tegen de boom en zijn ogen werden glazig.

'In godsnaam, Oscar, ik wilde alleen maar met je praten', zei ik. 'Ik wilde alleen maar een verklaring hebben.'

Ik kon amper een woord uitbrengen.

'Waarom Amelia? Waarom María Luisa?' zei ik, terwijl ik probeerde mijn ademhaling weer onder controle te krijgen. Het sneeuwde inmiddels flink, de striemende vlokken landden op Oscars kapotgeslagen gezicht en mengden zich met het rode bloed dat uit zijn neus, lippen en wenkbrauwen stroomde.

Oscar spuwde een tand uit en ging weer tot de aanval over. Uitzinnig van woede en volkomen ongecoördineerd vloog hij me voorbij toen ik een stap opzij deed. Hij stopte abrupt, keek me aan met de woeste blik van een gewonde vechtstier die voor de zoveelste keer door de capa misleid wordt, maar die ditmaal door had dat er achter die wapperende doek een mens van vlees en bloed zat. Oscar viel alleen niet aan, maar rende verder het bos in. Een moment was ik verrast, maar ik zette snel de achtervolging in. Ik had hem eigenlijk niets meer te zeggen, maar zoals een rustige en goed afgerichte hond ineens zijn opvoeding kan vergeten en instinctief achter een fietser of een willekeurig bewegend doel aan begint te rennen, zo ging ik zonder nadenken Oscar achterna.

Ik hoorde hem voor me en af en toe dook zijn zwarte leren jas op in de sneeuwstorm tussen de berkenstammen. Ik weet niet hoe lang we renden. Ik was mijn gevoel voor richting en tijd volledig kwijt. Mijn longen piepten en mijn knie deed zeer, maar het kon me niets schelen. Door de sneeuw was het nog moeilijker om je in het witte, gelijkvormige landschap te oriënteren. Het sneeuwde inmiddels zo hard dat onze voetsporen bijna direct weer verdwenen. Plotseling kwam ik bij de rand van het bos, dat abrupt overging in een helling en ik viel languit voorover in de sneeuw. Ik stond op. Oscar was ook gevallen, maar hij was verder naar beneden gerold en op een egale, krijtwitte vlakte terechtgekomen. Hij stond op, viel weer om, kwam nogmaals overeind maar bleef steken in het ijs dat onder hem brak. Hij bleek een bevroren rivier op geholdd te zijn. De helling en bomen aan de andere kant van de oever waren nauwelijks zichtbaar door de wervelende sneeuw.

Oscar slaagde erin een been op te tillen, gleed terug en het ijs kraakte weer. Hij zat met beide benen vast en zakte tot zijn middel door het ijs. Hij keek achterom naar mij en ik liep voorzichtig zijn kant op. Het ijs kraakte. Oscars gezicht was een en al angst en wanhoop. Hij probeerde zich met zijn armen omhoog te werken, maar in plaats daarvan brak hij een stuk van het ijs af, dat zeer dun was. De sneeuw viel nu in het zwarte water en het wak werd groter. Het kraakte onder mijn voeten. Toch deed ik een stap naar voren. Oscar probeerde zich weer op te drukken en er kwam een lange scheur in het ijs die tussen mijn benen doorliep. Het ijs leek me te houden, toch bleef ik een paar meter van hem vandaan staan.

'Waarom moesten ze sterven, Oscar?' riep ik boven de wind uit die de sneeuw in mijn gezicht zwiepte.

'Help me, Peter', zei hij in het Spaans. 'Help me. Ik vries dood.'

'Waarom, Oscar?'

'Het was een vergissing. Jack en Joe moesten alleen die vervloekte foto en een paar andere negatieven halen. Ze moesten die verdomde negatieven verbranden. Het moest op een gewone inbraak lijken, maar Amelia verzette zich en toen zijn die rot-Ieren te ver gegaan. Ik dacht dat alles verbrand was en toen dook die verdomde foto ineens weer op. Ik dacht dat hij vernietigd was. Alles. Ik dacht dat ik verlost was van mijn verleden. Waarom kon je de zaak niet laten rusten, verdomme. Je kon ze er toch niet mee terugkrijgen. Gedane zaken nemen geen keer, stomme idioot die je bent. Je was mijn vriend. Echt. Nog steeds.'

Hij ging door in het Engels: 'A fucking mistake, Peter. Help me, please. A fucking mistake.'

Hij toonde geen berouw. Hij noemde het gewoon een vergissing. Een spijtige vergissing. Als een slechtverlopen zakelijke aangelegenheid. Spijtig, maar niets aan te doen. Hij was gevoellozer en amoreler dan ik voor mogelijk had gehouden. Ik had misschien het recht niet andere mensen te veroordelen maar Oscar, mijn vriend, was niet in staat om iets voor zijn medemens te voelen. Mijn woede verdween. Ik had eigenlijk wel een beetje medelijden met hem, maar nu was het te laat.

Ik liep langzaam achterwaarts naar de oever, terwijl het ijs vlak voor mijn voeten openscheurde. Oscar keek me na.

'A fucking mistake, Lime', zei hij en hij verdween in het gat en onder het ijs. De stroom voerde hem mee, ik zag hem niet meer bovenkomen.

Ik klom op de kant en probeerde me te oriënteren. De kou beet in mijn wangen, neus en handen. Het bos achter me zag er ontoegankelijk en donker uit. Ik dacht dat ik, als ik de rivier zou volgen, vroeg of laat wel op huizen of een weg zou stuiten. Ik had geen idee hoe ver ik zou moeten lopen en of ik naar rechts of links moest gaan. Ik besloot naar links te gaan en liep door de sneeuwstorm dezelfde weg die Oscars lijk onder de sneeuw en het ijs door nam. Ik voelde me vanbinnen en vanbuiten als bevroren. Mijn hoofd was leeg en ik had geen gevoel van tijd en plaats meer. Igor zei later dat ik erg afwezig en een beetje verbaasd was geweest toen hij me vond. Alsof ik liep te slaapwandelen. Ik had het punt bereikt waarop je het liefst wilde gaan liggen om toegedekt door de sneeuw in te slapen.

25

Ik belde vanuit Moskou naar Clara. De telefoon ging drie keer over voor ze opnam. Ze was een beetje buiten adem en haar stem klonk wat metaalachtig door de satellietverbinding.

'Met mij, Clara', zei ik.

'O, Peter. Wat fijn om je stem te horen. Gaat het goed met je? Waar ben je?'

'In Moskou. Ik vlieg vanavond naar huis.'

'Is alles in orde?'

Het zat haar in het bloed. Ze kon nooit iets direct formuleren door de telefoon.

'Alles is in orde. Er valt niets meer over te zeggen. De zaak is afgehandeld.'

'Op een manier waar je mee kunt leven?'

'Misschien niet altijd. Ik zal nachtmerries krijgen en sommige dingen betreuren, maar ik kan ermee leven. Dat zal wel moeten. Vooral als jij je leven met me wilt delen. Kom naar Madrid.'

'Waarom, Peter?'

'Ik heb iemand nodig die mijn statief draagt.'

Ze lachte.

'Waarom, Peter. Zeg het nu.'

'Ik heb je nodig.'

'Dat klinkt al beter', zei ze.

'Je weet wel wat ik bedoel.'

'Misschien, maar soms is het goed de dingen te benoemen.'

'Kom je?' vroeg ik bijna smekend en dat was een hele zelfoverwinning.

'Waar moet ik dan van leven?'

'Ik heb geld genoeg.'

'Toe, wees nu even serieus. Wat moet ik daar dan doen?'

'Mijn statief dragen.'

Ze lachte weer, maar ik hoorde dat ze net zo onzeker was als ik. Alleen was ik in het voordeel, mijn inzet was lager. De satellietverbinding zoemde, dit wonder van de techniek dat de signalen van het hotel duizenden kilometers hoog de lucht inzond om ze vervolgens weer naar Clara af te laten dalen. De afstand tussen ons bedroeg hemelsbreed hooguit een paar duizend kilometer, maar onze stemmen maakten een reis van wel veertigduizend kilometer. Ik zweeg en liet een minuut verstrijken in de zachtjes zoemende stilte. Ik keek naar het verkeer beneden me en zoals gewoonlijk leken alle inwoners van Moskou ergens naar onderweg te zijn. De dooi was ingetreden en alles spatte en sopte. Aan de overkant zag ik ijspegels hangen, zo groot en moorddadig als ik nog nooit eerder in mijn leven had gezien. Het was in vele opzichten gevaarlijk om een voetganger in Moskou te zijn. Ik miste Madrid en mijn huis.

Toen zei Clara eindelijk: 'Ik weet het niet. Ik weet niet of ik durf. Ik denk aan mijn verbrande vingers.'

'Je hebt zelf gezegd dat de eerste keer het ergst is.'

'Ik kan je nu geen antwoord geven', zei ze.

'Ik heb je nodig, Clara. Kom naar Madrid.'

'We zullen zien. Misschien kom ik een keer logeren. Misschien ook niet. Misschien is het beter er een punt achter te zetten. Ik weet het gewoon niet. Maar zorg goed voor jezelf.'

Het klonk alsof ze op het punt stond te gaan huilen en daarom hing ze misschien wel op. Ik wist eigenlijk niet hoe ik me voelde. Ik bleef lang met de hoorn in mijn hand naar buiten zitten staren zonder echt iets te zien. Ergens vond ik het leven zinloos en psychisch minstens zo uitputtend als mijn pijnlijke lichaam aanvoelde. Toch voelde ik me ook bevrijd. Ik wist niet waarom, kon het niet verklaren, maar het gesprek met Clara had me hoop gegeven.

'Grappige taal, dat Deens', zei Sjuganov.

Hij zat in mijn kamer met een glas wodka in zijn hand. Eén arm in een mitella en een grote pleister op zijn slaap. Hij had mij ook door een dokter laten onderzoeken. Mijn knie was hevig gezwollen. Verder had ik alleen twee kleine vorstwondjes in mijn gezicht, dus ik was er goed van afgekomen. Ik had geluk gehad. Ik was de goede kant opgelopen en na een uur had Igor, die de rivier afzocht, me gevonden. Ondanks de sneeuwstorm had de goedgetrainde soldaat onze sporen teruggevonden. Hij was bij de rivier uitgekomen en had de afgebroken takken en de kleine kuilen gevonden die ik onder het lopen in de sneeuw achter had gelaten. Sjuganov had versterking ingeroepen en een zoektocht op touw gezet, maar geen politie of andere autoriteiten ingeschakeld.

Sjuganov had de grote Ier, die een knipmes tegen zijn pols bleek te dragen, onderschat. De Ier had het mes in Sjuganovs bovenarm geboord en hem met zijn eigen pistool bewusteloos geslagen. Igor was er te laat bij geweest en was met de andere bodyguard in een vuurgevecht geraakt. Igor had hem eerst in zijn been geschoten en daarna van dichtbij door zijn hoofd. De twee Russische bodyguards van Lola waren hun geld niet waard geweest, ze waren hem gesmeerd en dat was maar beter ook.

'Het was een grote veldslag', zei ik en hief mijn glas.

'Niemand betreurt dat meer dan ik. U hoeft uiteraard niet te betalen', zei hij. 'Ik heb mijn tegenstander onderschat, een onvergeeflijke fout.'

'En de politie?' zei ik.

Hij wreef met zijn duim tegen zijn wijs- en middelvinger in een universeel gebaar.

'Is dat genoeg?' zei ik.

'Het object krijgt alle schuld. In de villa waren genoeg drugs aanwezig om heel Moskou high te laten worden. Hij heeft de vrouw vermoord. Zij betaalde de twee Ieren. Het is dus logisch dat die geprobeerd hebben haar te verdedigen, maar ze zijn tijdens het vervullen van hun plichten helaas gedood. Het object heeft daarna of zelfmoord gepleegd of is de rivier opgegaan om te vluchten en is vervolgens door het ijs gezakt. De rivier is diep en er staat een sterke stroming. Het pistool is verdwenen, de golfclub die besmeurd was met het bloed van de vrouw is gevonden. Hij was nieuw hier in Moskou en wist niet dat we een paar weken geleden een periode met dooi hebben gehad. Het ijs was zwak. Er worden dagelijks wel een paar moorden in Moskou gepleegd. De politie is overbelast. Ze zijn allang blij als ze een moordzaak als opgehelderd kunnen beschouwen. Dat doet het ook goed in de pers.'

'En Oscar?'

'Hij duikt wel op als het ijs ergens in maart smelt. Dan is iedereen de zaak alweer vergeten en begraven we hem in het graf van de onbekende.

Ik dacht even na.

'Kunt u er ook voor zorgen dat hij gecremeerd wordt en dat de urn naar mij toe wordt gezonden', zei ik.

Hij keek me verbaasd aan.

'Dat vereist enig papierwerk, maar het kan geregeld worden. Staat u mij toe te vragen waarom?'

'Oscar had vele kanten. Ik ken een vrouw die zich over een poosje zijn goede kanten zal willen herinneren. Ik denk dat ze graag een graf in Madrid wil hebben waar ze heen kan gaan. Ik weet het uit eigen ervaring. Een graf verlost je niet van je woede over de onrechtvaardigheid van de dood, maar biedt troost omdat je met de overledene kunt praten en hem kunt uitschelden. Ik denk dat ze dat straks graag wil, maar ik ben niet van plan het haar te vragen. Dan zegt ze toch nee.'

'Afgesproken. Als het lijk opduikt, zal ik ervoor zorgen. Ik zal een bericht naar de politieposten bij de rivier sturen. Die lijken kunnen ver weg drijven, maar over het algemeen komen ze in het voorjaar boven water. Vissers, zelfmoordenaars... objecten. Beschouw het als een vriendendienst.'

'Bedankt. Dus ik kan vanavond vertrekken zonder dat ik problemen krijg bij de douane?'

'U kunt met een gerust hart naar huis.'

Hij toostte.

'Een goede reis, Mr. Lime', zei hij en leegde zijn glas.

Ik deed hetzelfde. De wodka was sterk en goed. Ik schonk ons beiden nog eens in.

'Vrolijk Kerstmis', zei ik.

'Ja, en dat het geluk u maar moge toelachen in het nieuwe jaar', zei hij ernstig en formeel. Daar dronk ik van harte op.

De winter was vroeg ingevallen en ook het voorjaar kwam eerder dan normaal. De zon was eind februari al heerlijk warm en een paar van Don Alfonso's bloemen die de winter overleefd hadden begonnen uit te lopen. Ik zat in een shirt met korte mouwen in de tuin in een biografie van Kenneth S. Lynn over Hemingway te lezen. Die had ik tussen de boeken van Don Alfonso gevonden. Het was vroeg in de middag toen ik een taxi hoorde en Clara zag uitstappen met slechts één koffertje in haar hand. Ze betaalde de taxichauffeur en liep op me af. Ze droeg een lange broek, een blouse en een trui en ook nog een jas over haar arm alsof ze de koude Deense winter had meegenomen. Ze lachte en bleef een eindje voor me staan. Ik legde mijn boek op tafel, stond op en liep haar tegemoet. De milde voorjaarswind tilde haar haren op.

'Hallo, Peter', zei ze.

'Hallo, Clara. Je ziet er fantastisch uit.'

'Wat een heerlijk weertje hebben jullie hier. In Kopenhagen sneeuwde het.'

'Wat fijn om je te zien, maar je hebt er lang over gedaan', zei ik.

Ze wendde haar blik even af, maar keek me daarna weer in de ogen.

'Ik heb besloten de kans te wagen. Ik wilde je niet van tevoren bellen. Dat was mijn inzet bij deze roulette: als je thuis was, dan was het voorbestemd. Misschien pure winst. Als je niet thuis was, dan was het misschien de bedoeling dat het zo zou lopen. Ik weet dat het niet rationeel is, maar zo voelde ik het.'

'Niet slim om zo'n risico te nemen', zei ik. 'Maar ik ben tegenwoordig bijna altijd thuis overdag.'

Ze lachte en kwam vlak bij me staan. Ik legde mijn armen om haar heen en wilde nog een keer benadrukken hoe geweldig ze eruitzag en hoe blij ik was haar te zien.

'Zeg nu maar niets meer', zei ze. 'Dat komt later wel. Kus me liever!'

Dat deed ik en veel later in bed zei ik: 'Je hebt niet veel bagage meegenomen. Blijf je soms niet lang?'

Ze lag op mijn borst en blies zachtjes op mijn mond.

'Dat ligt eraan hoe leuk het is om jouw statief te dragen. Ik heb een poosje verlof genomen en mijn flat tot na de zomer verhuurd. Ik ben niet helemaal gek. Daarna moeten we maar verder zien...'

'Het is in elk geval een begin', zei ik.

'Veel meer kun je waarschijnlijk ook niet verwachten op onze leeftijd. Ik heb enorme honger, dus als je me om te beginnen eens laat zien waar de koelkast staat.'

Enkele reis Kopenhagen

Vuk is een zoon van Joegoslavische gastarbeiders in Denemarken. Een tragedie tijdens de Balkanoorlog in zijn familie in Bosnië heeft van hem een meedogenloze huurmoordenaar gemaakt.

Vuk krijgt de opdracht een Iraanse schrijfster te liquideren die op haar vlucht voor de Iraanse overheid ondergedoken is in Londen. Ze zal in Kopenhagen verschijnen op een streng beveiligde persconferentie van de Deense afdeling van de schrijversorganisatie PEN. In opdracht van de Deense regering waakt rechercheur Per Toftlund over de veiligheid van 'Simba'.

De persconferentie lijkt de ideale gelegenheid voor Vuk – en zijn broodheren – om voor het oog van de wereldpers de liquidatie uit te voeren.

- ✂

Voordeelbon ter waarde van € 1,-

Bij inlevering van deze bon bij uw boekhandel betaalt u

voor *Enkele reis Kopenhagen*

€ 12,50 in plaats van € 11,50.

Deze aanbieding is geldig

van 1 oktober 2002 t/m 1 april 2003.

Actienummer BB 947-66547 – EAN 0000094766547